LES CINQ QUARTIERS
DE L'ORANGE

Joanne Harris

LES CINQ QUARTIERS
DE L'ORANGE

Roman

Traduit de l'anglais par
JEANNETTE SHORT-PAYEN

Quai Voltaire

To my grandfather, Georges Payen,
who was there.

Titre original :
Five Quarters of the Orange.

© 2001, by Joanne Harris.
Frogspawn Ltd., 2001.

PREMIÈRE PARTIE

L'HÉRITAGE

I

En mourant, ma mère légua la ferme à mon frère Cassis ;
à ma sœur, Reine-Claude, elle laissa le contenu de notre
cave — une fortune sous forme de vins fins — et à moi, la
cadette, elle donna son album et un grand bocal contenant une seule truffe noire du Périgord, grosse comme
une balle de tennis et conservée dans de l'huile de tournesol. Quand on débouche le flacon, il en dégage encore
cet arôme puissant qui monte des profondeurs humides
de la forêt. Les richesses avaient été assez inégalement dis-
tribuées sans doute mais notre mère était une force de la
nature, elle dispensait ses faveurs comme bon lui semblait
et ne permettait à personne de pénétrer le fonctionne-
ment de sa logique bien à elle.

D'ailleurs, comme le répétait Cassis, la préférée,
c'était moi. Bien sûr, ma mère, de son vivant, n'en avait
jamais donné la preuve. Elle n'avait jamais eu beaucoup
de temps pour les gâteries, même si elle avait été du genre
à ça. Son mari avait été tué au front et s'occuper d'une
ferme est un travail qui ne se fait pas tout seul quand on
est veuve. Aussi, loin de la consoler de la perte de son
mari, nous la gênions avec nos jeux bruyants, nos disputes
et nos bagarres. Quand nous tombions malades, elle nous
soignait avec une tendresse bourrue comme si elle eût cal-
culé ce que notre guérison allait lui coûter. Alors, le peu
d'amour qu'elle nous montrait prenait les formes les plus
élémentaires : elle nous donnait des casseroles à lécher,
une bassine à confitures à nettoyer, une poignée de fraises
des bois qu'elle avait ramassées dans la longue bordure

derrière le potager et qu'elle offrait sans un sourire enveloppées dans un coin de mouchoir. Cassis serait l'homme
de la famille. Elle lui prodiguait encore moins de tendresse qu'à nous. Reinette, déjà, faisait tourner les têtes
avant même d'avoir atteint l'adolescence et ma mère était
assez vaniteuse pour s'enorgueillir des attentions dont elle
faisait l'objet. Quant à moi, je n'étais qu'une bouche de
plus à nourrir, pas le deuxième fils qui lui aurait permis
d'agrandir la ferme, et je n'avais certainement rien d'une
beauté.

Moi, j'étais celle qui semait toujours le trouble, qui
dérangeait l'harmonie et, à la mort de mon père, je devins
en plus morose et rebelle. J'avais de ma mère la maigreur
et le teint basané, les mains longues et sans grâce, les
pieds plats, la bouche trop grande. En me voyant, à contrecœur, elle devait se reconnaître car elle me regardait
les lèvres un peu serrées d'un air stoïque, fataliste, comme
si elle eût deviné que ce ne serait ni Cassis ni Reine-
Claude qui perpétueraient son souvenir mais moi, comme
si elle eût préféré se réincarner dans un corps plus agréable à l'œil.

Peut-être était-ce la raison pour laquelle elle m'offrit
son album, sans valeur à l'époque à l'exception des remarques et des commentaires notés en marge des recettes,
des coupures de journaux et des potions à base d'herbes
médicinales. Pas exactement un journal intime, n'est-ce
pas ? Il n'y a presque aucune date dans l'album, aucun
ordre précis. On y a ajouté des pages au hasard, des
feuilles détachées, cousues plus tard à petits points, minutieusement. Certaines ont une minceur de papier pelure,
d'autres sont des bouts de cartons taillés de façon à pouvoir être insérés dans la couverture de cuir tout abîmée.
Ma mère jalonnait sa vie de recettes, de mets de son inven-
tion, de vieilles préparations auxquelles elle ajoutait son
tour de main personnel. Elle en marquait ainsi les grands
événements. La nourriture représentait sa nostalgie.
C'était sa façon à elle de célébrer la vie. Les soins avec lesquels elle la préparait représentaient l'unique forme de sa

créativité. La première page de l'album est consacrée à la mort de son père — son ruban de la Légion d'honneur y est collé maladroitement sous un portrait un peu flou et fané et une recette calligraphiée pour les galettes de blé noir. Elle témoigne d'un humour à vous donner le frisson. Sous la photo, ma mère a écrit en rouge :

Ne pas oublier de déterrer les topinambours ! Ah ! Ah ! Ah ! »

Ailleurs, elle est plus loquace mais elle utilise beaucoup d'abréviations et de remarques énigmatiques. Je reconnais certains des incidents auxquels elle fait allusion mais d'autres, pour les besoins de la cause, ont été déformés et d'autres encore paraissent inventés de toutes pièces, n'être que des mensonges, des choses impossibles. Dans maints endroits se trouvent des passages d'une écriture minuscule en une langue que je ne comprends pas.

« Ejni siardouvini reuqilpxeini. Ejni ienni insiaruasi ineli inretroppusi insulpi spmetgnolini. »

Par moments, un seul mot, écrit d'une main maladroite, apparaît en travers du haut ou du côté de la page. Ici, à l'encre bleue, on lit « *Balançoire* », là, c'est « *Pyrole. Vaurien. Ornement* » au crayon orange. Là encore, il y a quelque chose qui ressemble à un poème. Pourtant je ne l'ai jamais vue ouvrir un livre autre qu'un livre de cuisine ! Le voici :

Chatoyante tendresse.
D'un lumineux fruit mûr
La délicate chair.
Prune ou pêche, abricot,
Peut-être un melon d'eau...
Chatoyante tendresse,
Ma douce meurtrissure.

Cette touche de fantaisie me surprend et me
déconcerte. Comment cette femme au cœur de pierre et
si prosaïque avait-elle pu entretenir en secret de telles
pensées ? Elle qui s'était emmurée hors de notre atteinte,
de toute atteinte, avec une telle férocité que je l'avais crue
incapable de se laisser fléchir.

Je ne l'ai jamais vue pleurer. Elle ne souriait que rarement et seulement lorsqu'elle était dans la cuisine occupée à composer ses chefs-d'œuvre, entourée de sa palette
de saveurs et marmonnant pour elle toute seule (du
moins je le croyais) d'une voix sans timbre le nom des
herbes et des épices : « cannelle, thym, menthe poivrée,
coriandre, safran, basilic, ache de montagne » tout en faisant un commentaire détaillé de ses gestes. « Vérifier la
chaleur de la tuile. Doit être exacte. Pas assez chaude et la
crêpe est trop molle. Trop chaude et le beurre noircit, la
tuile fume et la crêpe est trop sèche. » Plus tard je compris
qu'elle essayait de m'apprendre ce qu'elle savait. Je
l'écoutais parce que c'était là, pendant ces leçons de cuisine, ma seule occasion de recevoir d'elle quelques marques d'approbation et parce qu'aussi toute bonne guerre
a besoin d'armistice de temps en temps. Les recettes campagnardes de sa Bretagne natale étaient ses favorites ; les
crêpes de blé noir que nous mangions avec n'importe
quoi, le far breton, le kouign-amann et les galettes bretonnes que nous vendions à Angers avec nos fromages de
chèvre, nos saucisses et les fruits de notre verger.

Elle avait toujours voulu que Cassis restât à la ferme,
pourtant, il fut le premier à monter à Paris, par une sorte
de défi, pour lui sans importance, et il cessa toute relation
à l'exception d'une fois par an, à Noël, sa signature sur
une carte postale. Trente ans plus tard, lorsqu'elle mourut, la vieille ferme en ruines ne présentait plus pour lui
aucun intérêt. Je la lui rachetai avec les économies que
j'avais faites sur ma pension de veuve, à un prix avanta-
geux mais il n'y perdit rien et, à l'époque, il en fut tout à
fait content. Il comprenait qu'il fallait surtout garder la
ferme dans la famille.

Tout cela a bien changé maintenant, c'est sûr. Cassis a eu un fils lui aussi et le garçon a épousé Laure Dessanges, une femme qui écrit des articles sur la gastronomie. Ils sont propriétaires d'un restaurant à Angers : *Aux Délices Dessanges*. Avant la mort de Cassis, je l'ai rencontré deux ou trois fois. Je ne l'ai pas aimé. C'était un m'as-tu-vu aux cheveux noirs qui avait déjà l'embonpoint de son père. Il était encore beau gars pourtant et il le savait bien. Il semblait multiplier les efforts pour plaire : il m'appelait « Mamie », allait me chercher un fauteuil, insistant pour que je prenne le plus confortable, il me faisait du café, me le sucrait, y versait de la crème, s'inquiétait de ma santé, me faisait mille compliments à propos de ceci ou de cela. Il me donnait le tournis. À cette époque-là, Cassis avait la soixantaine et déjà sa bedaine annonçait l'infarctus qui devait l'emporter. Il observait tout cela avec un orgueil à peine déguisé : « C'est mon fils, ça ! Regarde un peu comme il est bel homme, quel parfait neveu tu as et, avec ça, toujours aux petits soins. »

Cassis l'avait appelé Yannick, le prénom de notre père. Cela ne me le faisait pas aimer pour autant. J'ai les mêmes réactions que ma mère, je déteste les convenances, les affectations. Je n'aime pas que l'on me tripote, que l'on essaie de m'enjôler. Je ne vois pas pourquoi les liens de famille, ni même les liens de complicité, devraient automatiquement devenir des liens d'affection. Oui, je parle de cette vie que nous avons détruite et qui fut si longtemps notre secret à tous.

Allons, vous ne pensiez tout de même pas que j'aurais pu simplement oublier cette affaire-là ? Pas moi. Les autres, eux, ont pourtant bien essayé : Cassis en nettoyant les pissotières à la porte de son bar à Paris, Reinette, elle, en travaillant comme ouvreuse à Pigalle dans un cinéma spécialisé dans les films porno où elle cherchait l'homme comme une chienne en quête de maître. C'était bien la peine de porter du rouge à lèvres et des bas de soie ! Chez nous, elle avait été la reine à la fête des Moissons, la petite chérie et, sans aucun doute, la plus belle fille du village.

Mais, à Montmartre, elle n'avait plus été qu'une femme parmi les autres. Pauvre Reinette !

Oui, je sais ce que vous pensez. Vous voudriez bien que je revienne à mon histoire, à celle d'autrefois. Elle seule vous intéresse aujourd'hui. Elle représente le seul lambeau de mon vieil étendard que l'on veuille encore bien me voir lever. Vous voulez que je vous raconte l'histoire de Tomas Leibniz, vous voulez la voir tirée au clair, cataloguée, classée pour toujours. Ce n'est pas, hélas, aussi simple que ça. Pas plus que l'album de ma mère, les pages de cette histoire-là ne sont numérotées. Elle n'a pas de commencement et la fin, la fin, ma foi, ressemble au bas effiloché d'une jupe dont on aurait oublié de coudre l'ourlet. Je suis une vieille femme — il semble que tout ici vieillisse et si vite, ça doit être quelque chose dans l'air — et je fais les choses à ma façon à moi. D'ailleurs, il y en a tant de ces choses que vous devez d'abord comprendre : pourquoi ma mère a fait ce qu'elle a fait, pourquoi nous avons gardé le secret si longtemps et pourquoi je choisis maintenant de raconter mon histoire, à des étrangers, à des gens qui imaginent qu'il est possible de résumer une vie entière en deux pages pour le supplément illustré d'un journal du dimanche, avec une ou deux photos, un entrefilet, une citation de Dostoïevski. Et hop, on tourne la page et puis on n'en parle plus. Eh bien, non ! Pas cette fois ! Ils vont en écrire chaque mot. Pas que je puisse les forcer à les imprimer, bien sûr, mais nom de Dieu, ils vont les écouter. Je vais les *forcer* à écouter.

II

Je m'appelle Framboise Dartigen. C'est ici que je suis née, dans le village des Laveuses, sur la Loire, à quinze kilomètres à peine d'Angers. En juillet prochain, j'aurai soixante-cinq ans. Le soleil m'a donné le teint bruni et safrané d'un abricot sec. J'ai deux filles : l'une, Pistache qui a

épousé un banquier et vit à Rennes et l'autre, Noisette qui
est partie au Canada en 85 et m'écrit tous les six mois. J'ai
aussi deux petits-enfants qui, tous les étés, viennent faire
un séjour à la ferme. Je porte le deuil de mon mari depuis
vingt ans. C'est sous son nom que je suis revenue dans
mon village natal pour y racheter la ferme de ma mère,
abandonnée depuis longtemps et à demi détruite par un
incendie et le mauvais temps. Ici, on me connaît sous le
nom de Françoise Simon, la Veuve Simon, et personne ne
penserait établir un lien entre moi et la famille Dartigen
qui avait pris la fuite après cette terrible affaire. À vrai
dire, je ne pourrais expliquer pourquoi je tenais tant à ce
que ce fût cette ferme-là, dans ce village-là. Sans doute
parce que j'ai une vraie tête de mule ! Enfin, c'était
comme ça ! C'est dans ce pays-là que sont mes racines.
Toutes ces années de vie commune avec Hervé semblent
n'avoir laissé aucune trace réelle dans ma mémoire, pas
plus que ces accalmies étranges qui nous surprennent parfois au milieu d'une mer démontée, ou qu'une attente,
qu'un moment de distraction. Mais pas un seul instant je
n'ai oublié Les Laveuses. Un peu de moi était attaché à
cette terre.

   Rendre habitable le corps du bâtiment de la ferme me
prit plus d'un an. Je logeais dans l'aile sud dont le toit au
moins avait tenu. Pendant que les couvreurs remplaçaient
les tuiles une à une, moi, je travaillais dans le verger —
enfin dans ce qu'il en restait — taillant les arbres pour
leur redonner forme et arrachant les énormes touffes de
gui qui les dévoraient. À part les oranges qu'elle ne sup-
portait pas dans la maison, ma mère avait la passion des
fruits. Par espièglerie, semble-t-il, elle donna à chacun de
nous le nom d'un fruit utilisé dans ses recettes — Cassis,
en l'honneur de son gros gâteau au coulis de cassis, Framboise pour célébrer la liqueur qu'elle fabriquait et Reinette à cause des reines-claudes qui poussaient contre la
façade sud de la maison. Elles n'étaient pas plus grosses
que des grains de muscat mais, en été, elles débordaient
d'un jus qui attirait les guêpes. À une époque, nous avions

bien plus d'une centaine d'arbres (des pommiers, poiriers, pruniers, des reines-claudes et des cognassiers) sans parler des framboisiers, des fraisiers, des groseilliers et des cassissiers dont on faisait sécher les fruits, dont on faisait des conserves, de la confiture, des liqueurs et de délicieuses tartes décorées comme des roues de charrette sur des fonds de pâte brisée garnis de crème pâtissière ou de frangipane. Le parfum de ces fruits embaume encore mes souvenirs, leur robe les colore et leurs noms les font vivre dans ma mémoire. Ma mère veillait à leurs besoins comme s'ils eussent été ses enfants préférés, leur installant des pots fumigènes que nous alimentions avec notre propre réserve de combustible pour les protéger du gel, les nourrissant de fumier qu'elle déversait par brouettées à leur pied et qu'elle incorporait à la terre. Pour éloigner les oiseaux, en été, nous attachions à leurs branches des silhouettes de papier argenté qui frissonnaient et claquaient sous la brise, des amplificateurs rudimentaires faits de boîtes de conserve dont l'ouverture était tendue de ficelle et dans lesquels le moindre courant d'air produisait des sons étranges qui effrayaient les oiseaux, des moulins de papier de couleur dont les ailes tournoyaient furieusement au vent. Au plus fort de l'été, le verger était décoré de boules, de rubans étincelants, de fils où le vent chantait comme pour un carnaval ou pour un réveillon de Noël. Tous les arbres avaient un nom.

En passant devant un poirier tout noueux, ma mère murmurait : « *Belle Yvonne* », « *Rose d'Aquitaine. Beurre du Roi Henri* », continuait-elle d'une voix douce, presque dans un murmure et je n'aurais su dire si c'était à moi qu'elle s'adressait ou si elle parlait toute seule. « *Conférence. Williams. Ghislaine de Penthièvre.* » « *Chatoyante tendresse.* »

De nos jours, il ne reste pas vingt arbres dans le verger et cela me suffit bien. Ma liqueur à la griotte m'est particulièrement demandée et je me sens un peu coupable de ne pouvoir me souvenir du nom de ce cerisier-là. Tout le secret est dans les noyaux, qu'il faut laisser. Une couche de cerises, une couche de sucre que l'on met les unes par-dessus les autres dans un bocal à large col en arrosant chacune d'alcool limpide (le meilleur est le kirsch mais vous pouvez aussi utiliser de la vodka ou même de l'armagnac) et vous continuez ainsi jusqu'à mi-hauteur du bocal. Vous le remplissez alors d'alcool et vous n'avez plus qu'à attendre. Tous les mois, avec soin, vous retournez le bocal pour empêcher le sucre de s'accumuler. Trois ans plus tard, l'alcool a blanchi les cerises, il en a absorbé le jus cramoisi et a pénétré jusqu'au cœur de la petite amande, à l'intérieur des noyaux. Il a le goût puissant, envoûtant, des automnes d'autrefois et leur parfum aussi. On le sert dans de minuscules verres à liqueur que l'on présente avec une petite cuillère pour en sortir la cerise que vous gardez dans la bouche jusqu'à ce que la chair molle du fruit fonde sous votre langue. Alors, d'un léger coup de dents vous percez le noyau, vous en libérez la liqueur emprisonnée que vous conservez longtemps en jouant à cache-cache avec elle du bout de votre langue, en la roulant comme un grain de chapelet que l'on tourne et retourne entre ses doigts. Essayez alors de revivre le moment où elle a mûri, cet été-là, et l'automne torride où le puits avait tari, l'époque des nids de guêpes, ce temps passé, ces jours perdus et soudain retrouvés sous la dure carapace au cœur même du fruit…

Oui, oui, je sais. Vous voulez que j'en revienne à mon histoire. Pourtant, *la manière de raconter, le temps* que l'on met à le faire sont des choses aussi importantes que le reste. Il m'a fallu cinquante-cinq ans pour la commencer, vous pouvez bien me permettre de la raconter à ma façon.

Quand je revins aux Laveuses, j'étais presque certaine de n'être reconnue par personne. Sans faire le moindre effort pour me cacher je me montrai dans le village avec une sorte d'imprudence délibérée car si quelqu'un me reconnaissait, s'ils réussissaient à retrouver en moi les traits de ma mère, je voulais en être immédiatement consciente. Je voulais savoir exactement à quoi m'en tenir. Tous les jours, je montais à la Loire, je m'asseyais sur les dalles où Cassis et moi pêchions la tanche. Je me perchais sur la vieille souche, notre poste de guet. Quelques-unes des Pierres Levées ont disparu mais on voit encore les piquets où étaient pendus nos trophées, les guirlandes, les rubans et la tête du vieux Génitrix, le jour où nous l'avons finalement attrapé. J'allais au bureau de tabac chez Brassaud. C'est son fils, de nos jours, qui tient le magasin, mais le père, aux yeux noirs, au regard sinistre et méfiant, vit toujours. J'allais aussi au café, chez Raphaël, et à la poste où Ginette Hourias est receveuse.

Je suis même allée au monument aux morts sur un côté duquel sont gravés les noms de dix-huit de nos soldats tués à la guerre avec les mots : « *Morts pour la Patrie.* » J'ai remarqué que le nom de mon père avait été effacé au burin et laissait sur la pierre polie un espace de pierre brute entre Darius G. et Fenouil J.-P. De l'autre côté, sur une plaque de cuivre jaune, on lit dix noms en lettres plus grandes. Ceux-là, je n'avais nul besoin de les lire ; je les connais par cœur. J'ai pourtant manifesté un certain intérêt, sûre que j'étais qu'on me raconterait cette histoire, qu'on me montrerait cet endroit contre la façade ouest de Sainte-Bénédicte et qu'on m'informerait que, tous les ans, une cérémonie a lieu à leur mémoire et que, des marches qui mènent au Monument où l'on dépose une gerbe en leur honneur, on fait lecture solennelle de leurs noms. Je me demandais si je serais capable d'écouter ça. Je me demandais si, à mon visage, ils sauraient…

« *Martin Dupré. Colette Gaudin. Philippe Hourias. Julien Lanicen. Arthur Le Coz. Henri Lemaître. Jean-Marie Dupré. Agnès Petit. François Ramondin. Auguste Truriand.* » Ils sont encore vivants dans la mémoire de tant de gens, de gens qui portent le même nom et qui leur ressemblent. Les Familles habitent toujours ici, les Dupré, les Hourias, les Lanicen, les Ramondin et soixante ans après, ils se souviennent encore, les vieux ayant entretenu leur haine futile au cœur des jeunes.

Pendant un moment, je fus l'objet d'un certain intérêt, de curiosité. Oui, c'était cette maison-là, la même, abandonnée depuis que la Dartigen l'avait quittée. « Je ne me souviens pas tout à fait des détails, madame, mais mon père, mon oncle... » Mais pourquoi donc l'avais-je achetée ? s'étonnaient-ils. C'était un endroit hideux, une horreur. Les arbres qui restaient étaient tout pourris, dévorés par le gui et attaqués par la maladie. On avait bouché le puits avec du ciment après l'avoir comblé de débris et de pierres. Mais moi, je me rappelais une ferme coquette, prospère et active, des chevaux, des chèvres, des poules et des lapins. Je me complaisais à penser que les lapins de garenne, qui couraient partout dans le champ nord, étaient peut-être leurs descendants, en voyant de temps en temps leur fourrure brune toute tachée de blanc. Je m'inventai, pour satisfaire les curiosités, une enfance en Bretagne, dans une ferme. Le prix, très bas, de la terre me servit d'explication. Je me fis humble, je me confondis en excuses. Parmi les anciens, certains marquè-rent leur désapprobation à mon égard. Pour eux, peut-être, la ferme aurait dû être préservée comme un monu-ment. Je m'habillais de noir et dissimulais mes cheveux sous une série de foulards. Vous voyez, dès le début, j'étais déjà vieille.

Et pourtant, il me fallut un certain temps pour faire partie de la communauté. Ils étaient polis mais peu accueillants et comme de nature je ne suis pas sociable — ma mère parlait de mon caractère bougon — ils en res-taient là. Je n'allais pas à l'église, sachant très bien ce qu'ils pensaient de cela, mais je ne pouvais tout simple-ment pas m'y résoudre, par arrogance peut-être, ou par cet esprit de provocation qui poussa ma mère à nous donner des noms de fruits plutôt que des noms de saints. Ce fut le magasin qui me fit accepter par le village.

Bien qu'il eût toujours été de mon intention d'agran-dir l'affaire plus tard, c'est par une boutique que tout commença. Trois ans après mon arrivée, il ne me restait presque rien de l'argent qu'Hervé m'avait laissé. Si la maison était devenue habitable, la terre, elle, ne présen-tait pratiquement aucune valeur : une douzaine d'arbres, un carré de légumes, deux chèvres miniatures, des poules et des canards — sans aucun doute, il me faudrait encore un certain temps avant de pouvoir vivre de ma ferme. Alors, je me mis à confectionner des gâteaux et à les vendre — brioches et pains d'épice du coin, spécialités bretonnes que ma mère faisait : crêpes dentelle, tartes aux fruits, sacs de petits sablés, pain aux noix, biscuits roulés à la cannelle. Au début, je les vendais chez le boulanger du village, puis les clients vinrent à la ferme même, j'ajoutai petit à petit d'autres produits : des œufs, des fromages de chèvre, des liqueurs et du vin. Les bénéfices me permirent d'acheter des cochons, des lapins et d'autres chèvres. Je me servais des recettes de ma mère, la plupart du temps je me fiais à mes souvenirs, quelquefois je consultais l'album.

La mémoire nous joue de bien étranges tours. Personne aux Laveuses ne semblait se rappeler la façon dont ma mère faisait la cuisine. Parmi les anciens, certains allaient même jusqu'à remarquer à quel point nous étions différentes, ajoutant que la femme qui habitait là autrefois était une vraie Marie-salope, au visage sévère, que sa maison était une puanteur, qu'elle laissait ses enfants courir nu-pieds et qu'ils étaient bien heureux d'être débarrassés d'elle et de ses rejetons. Mon cœur tressaillait à ces paroles mais je ne protestais pas. D'ailleurs, qu'aurais-je pu répondre ? Que le plancher était ciré tous les jours, qu'elle nous faisait prendre des patins à l'intérieur pour que le parquet ne fût pas écorché par nos chaussures, qu'aux fenêtres, les jardinières débordaient de fleurs, que le matin, elle nous étrillait avec le même enthousiasme qu'elle mettait à brosser les marches de l'entrée, que sous sa main, le gant de toilette nous transformait en Peaux-Rouges et que nous avions toujours l'impression qu'elle allait nous arracher la peau ?

Elle fait figure de démon ici. On a même écrit un livre sur sa légende. Enfin, c'est plutôt un libelle d'une cinquantaine de pages accompagné de quelques photos : l'une du monument aux morts, l'autre d'un gros plan de la fatidique façade ouest de Sainte-Bénédicte. On n'y fait qu'une brève allusion aux trois enfants dont, à mon grand soulagement, on ne donne pas les noms. Un mauvais agrandissement d'une photo de ma mère révèle une femme au chignon si tiré en arrière qu'elle a l'air d'avoir les yeux bridés et aux lèvres minces et serrées indiquant une perpétuelle désapprobation. Il y a mon père en soldat, une photo officielle, la même que dans l'album où il a l'air ridiculement jeune, le sourire aux lèvres et le fusil négligemment en bandoulière. Et puis, presque à la dernière page, il y a la photo dont la vue me coupa le souffle et me prit à la gorge comme un hameçon, celle de quatre jeunes soldats allemands en uniforme, trois d'entre eux bras dessus bras dessous et le quatrième, un peu à l'écart, gêné, tenant à la main un saxophone. Les trois autres aussi avaient des instruments : une trompette, un tambour et une clarinette. On ne donne pas leurs noms mais je les connais tous. « *Les Laveuses. Musique militaire — 1942. À l'extrême droite, Tomas Leibniz.* »

Il me fallut quelque temps pour comprendre comment on avait pu réunir autant de détails. Où avait-on bien pu se procurer la photo de ma mère ? À ma connaissance, il n'existait pas de photo d'elle. Moi, je n'en avais jamais vu qu'une seule, une vieille photo de mariage trouvée au fond d'un tiroir de commode et montrant un couple sur les marches de Sainte-Bénédicte, lui, avec un chapeau à larges bords et, elle, les cheveux au vent, une fleur derrière l'oreille. Elle était bien différente à cette époque-là, elle regardait timidement le photographe avec un sourire gauche et l'homme, à ses côtés, avait passé un bras protecteur autour de ses épaules. Comprenant que ma mère serait fâchée de savoir que je l'avais vue, je la remis à sa place en tremblant un peu, gênée sans trop savoir pourquoi.

La photo de la brochure lui ressemble davantage, enfin ressemble davantage à la femme que je pensais connaître et que je ne connus jamais vraiment, la femme aux traits durs, toujours prête à se mettre en colère… Et puis, en remarquant sur la page de garde la photo de l'auteur, je compris enfin d'où les renseignements étaient venus : Laure Dessanges, journaliste et spécialiste de la gastronomie, la femme de Yannick, avec ses cheveux roux coupés courts et son sourire étudié, oui, la belle-fille de Cassis. Ce pauvre et stupide Cassis, ce Cassis aveugle, frappé de cécité par l'orgueil qu'il tirait du succès de son fils, avait risqué notre perte à tous, et pour quoi ? Ou avait-il fini par croire lui-même à ce tissu de mensonges ?

III

Vous devez comprendre que nous avions vécu l'Occupation de manière bien différente de ceux qui habitaient les villes ou les cités. Le village des Laveuses n'a guère changé depuis ce temps-là. Regardez maintenant autour de vous : une demi-douzaine de rues dont certaines sont à peine plus larges que de grands chemins charretiers et qui partent en éventail d'un grand carrefour principal. Au fond, se dressent l'église et là, place des Martyrs, le Monument, avec ses parterres de fleurs et la vieille fontaine derrière, puis c'est la rue Martin-et-Jean-Marie-Dupré avec la Poste, la boucherie Petit, le café La Mauvaise Réputation, le bar-tabac et son présentoir de cartes postales du monument aux morts, avec le père Brassaud dans son fauteuil à bascule au pied des marches, et puis le magasin du fleuriste et des Pompes funèbres, juste en face de l'Alimentation générale (la nourriture et la mort ont toujours été prétextes à bonnes affaires aux Laveuses !) ; l'Alimentation — qui appartient toujours à la famille Truriand — est heureusement maintenant gérée par un très jeune petit-fils à eux, récemment revenu au pays — et enfin la vieille boîte à lettres peinte en jaune.

De l'autre côté de la rue principale, là-bas, coule la Loire. Comme un généreux champ de blé, elle dort au soleil, serpent dont la peau lisse et brune est tachetée des multiples îlots et bancs de sable qui en crèvent la surface. Longeant la rivière pour aller vers Angers, les touristes les imaginent peut-être aussi solides et sûrs que la route le long de laquelle ils roulent mais nous, nous savons à quoi nous en tenir. Les îles se déplacent insensiblement, entraînées par les eaux limoneuses qui passent au-dessous d'elles, elles dérivent, elles s'enfoncent et refont surface ; lentes baleines blondes qui laissent dans leur sillage ces tourbillons assez inoffensifs quand on les regarde d'un bateau mais traîtres pour le baigneur aspiré inéluctablement par un courant de fond qui l'entraîne sous la surface, attirant le malheureux dans une étreinte silencieuse qui l'étouffera sans témoin… On pêche encore en Loire. Dans la vieille rivière, on trouve encore de la tanche, du brochet, des anguilles de taille monstrueuse nourries des produits des égouts et des débris en putréfaction amenés par le courant. La plupart du temps, on y voit des bateaux mais, une fois sur deux, les pêcheurs rejettent leur prise.

Paul Hourias a une cabane près de la vieille jetée. Là, il vend du matériel de pêche et de l'appât. C'est à deux pas de l'endroit où nous pêchions lui, Cassis et moi, là où Jeannette Gaudin avait été piquée par un serpent d'eau. Le vieux chien couché à ses pieds ressemble à en donner le frisson au vieux bâtard brun qui était son fidèle compagnon autrefois. Paul contemple la rivière en y faisant traîner un bout de ficelle comme s'il espérait attraper quelque chose.

Je me demande s'il se souvient, lui. C'est un de mes habitués. Quelquefois, je surprends son regard sur moi et je pourrais alors jurer qu'en effet, il se souvient. Bien sûr, il a vieilli, nous avons tous vieilli. Son visage rond comme une lune est devenu plus basané, il a des poches sous les yeux et l'air lugubre, sa moustache tombante a la couleur du tabac du mégot qu'il mâchonne entre ses dents. Il est rare qu'il parle. Il n'a jamais été bavard. Il est là avec son air de vieux chien triste et son béret basque enfoncé sur le crâne. Il aime mes crêpes et mon cidre. C'est pour cela peut-être qu'il n'a jamais rien dit. Il n'a jamais été du genre à causer des histoires.

IV

J'ouvris la crêperie six ans après mon retour au pays. J'avais déjà mis de l'argent de côté à cette époque-là. J'avais une clientèle et j'étais acceptée. J'employais à la ferme un jeune gars de Coulé, pas quelqu'un des Familles, et je pris une fille pour m'aider avec le service. Au début, il n'y avait que cinq tables — le secret est de savoir commencer petit pour ne pas effrayer le client —, plus tard, j'en eus le double, sans parler de celles que je pouvais mettre devant, sur la terrasse, quand il faisait beau. Je gardai les choses aussi simples que possible. Mon menu se limitait à un choix de galettes de blé noir, à un Plat du Jour et à une sélection de desserts. Je pouvais ainsi m'occuper seule de la cuisine et laisser à Lise le soin de prendre les commandes. Crêpe Framboise fut le nom que je choisis pour la crêperie, en l'honneur d'une de mes spécialités, une crêpe de froment servie avec son coulis de framboises et une liqueur maison. Je ne pouvais m'empêcher d'avoir un petit sourire intérieur à la pensée de leur réaction s'ils avaient su... Certains de mes habitués l'appelaient même « Chez Framboise », ce qui me faisait encore rire davantage.

C'est à cette époque-là que les hommes recommencèrent à m'entourer d'attentions. Il faut comprendre que j'étais devenue, pour Les Laveuses, une femme financièrement désirable. Après tout, j'avais cinquante ans à peine. De plus, je savais faire la cuisine et j'étais bonne ménagère... Je vous jure qu'on me faisait la cour, de braves types comme Gilbert Dupré et Jean-Louis Lelassiant et des paresseux comme Rambert Le Coz qui rêvaient d'une table servie pour le restant de leurs jours, même Paul, le gentil Paul Hourias avec sa moustache tombante toute tachetée de nicotine et ses lourds silences. Bien sûr, il n'en était pas question. C'était bien là une folie que je n'étais pas prête à commettre. Cela ne me causa d'ailleurs rien de plus qu'un petit soupir de regret de temps en temps. Non, j'avais le commerce, la ferme de ma mère et mes souvenirs. Perdre tout cela pour un mari ! Je n'aurais jamais réussi à cacher éternellement mon identité et, même si tout au début les gens du village avaient pu excuser mes origines, ils ne m'auraient pas pardonné six années de mensonges. Je déclinai donc chaque offre de mariage, celles des hésitants comme celles des audacieux, jusqu'à ce que l'on m'eût jugée inconsolable d'abord, puis imprenable comme une citadelle et enfin, plus tard, tout simplement trop vieille.

J'étais aux Laveuses depuis presque dix ans. Les cinq derniers étés, j'avais invité Pistache et sa famille pendant les grandes vacances. J'avais vu les bébés, ces grosses boules aux grands yeux curieux, se métamorphoser en oisillons aux vives couleurs et prendre leur envol pour traverser ma prairie et mon verger. Pistache est pour moi une fille dévouée mais Noisette, ma préférée, même si je ne l'avoue pas, me ressemble davantage. Rusée et contestataire, elle a mes yeux noirs et son cœur déborde de violence et de ressentiment. Un mot de moi, un sourire et elle ne serait sans doute pas partie mais je ne levai pas le petit doigt pour l'en empêcher. Peut-être par peur qu'elle ne me forçât à devenir comme ma mère ! Les lettres qu'elle m'écrit sont pleines de respect mais sans intérêt. Son mariage a mal tourné. Elle travaille à Montréal comme serveuse dans un café ouvert toute la nuit. Elle refuse mes offres d'argent. Pistache, elle, est la femme que Reinette aurait pu être, rondelette, accordant sa confiance à tout le monde, douce avec ses enfants mais féroce dès qu'il s'agit de les défendre. Elle a les cheveux châtain clair et les yeux aussi verts que le fruit dont elle porte le nom. C'est grâce à elle, à ses enfants, que j'ai appris à revivre les bons moments de mon enfance.

C'est pour eux que j'ai réappris à être mère. Pour eux, j'ai fait des galettes et de grosses saucisses aux pommes et aux herbes. J'ai fait des confitures de figues et de tomates vertes, de griottes et de la gelée de coings. Je les ai laissés jouer avec les petites chèvres espiègles et leur donner des croûtes de pain et des bouts de carottes. Nous jetions ensemble du grain aux poules, nous caressions le museau velouté des poneys, nous cueillions de l'oseille pour les lapins. Je leur ai montré la rivière, je leur ai indiqué comment atteindre les bancs de sable ensoleillés. Je leur ai parlé des dangers — combien de fois le leur ai-je répété — des serpents, des racines, des tourbillons, des sables qui s'effondraient sous les pieds. Je leur ai fait promettre de ne jamais, jamais s'y baigner. Je les ai promenés aussi dans les bois là-bas, leur signalant les meilleurs endroits où trouver des champignons, leur apprenant comment distinguer la fausse chanterelle de la vraie, leur faisant découvrir les airelles sauvages qui poussent dans les taillis. Je leur donnais le pays que mes filles auraient dû connaître au lieu des endroits sauvages de la Côte d'Armor où nous avions vécu quelque temps Hervé et moi avec ses plages éventées, ses forêts de pins et ses maisons de granit coiffées d'ardoise. J'avais bien essayé d'être une bonne mère pour elles mais j'avais toujours eu l'impression que quelque chose manquait. C'était cette maison, cette ferme, ces champs et la fétide odeur de la Loire endormie au village des Laveuses, je le sais maintenant. Oui, c'était cela que j'aurais voulu pour elles. Il m'était possible de tout recommencer avec mes petits-enfants. Alors, je les gâtais et, en même temps, je me faisais plaisir à moi aussi.

Je crois que ma mère en aurait fait autant si elle en avait eu l'occasion. Je peux l'imaginer, grand-mère sereine, se laissant gronder par moi — « Maman, tu vas complètement nous gâter ces enfants » — sans plus de réaction qu'une lueur espiègle et impénitente dans le regard. Cela ne me paraît plus tout à fait aussi inconcevable que cela me le semblait autrefois. Mais je m'invente peut-être une tout autre femme à sa place ? Peut-être

était-elle vraiment celle dont je me souviens après tout —
cette femme aux traits durs qui ne savait pas sourire et me
dévisageait avec une expression de colère permanente et
incompréhensible.

Ses petites-filles, elle ne les a jamais vues, elle n'a
jamais même connu leur existence. J'avais fait croire à
Hervé que mes parents étaient morts et il ne soupçonna
jamais mon mensonge. Son père à lui était pêcheur et sa
mère, une petite bonne femme douce comme une per-
drix, vendait le poisson sur les marchés. Au cœur de cette
famille d'emprunt je me fis une petite niche douillette,
car j'étais sûre que viendrait le jour où il me faudrait de
nouveau braver le froid, loin d'eux. Hervé était un brave
homme, un calme. Rien dans son caractère eût jamais pu
me blesser. Je l'aimais — pas de l'amour ardent et
désespéré que j'éprouvai plus tard pour Tomas ; mais
d'un amour qui nous suffisait à tous deux.

Quand il mourut, en 1976 — frappé par la foudre
alors qu'il pêchait l'anguille avec son père —, mon chagrin fut teinté du sentiment de la fatalité de l'accident et
j'en fus presque soulagée. Oui, la vie avait été agréable
pendant un certain temps mais les choses ne restent
jamais ce qu'elles sont. C'est la vie ! Dix-huit mois plus
tard, à mon retour aux Laveuses, j'eus l'impression de
sortir d'un long et sombre sommeil.

Vous pensez peut-être qu'il était étrange de ma part
d'avoir remis si longtemps la lecture de l'album de ma
mère. C'était la seule chose qui me restât d'elle — avec la
truffe du Périgord — et en cinq ans, je ne lui avais guère
accordé plus d'un regard. Je connaissais par cœur tant de
recettes que je n'avais pas vraiment besoin de les consul-
ter. Je n'avais pas assisté à la lecture du testament. Je ne
sais même pas quel jour elle est morte mais je pourrais
vous dire où et de quoi ! Dans un asile de vieillards à Vitré,
à La Gautraye, d'un cancer à l'estomac. C'est là qu'on l'a
enterrée. Je ne suis allée qu'une fois au cimetière. La
tombe est contre le mur du fond, près du dépotoir. On y
lit un nom : Mirabelle Dartigen et deux dates. J'ai été

étonnée de remarquer que ma mère avait triché à propos de son âge.

Je ne pourrais dire vraiment ce qui, au départ, m'amena à lire l'album. C'était au cours de mon premier été aux Laveuses. On avait eu une période de grande sécheresse et la Loire était de deux mètres plus basse qu'à l'ordinaire. Elle découvrait la laideur de ses berges à la végétation rabougrie, comme de vieux chicots dont les racines jaunâtres et décolorées par le soleil traînaient dans l'eau. Les enfants y jouaient, s'ébattant sur les bancs de sable, pataugeant nu-pieds dans les mares d'eau brunâtre et sale, enfonçant des bâtons dans les débris amenés par le courant et qui flottaient à la surface. Jusque-là, j'avais évité de regarder l'album, me sentant coupable sans raison, comme une voyeuse. J'avais l'impression que ma mère aurait pu arriver à n'importe quel moment et me surprendre en train de lire ses étranges secrets. À vrai dire, je ne voulais pas les connaître. Une petite voix me disait que c'était mal, comme de faire irruption dans la chambre de ses parents la nuit et de les entendre faire l'amour. Il fallut dix ans pour que je comprenne que la voix que j'entendais ainsi était la mienne, pas celle de ma mère.

Je vous l'ai déjà dit, ce qu'elle avait écrit était, la plupart du temps, incompréhensible. Je n'en connaissais pas la langue — un genre d'italien, impossible à prononcer. Après de brefs efforts pour la déchiffrer, j'abandonnai. Par contre, les recettes, écrites à l'encre bleue ou violette, étaient assez claires, les choses gribouillées en travers des pages, les poèmes, les dessins, les comptes aussi, mais tout cela n'avait aucune logique apparente, aucun ordre que je puisse comprendre.

« *Aujourd'hui vu G.R. et sa nouvelle jambe de bois. Il a rigolé devant le regard fasciné de R.-C. Elle a demandé si c'était douloureux. Il a répondu qu'il avait de la chance. Son père fait des galoches. Deux fois moins de boulot que pour une paire et deux fois moins de risques de te monter sur les doigts* »

de pied en valsant avec toi, ma jolie ! J'essaie d'imaginer de
quoi ça a l'air à l'intérieur de la jambe de pantalon remontée
à l'aide d'une épingle de sûreté. Un gros boudin blanc pas
cuit, sans doute, et attaché par une ficelle. Ai dû me mordre
les lèvres pour ne pas partir d'un éclat de rire à cette idée. »

Tout cela est écrit en lettres minuscules au-dessus
d'une recette pour du boudin blanc. L'humour grinçant
de ces courtes anecdotes me rendait mal à l'aise.

En d'autres endroits, ma mère parlait de ses arbres
comme s'ils étaient des êtres humains : « *Ai veillé Belle*
Yvonne toute la nuit. Avait pris un coup de froid qui l'avait
rendue bien malade. » Elle semblait, par contre, ne jamais
faire allusion à ses enfants que sous forme d'abréviations,
R.-C., Cass. et Fra. Quant à mon père, il n'y avait aucune
trace de lui, aucune. Pendant des années, je me suis
demandé pourquoi. Je n'avais aucun moyen de découvrir
ce qui était caché dans les autres sections, dans le langage
secret. Mon père, ou le peu que je savais de lui, aurait
aussi bien pu n'avoir jamais existé.

V

Et puis ce fut l'affaire de l'article. Vous comprenez bien
que moi, je ne l'ai pas lu. On l'avait publié dans l'un de
ces magazines où la nourriture semble ne servir que
d'accessoire de mode. « Nous allons tous manger du couscous, ma chère, c'est le plat de rigueur cette année, si
vous êtes dans le vent. » Pour moi, voyez-vous, la nourriture est tout simplement de la nourriture, l'objet d'un
plaisir sensuel, d'une méticuleuse préparation créée pour
disparaître, comme un magnifique feu d'artifice. Quelquefois, elle représente un travail pénible mais parler
d'elle comme d'un art ? Non ! Soyons sérieux ! Quelque
chose qui entre à un bout et en ressort à l'autre. De l'art,
ça ? En tout cas, l'article avait paru dans une revue de

modes sous le titre de « En descendant la Loire » — ou
quelque chose de ce genre — et était signé par un célèbre
chef qui, en route vers la côte, dégustait les spécialités de
la région. Je me souviens parfaitement de lui : un petit
bonhomme tout maigre qui portait une salière et une poi-
vrière enveloppées dans une serviette et prenait des notes
dans un carnet posé sur ses genoux. Il avait choisi ma
paella antillaise, la salade tiède aux artichauts, un morceau du kouign-amann de ma mère arrosé du cidre
bouché de la maison. Il avait couronné le tout avec un
verre de ma liqueur de framboises. Me posant beaucoup
de questions à propos de mes recettes, il avait insisté pour
jeter un coup d'œil à ma cuisine, à mon jardin. Dans la
cave, il avait montré un étonnement évident à la vue des
étagères où s'alignaient des terrines, des conserves, des
huiles parfumées à la noix, au romarin et à la truffe, des
vinaigres de framboise, de lavande et de pommes à cidre.
Il m'avait demandé où j'avais suivi des cours et avait
semblé déconfit lorsque j'avais répondu à sa question par
un éclat de rire.

Je lui en avais peut-être trop dit. Cela m'avait flattée,
vous comprenez. Je l'avais invité à goûter ceci, à déguster
cela : une fine tranche de rillettes, une rondelle de saucis-
son sec, une gorgée de ma liqueur de Williams, le poiré
que ma mère faisait autrefois en octobre avec les fruits
abattus par le vent, dont la fermentation commençait
alors qu'ils gisaient encore sur la terre chaude. Ils étaient
si infestés de guêpes brunes qu'il nous fallait des pinces
pour les ramasser. Je lui avais montré la truffe que ma
mère m'avait léguée, conservée dans son huile comme
une mouche dans de l'ambre et j'avais ri de ses yeux écarquillés de surprise : « Vous rendez-vous compte de la
valeur de quelque chose comme cela ? »

Je dois l'avouer, oui, j'avais été flattée. Je me sentais
peut-être seule aussi et j'avais éprouvé du plaisir à la com-
pagnie de cet homme qui parlait la même langue que
moi, savait deviner quelles fines herbes j'avais ajoutées à
ma terrine et qui m'assurait que mes talents de cuisinière

étaient perdus dans un endroit pareil, qu'y rester était un crime. J'avais peut-être un peu trop rêvé. J'aurais dû savoir...

L'article parut quelques mois plus tard. Quelqu'un déchira la page du magazine et me l'apporta. Il y avait une photo de la crêperie et quelques paragraphes.

« Les touristes à la recherche d'une cuisine fine et authentique à Angers se dirigeront peut-être tout droit vers le prestigieux restaurant : Les Délices Dessanges. Ils manqueront certainement ainsi de faire l'une des découvertes qui m'aient donné le plus de satisfaction au cours de mon périple le long de la Loire... » Folle d'inquiétude, j'essayai de me rappeler si je lui avais parlé ou non de Yannick. « Derrière la façade d'une simple ferme, une magicienne se consacre à son extraordinaire alchimie... » Suivaient des tas d'imbécillités à propos « de vieilles traditions campagnardes qui reprennent vie sous la cuillère de cette enchanteresse ». En proie à un effarement grandissant, je parcourus la page avec impatience, essayant d'y déceler le moindre indice qui annoncerait l'inévitable. Le nom de Dartigen, une fois prononcé, tout l'échafaudage que j'avais soigneusement érigé commencerait à s'écrouler...

J'exagère peut-être, je ne sais pas. Aux Laveuses la guerre vit dans toutes les mémoires. Je connais des gens ici qui n'échangent toujours pas une seule parole : Denise Mouriac et Lucille Dupré, Jean-Marie Bonet et Colin Brassaud. Il y a quelques années n'y avait-il pas eu à Angers cette histoire ? On avait découvert une vieille femme séquestrée dans une mansarde, au-dessus d'un appartement, au dernier étage d'un immeuble. Ses parents l'y avaient enfermée en 45 après avoir appris qu'elle avait collaboré avec les Allemands. Elle avait seize ans à l'époque. À la mort de son père, cinquante ans plus tard, vieille et délirante, elle avait été enfin libérée.

Pensez à tous ces vieillards — dont certains ont quatre-vingts, quatre-vingt-dix ans — enfermés pour des crimes de guerre, ces vieillards aveugles, malades, que la démence a rendus inoffensifs, au visage sénile, dénué de toute expression et chez lesquels toute logique a disparu. Comment concevoir qu'ils aient été jeunes, comment imaginer sous ces crânes fragiles et sans mémoire d'effrayants rêves meurtriers ? On brise le flacon et l'ivresse s'enfuit. Le crime se métamorphose, nous échappe et renaît dans un autre corps. « Coïncidence étrange, la propriétaire de Crêpe Framboise, Mme Françoise Simon, se trouve avoir des liens de parenté avec celle des Délices Dessanges... » Le souffle me manqua. Une langue de feu me bloquait la respiration, envahissait ma gorge et mes poumons et, en même temps, soudain, je me débattais sous l'eau, l'eau brune de la rivière qui m'avait saisie et m'entraînait au fond. « ... Cette Laure Dessanges que nous connaissons si bien ! Il est curieux qu'elle n'ait su découvrir les secrets culinaires de sa grand-tante ? Je dois avouer que j'ai de loin préféré la charmante simplicité de Crêpe Framboise à toutes les élégances des repas de chez Laure (aux portions si congrues !). » Je repris mon souffle. L'article ne parlait pas du neveu mais de la nièce. J'étais sauvée !

⚭

Je me promis de ne plus faire de bêtises et de ne plus me laisser aller devant de gentils spécialistes de gastronomie qui pourraient m'interroger. Une semaine plus tard, un reporter pour un autre magazine parisien me demanda une interview mais je refusai de le recevoir. Je reçus des demandes écrites, elles restèrent sans réponse. Un éditeur me proposa de publier un livre de recettes. Crêpe Framboise fut envahie d'Angevins, de touristes, d'une clientèle élégante au volant de belles voitures aux couleurs trop voyantes. Je les renvoyais par douzaines. J'avais mes habitués et mes dix ou quinze tables. Je n'avais pas la place pour tant de monde. J'essayai de me comporter comme j'en avais eu l'habitude. Je refusai toute réservation de table. On faisait la queue sur le trottoir. Je dus prendre une autre serveuse mais, à part cela, je ne fis rien pour encourager davantage une attention dont je n'avais que faire. Je refusai même d'écouter mon petit expert en gastronomie quand il revint me voir pour me faire entendre raison. Non, je ne lui permettrais pas de se servir de mes recettes dans ses articles. Non, je ne publierais pas de livre non plus et pas de photos. Crêpe Framboise resterait ce qu'elle était, une crêperie de province.

Je savais que si je leur opposais assez longtemps une résistance passive, on finirait par me ficher la paix. Hélas, le mal était déjà fait. Laure et Yannick savaient maintenant où me trouver. Cassis le leur avait sûrement dit. Il s'était installé dans un appartement près du centre-ville. Bien qu'il n'eût jamais aimé écrire, je recevais de temps en temps de ses nouvelles. Ses lettres ne parlaient que de sa célèbre belle-fille et de son admirable fils. Bref, après la parution de l'article et tout le bruit que cela avait occasionné, ils crurent devoir me rendre visite. Ils amenèrent Cassis avec eux comme on apporte un cadeau. Ils pensaient que nos retrouvailles au bout de tant d'années nous causeraient une certaine émotion. Ses yeux à lui se remplirent de larmes vaguement sincères mais les miens restèrent secs. Du frère aîné avec qui j'avais tant de choses en commun, il ne restait pratiquement rien. Il avait grossi et ses traits avaient fondu en une pâte informe. Il avait le nez rouge et les joues marbrées d'un réseau de veinules. Son sourire hésitait sur ses lèvres. De ce qu'autrefois j'avais éprouvé pour lui, ce culte du grand frère qui à mes yeux aurait pu faire n'importe quoi — grimper à l'arbre le plus haut, voler le miel des abeilles sauvages, traverser d'une traite la Loire à l'endroit le plus large — il ne restait plus qu'une vague nostalgie, teintée de mépris. Tout cela était tellement lointain maintenant et le gros bonhomme qui se tenait sur le pas de ma porte était pour moi un inconnu.

Au commencement, ils agirent avec une certaine intelligence et ne me demandèrent rien. Ils s'inquiétèrent de me savoir vivre seule. Ils m'offrirent des cadeaux : un robot électrique — très étonnés d'apprendre que je n'en

avais pas déjà un —, un manteau pour l'hiver, une radio.
Ils me proposèrent des sorties. Une fois même, ils m'invi-
tèrent à déjeuner dans leur restaurant : une espèce de
grange énorme, tapissée de vichy à petits carreaux avec
des tables en faux marbre, des enseignes au néon, des
filets de pêche constellés d'étoiles de mer séchées et de
crabes en plastique un peu trop lumineux. Je fis quelques
commentaires prudents sur le décor. « Tu sais, Mamie,
c'est ce que les décorateurs appellent " kitsch " », m'expliqua gentiment Laure en me tapotant la main. « Je suis
sûre que ces choses-là ne t'intéressent pas mais, crois-moi,
à Paris, c'est le fin du fin. » Elle me fit un sourire qui
découvrit des dents longues et très blanches. Ses cheveux
ont une couleur de paprika frais moulu. Souvent Yannick
et elle se touchent et s'embrassent en public. Cela me
gênait un peu, je dois l'avouer. Le repas était... nouveau,
je le suppose. Je ne suis pas en mesure de juger ces choses-
là. Une sorte de salade, accompagnée d'une sauce un peu
insipide, beaucoup de petits légumes découpés en forme
de fleurs. Il y avait peut-être de la chicorée là-dedans mais
surtout de la laitue toute simple, des radis et des carottes
aux formes bizarres. Puis il y avait une très savoureuse
tranche de colin — je dois le dire — mais miniature, avec
un beurre blanc et un brin de menthe par-dessus — pourquoi exactement, je ne sais pas. Comme dessert, il y avait
une mince tranche de tarte aux poires décorée de volutes
de crème, d'un nuage de sucre glacé et de quelques
copeaux de chocolat. Un coup d'œil furtif au menu me
révéla un tas de compliments proches de la vantardise du
genre, « une nougatine de fruits confits sur un mince
fond de pâtisserie (à vous en faire venir l'eau à la bouche)
noyée de riche chocolat noir et servie avec un coulis
d'abricots délicieusement relevé ». À lire cela, ça m'avait
tout l'air d'une simple florentine et lorsqu'elle fut sur
mon assiette, elle n'était pas plus grande qu'une pièce de
cinq francs. À les lire, on aurait juré que Moïse, au moins,
l'avait descendue du mont Sinaï. Et le prix ! Dix fois plus
que mon menu le plus cher et le vin n'était même pas

compris ! Bien sûr, ce n'est pas moi qui ai payé. Pourtant, je commençai à me demander s'il n'y avait pas une sorte de taxe imprévue dans toute cette attention que l'on m'accordait.

Il y en avait une.

Leur première offre arriva deux mois plus tard : je recevrais mille francs si j'acceptais de leur donner ma recette pour la paella antillaise et leur permettais de l'inclure dans leur menu — la paella antillaise de Mamie Framboise, citée par Jules Lemarchand dans le numéro de *Hôte et Cuisine* de juillet 1991. Au début, je pris cela pour une plaisanterie : « Un choix subtil de fruits de mer de la dernière marée délicatement fondus sur un lit de riz au safran, de banane verte, d'ananas et de raisins secs de Malaga. » J'éclatai de rire. N'avaient-ils pas déjà assez de recettes à eux ?

« Ce n'est pas risible, Mamie ! » La voix de Yannick se fit presque cassante et ses yeux noirs étincelèrent tout près des miens. « Je veux dire que Laure et moi serions si heureux », continua-t-il avec un grand sourire épanoui.

« Ne fais pas la modeste, Mamie. » Si seulement, ils ne m'appelaient pas comme cela ! Laure passa son bras blanc et nu autour de mes épaules. « Je ferais en sorte que tout le monde sache qu'il s'agit de ta recette à toi. »

Je finis par céder. Je suis prête à donner mes recettes après tout. J'en ai déjà donné assez aux gens des Laveuses. Je leur donnerais gratuitement celle de la paella antillaise et n'importe quelle autre aussi dont ils auraient envie à condition que le nom de Mamie Framboise n'apparaisse pas sur le menu. J'avais frôlé le désastre une fois. Je n'étais pas prête à en rechercher un autre.

Ils acceptèrent si rapidement et avec si peu d'opposition que... Et trois semaines plus tard la recette pour la paella antillaise de Mamie Framboise fut publiée dans *Hôte et Cuisine* accompagnée d'un article enthousiaste par Laure Dessanges : « J'espère pouvoir bientôt vous faire connaître d'autres recettes campagnardes de Mamie Framboise », promettait-elle. « En attendant, vous pouvez toujours les déguster vous-même aux Délices Dessanges, rue des Romarins à Angers. »

Je présume qu'il ne leur était même pas venu à l'esprit que je puisse réellement lire l'article, ou peut-être, pensaient-ils que ce que je leur avais dit n'était pas à prendre au sérieux. Lorsque je leur en parlai ils se confondirent en excuses comme des gosses que l'on aurait surpris en train de commettre quelque petite espièglerie. Le plat avait déjà reçu un succès considérable et ils avaient déjà pensé à inclure sur leur menu une section tout entière consacrée aux recettes de Mamie Framboise : mon couscous à la provençale, mon cassoulet aux trois haricots et les célèbres crêpes de Mamie !

D'une voix pleurnicharde, Yannick m'expliqua : « Tu vois, Mamie, le mieux c'est que l'on ne s'attend même pas à ce que tu fasses quoi que ce soit. Tu n'as qu'à te laisser aller, être toi-même, quoi ! » Laure ajouta : « Et je pourrais avoir ma colonne dans le magazine : " Les Conseils de Mamie Framboise ", ou quelque chose de ce genre. Bien sûr, tu n'aurais pas besoin de les écrire, c'est moi qui m'en chargerais. » Le visage épanoui, elle me sourit comme on le fait à un enfant que l'on doit rassurer.

Ils me ramenèrent Cassis. Lui aussi arborait un visage réjoui et pourtant il avait un peu l'air honteux comme si tout cela le dépassait. J'adoptai un ton monocorde et sans réplique pour empêcher ma voix de trembler sous l'émotion. « Je vous l'ai déjà dit. Je vous ai déjà expliqué que je ne voulais rien de ça, que je me lavais les mains de toute cette histoire. » Médusé, Cassis me dévisagea : « Mais, pour mon fils, c'est une telle occasion ! » supplia-t-il. « Pense à quel avantage la publicité pourrait avoir pour lui ! » Yannick se mit à tousser. « Ce que Papa veut dire… », corrigea-t-il rapidement. « C'est que la situation nous profiterait à tous. Les possibilités sont infinies. Si l'affaire marchait, nous pourrions produire des confitures Mamie Framboise, des biscuits… et bien sûr, Mamie, tu recevrais un pourcentage important des bénéfices. »

« Vous n'écoutez pas ce que je dis », m'exclamai-je en élevant la voix. « Je ne veux pas de publicité, je ne veux pas de pourcentage. Rien de cela m'intéresse. » Yannick et Laure échangèrent un regard de complicité. « Et si vous pensez ce que je devine que vous pensez », ajoutai-je d'un ton cassant, « que vous pourriez tout aussi bien le faire sans ma permission — après tout, un nom, une photographie vous suffiraient ! —, vous feriez bien d'écouter. Si jamais j'entends même parler d'une seule autre recette de Mamie Framboise dans ce magazine ou dans tout autre, le jour même, je téléphonerai à l'éditeur et je lui vendrai — bon Dieu, non, je lui donnerai, tout donné — le droit de publier mes recettes jusqu'à la dernière ! »

Je suffoquais de rage, mon cœur cognait dans ma poitrine... de peur aussi. Personne ne peut se permettre de forcer la main à la fille de Mirabelle Dartigen. Ils comprenaient maintenant parfaitement que je ne bluffais pas. C'était écrit sur leur visage.

Plaintivement, ils essayèrent de protester : « Mais, Mamie... » « Et cessez de m'appeler Mamie ! »

« Laissez-moi lui dire un mot entre quatre-z-yeux », suggéra Cassis en se soulevant péniblement de son fauteuil. Je remarquai que l'âge l'avait diminué. Comme un soufflé raté, il s'était effondré sur lui-même. Au moindre effort, sa respiration d'asthmatique sifflait. « Dans le jardin. »

Assise sur le vieux tronc d'arbre, près du puits désaffecté, j'avais l'étrange impression de vivre une scène de bal costumé, comme si le vieux Cassis allait arracher ce masque de gros bonhomme et m'apparaître avec son visage d'autrefois, le visage intense du jeune casse-cou indiscipliné qu'il avait été.

« Boise, pourquoi fais-tu ça ? » demanda-t-il. « Est-ce à cause de moi ? »

Je secouai lentement la tête en signe de dénégation. « Cela n'a rien à voir avec toi, ni avec Yannick. » D'un coup de menton, j'indiquai la ferme : « Tu as remarqué que j'ai réussi à faire réparer la vieille ferme. »

Il haussa les épaules : « Personnellement, je n'ai jamais compris pourquoi tu as tenu à le faire », dit-il. « Je n'en aurais pas voulu pour tout l'or du monde. Cela m'en donne le frisson rien que de penser que tu habites là ! » Il me dévisagea d'un œil curieux, presque dur, puis sourit d'un air entendu : « C'est bien de toi de faire ça ! Tu as toujours été sa favorite, Boise, et maintenant tu finis par lui ressembler. »

Je haussai les épaules et déclarai d'un ton sans réplique : « Ne te fatigue pas, tu ne vas pas me faire changer d'avis ! »

« Et tu commences aussi à parler comme elle », ajouta-t-il d'une voix où se mêlaient l'amour, la haine et le sentiment de culpabilité. « Boise… »

Je le regardai droit dans les yeux : « Il fallait bien que quelqu'un se souvienne d'elle et j'étais bien sûre que cela n'allait pas être toi ! »

Il esquissa un geste d'impuissance : « Mais ici, aux Laveuses ! »

« Personne ne sait qui je suis ! Personne n'établit de lien. » Je me mis à ricaner : « Tu sais, Cassis, pour la plupart des gens, toutes les vieilles femmes se ressemblent. »

Il acquiesça : « Et tu penses que Mamie Framboise pourrait changer tout ça ? »

« Je ne le pense pas. Je le sais. »

Le silence tomba : « Tu as toujours bien su mentir », remarqua-t-il d'un ton presque indifférent. « C'est encore une autre chose que tu tiens d'elle, ce don de la cachotterie. Moi, au contraire, on lit en moi comme dans un livre », et il ouvrit ses bras tout grands pour ponctuer cette affirmation.

« Tant pis pour toi ! » déclarai-je d'une voix neutre. Il avait fini par y croire lui-même.

« Tu es bonne cuisinière, ça je dois te l'accorder. » L'œil fixe, il contemplait le verger derrière moi avec ses arbres alourdis de fruits mûrs. « Elle aurait été contente de ça, de savoir que tu continuerais sa tâche. Tu lui ressembles tellement », répéta-t-il lentement. Dans sa bouche, ce n'était pas un compliment. C'était une simple constatation faite avec un peu de répugnance et de crainte.

« Elle m'a laissé son livre », ajoutai-je. « Celui qui contient les recettes, l'album, quoi ! »

Ses yeux s'agrandirent : « Ah oui, bien sûr, tu étais sa favorite ! »

« Je ne sais pas pourquoi tu t'obstines à répéter cela ! » interrompis-je avec impatience. « Si Maman a jamais eu une favorite c'était Reinette, pas moi. Tu te rappelles… ? »

« Mais elle me l'a dit elle-même », expliqua-t-il. « Elle m'a dit que de nous trois, tu étais la seule à avoir un grain de bon sens et un petit quelque chose dans le ventre ! — " Cette sale petite garce rusée me ressemble dix fois plus que vous deux ensemble. " Ce sont ses propres paroles ! »

Oui, c'était bien sa façon de s'exprimer. Je pouvais reconnaître sa voix dans celle de Cassis, sa voix claire, brutale, coupante comme du verre. Il avait dû la mettre en colère, lui faire piquer une de ses rages. Elle ne nous avait peut-être que rarement frappés mais ses coups de gueule étaient comme des volées de bois vert.

Cassis fit la grimace : « C'était surtout la façon dont elle avait dit cela », m'expliqua-t-il. « Du ton si froid, si dur, avec cette expression étrange dans le regard. C'était comme si elle m'imposait une sorte de nouveau test, comme si elle allait juger ma réaction. »

« Et quelle a été ta réaction ? »

« Je me mis à pleurer bien sûr. » Il haussa les épaules. « Je n'avais que neuf ans à l'époque. »

Je l'aurais bien deviné, pensai-je. Cela avait toujours été sa réaction. Son extérieur téméraire cachait une trop grande sensibilité. Petit, il faisait régulièrement des fugues et passait la nuit dans les bois ou dans notre cabane de Tarzan, sachant pertinemment bien qu'il ne recevrait pas de raclée.

Sans en être consciente, elle encourageait son indiscipline parce que cela ressemblait à du défi, indiquait une force intérieure. Moi, je lui aurais craché à la figure si elle m'avait dit ça.

« Cassis, dis-moi ! » — l'idée venait de me frapper l'esprit et j'en perdis presque le souffle d'impatience —, « est-ce que Maman… ? L'as-tu jamais entendue parler italien ou portugais, enfin une langue étrangère quelconque ? »

Cassis sembla étonné et fit non de la tête.

« Es-tu sûr ? Dans son album… », et je lui parlai des pages avec des passages écrits en langue étrangère, de ces pages secrètes que je ne savais déchiffrer.

« Fais-moi voir. »

✤✤

Nous les parcourûmes ensemble. Cassis tournait les pages jaunies et rigides avec une fascination mêlée de dégoût. Je remarquai qu'il évitait de poser les doigts sur les parties écrites. Pourtant, il les posait sur le reste : les photos, les fleurs séchées, les ailes de papillons, les échantillons d'étoffe qui y étaient collés.

D'une voix basse, il commenta : « Mon Dieu, je ne l'aurais pas cru capable de faire quelque chose comme ça. » Il leva les yeux vers moi. « Et tu dis que tu n'étais pas sa favorite ! »

Au début, les recettes semblaient captiver son intérêt plus que toute autre chose. Il paraissait avoir gardé quelque chose de son ancienne dextérité pendant qu'il feuilletait l'album. « Tarte mirabelle aux amandes », murmura-t-il. « Tourteau fromage. Clafoutis aux cerises rouges. Je m'en souviens bien de celles-là. » Il retrouvait son enthousiasme de jeune garçon, celui du Cassis qu'il était. « Tout y est », murmura-t-il. « Tout. »

Du doigt, je lui indiquai un de ces passages en langue étrangère. Cassis le considéra quelques instants et se mit à rire. « Ce n'est pas de l'italien, ça », m'assura-t-il. « Tu ne te souviens pas ? » Il se balançait d'avant en arrière, sa respiration sifflait. Même ses oreilles bougeaient, ses oreilles de gros vieillard, ses oreilles violettes de cortinaire. « C'est

la langue que Papa avait inventée, le Bilini Enverlini —
c'est comme ça qu'il l'appelait. Tu ne t'en souviens pas ? Il
l'employait tout le temps. »

J'essayai désespérément de rappeler mes souvenirs.
J'avais sept ans quand il mourut. Je me disais qu'il devait
bien en rester quelque chose. Si peu de choses. Le temps
avait tout dévoré, tout aspiré dans son grand trou noir. Je
me souviens de mon père mais par lambeaux seulement.
Le grand manteau noir qu'il portait avec son odeur de
drap mité et de tabac. Les topinambours qu'il était seul à
aimer mais que nous devions tous manger une fois par
semaine. Sa voix, le jour où je m'étais enfoncé un hameçon dans la main, entre le pouce et l'index, et où il
m'avait prise dans ses bras en me murmurant d'être une
courageuse petite fille. Son visage que je me rappelle
avoir vu en photo sur papier sépia. Et puis, du plus profond de ma mémoire remonta un très lointain souvenir.
Papa souriait en nous baragouinant une sorte de charabia. Cassis riait. Moi aussi, pour faire comme les autres,
mais sans comprendre la plaisanterie. Maman, pour une
fois trop loin pour nous entendre, heureusement, souf-
frant peut-être d'une de ses migraines, un rare moment
de liberté pour tous.

« Je me souviens de quelque chose », finis-je par murmurer.

Alors, patiemment, il m'expliqua cette langue faite de
syllabes et de mots inversés, de préfixes et de suffixes ajou-
tés sans rime ni raison.

*« Ejni siardouvini reuqilpxeini. Ejni ienni siasni sapsi
iani iuqni. »*

— Je voudrais expliquer. Je ne sais pas à qui.

Les passages secrets de l'album de ma mère ne semblaient présenter aucun intérêt pour Cassis. Les recettes,
par contre, le fascinaient. Tout le reste n'était que du
passé. Mais les recettes, elles, c'était quelque chose qu'il
pouvait comprendre, toucher, goûter. J'étais consciente

du malaise qu'il éprouvait à être si proche de moi, comme si ma ressemblance avec elle eût pu être contagieuse. Il murmura d'une voix sourde : « Si seulement mon fils pouvait voir toutes ces recettes. »

« Ne lui en parle même pas », interrompis-je sèchement.

Cassis haussa les épaules. « Bien sûr, je te le promets. » Et je le crus. Ce qui prouve bien que je ne ressemble pas autant à ma mère qu'il le pensait. Je lui fis confiance, hélas et pendant quelque temps, il sembla avoir tenu sa promesse. Il n'y eut plus de visite de Laure et de Yannick. On n'entendit plus parler de Mamie Framboise. Après l'été, l'automne entra avec son lent cortège de feuilles mortes.

VI

« Yannick dit qu'il a vu le vieux Génitrix aujourd'hui », écrit-elle. « *Il est revenu en courant de la rivière, à demi fou d'excitation et débitant des sottises. Dans sa hâte de nous raconter, il en avait oublié son poisson sur la berge. Je lui ai froidement fait remarquer qu'il avait ainsi perdu du temps. Il m'a regardée de ses yeux tristes avec un air d'impuissance. Je pensais qu'il allait me répondre quelque chose mais quoi, je n'en suis pas sûre. Tout le monde croit que cela porte malheur d'apercevoir Génitrix. Nous avons eu assez de ça récemment. Peut-être est-ce la raison pour laquelle je suis ce que je suis.* »

Je pris tout mon temps pour lire l'album de ma mère. Peut-être par peur de ce que je pourrais y trouver ou peut-être par peur de ce que cela me forcerait à me rappeler et aussi parce que le fil de la narration y était délibérément emmêlé, la chronologie des événements adroitement changée comme pour un tour de cartes compliqué. Je me souvenais à peine du jour dont il était question. Plus tard pourtant j'en avais rêvé. L'écriture était incroyablement petite mais soignée. Elle me donnait un terrible mal de tête si je passais trop de temps à sa lecture. En ceci encore je suis comme elle. Je me souviens très clairement de ses maux de tête souvent précédés de ce que Cassis appelait ses crises. Il me dit que cela avait empiré après ma naissance. Il était le seul à pouvoir se souvenir d'elle avant ça.

Sous une recette pour du cidre chaud aux épices elle écrit :

« *Je peux me souvenir de ce que c'était de vivre dans la lumière, de se sentir un être complet. J'ai connu cela avant la naissance de Cassis. J'essaie de me rappeler ce que c'est que d'être jeune comme ça et je me dis : si seulement nous n'étions pas venus ici, si nous n'étions jamais revenus aux Laveuses. Yannick fait ce qu'il peut mais l'amour s'est envolé. Maintenant, il a peur de moi, peur de ce que je pourrais faire, lui faire à lui et aux enfants. On a beau dire, il n'y a rien de bon à la souffrance. Ça finit par tout détruire. Yannick reste avec moi à cause des gosses. Je devrais lui en être reconnaissante. Il pourrait me quitter et personne ne l'en blâmerait. Après tout, il est du pays, lui.* »

Elle n'avait jamais été du genre à laisser ses ennuis physiques l'abattre. Elle tolérait la douleur tant que cela lui était possible avant de se retirer dans l'obscurité de sa chambre aux volets clos pendant que nous marchions dehors à pas feutrés comme des chats prudents. Les attaques violentes revenaient tous les six mois environ. Elles la laissaient prostrée pendant des jours. Une fois, lorsque j'étais très jeune, en revenant du puits, elle s'effondra, s'affaissa par-dessus son seau. Une grande flaque d'eau mouillait le sentier desséché devant elle, son chapeau de paille glissé de côté révélait sa bouche grande ouverte et son regard fixe. J'étais seule dans le jardin potager à cueillir des herbes pour la cuisine. D'abord je crus qu'elle était morte : son silence, le trou noir de sa bouche dans la peau jaunâtre et tirée de son visage, ses yeux exorbités.

Très lentement, je déposai mon panier et m'approchai d'elle.

Sous mes pieds, le sentier semblait étrangement gondolé. Je trébuchai un peu comme quelqu'un qui porte des lunettes qui ne sont pas les siennes. Ma mère gisait sur le côté, une jambe écartée du corps, sa jupe noire légèrement remontée découvrait son bas et sa bottine, sa bouche était béante. Je me sentais étonnamment calme.

Elle est morte, constatai-je. Un sentiment si intense m'inonda à cette pensée que, pendant un moment, je fus incapable de l'identifier, quelque chose comme la queue lumineuse d'une comète d'impressions diverses qui me donna des picotements aux aisselles et me retourna l'estomac comme une crêpe. J'y fouillai pour y découvrir terreur, chagrin, désarroi peut-être, mais en vain. De ces sentiments, aucune trace. Au contraire, une explosion de feu d'artifice avait rempli ma tête de sa lumière empoisonnée. Je contemplais calmement le corps de ma mère et n'en ressentais qu'espoir, soulagement et cette joie primitive, cette joie immonde.

Chatoyante tendresse…
Froidure de mon cœur pétrifié

Oui, je sais. Comment pourriez-vous comprendre ce que j'éprouvais ? Cela me semble grotesque à moi aussi de m'en souvenir, de me poser la question : n'est-ce pas encore un autre mensonge, un souvenir inventé ? J'étais peut-être en état de choc, bien sûr. Oui, même les enfants ! Surtout les enfants, ces petits barbares méticuleux et secrets que nous étions, prisonniers de cet univers délirant qui était le nôtre entre le Poste de Guet et la rivière avec les Pierres Levées, déesses protectrices de nos rituels mystérieux. Pas de doute, c'était de la joie.

J'étais debout, près d'elle qui me regardait fixement de ses yeux vides sous des paupières immobiles. Je me demandai si je devais les clore. Quelque chose me troublait dans ces pupilles arrondies, ces yeux glacés de poisson — qui me rappellent ceux de Génitrix, le jour où je réussis enfin à le clouer à son poteau. Un filet de salive luisait aux commissures de ses lèvres. Je me rapprochai d'un pas.

Sa main jaillit et me saisit à la cheville. Non, pas morte, aux aguets seulement, les yeux brillants d'intelligence sournoise, malfaisante. Elle prononça quelques mots avec peine, articulant chaque syllabe avec une précision de scalpel. Je fermai les yeux pour ne pas hurler.

« Écoute. Va me chercher le bâton », dit-elle d'une voix grinçante, métallique. « Vas-y ! Dans la cuisine, vite ! »

J'avais les yeux rivés sur elle. Elle tenait toujours ma cheville nue.

« 'l'ai sentie venir ce matin », expliqua-t-elle d'une voix sans timbre maintenant. « 'savais qu'ça allait être une très forte ! 'n'ai vu que la moitié de la pendule. Y avait une odeur d'orange ! Va me chercher mon bâton, aide-moi ! »

« J'ai cru que tu allais mourir. » Ma voix semblait aussi étrange que la sienne, claire et dure. « J'ai cru que tu étais morte. »

Une saccade souleva un coin de sa bouche. J'entendis un bruit sourd, diabolique en sortir. Je sus plus tard que c'était un rire. Pourchassée par ce bruit, je courus jusqu'à la cuisine, saisis le bâton — un de ces troncs tordus d'aubépine dont elle se servait pour atteindre les plus hautes branches des arbres fruitiers — et le lui rapportai. Elle s'était déjà remise sur les genoux, se soulevant en prenant appui par terre avec les mains. De temps en temps, elle faisait de la tête un mouvement brusque et impatient comme éviter une attaque de guêpes.

« Bon ! » Sa langue était pâteuse comme si elle avait eu la bouche pleine de boue. « Maintenant, laisse-moi. Va dire à ton père que je vais… dans… ma chambre. » Puis, d'une secousse brutale, en s'appuyant sur son bâton, elle se remit sur ses pieds et, maintenant difficilement sa position, elle se redressa par un effort de toute sa volonté. « Je te l'ai déjà dit : fous le camp ! »

Sa main jaillit soudain dans ma direction comme la serre d'un oiseau de proie. Elle faillit perdre l'équilibre et son bâton heurta brutalement le sentier. Je me mis à courir et ne me retournai que lorsque je fus bien loin de son atteinte. Alors, je m'accroupis derrière un cassissier. Je la regardai s'acheminer vers la maison d'une démarche chancelante. Traînant les pieds, elle décrivait derrière elle de grandes boucles dans la poussière.

Ce fut la première fois que je pris réellement conscience de ce dont souffrait ma mère. Cette histoire de pendule et d'orange, mon père nous en parla plus tard pendant qu'elle était allongée dans l'obscurité. Nous ne comprîmes que peu de ses patientes explications. Notre mère avait de violentes crises au cours desquelles ses maux de tête étaient si douloureux que parfois elle ne savait même pas ce qu'elle faisait. N'avions-nous jamais été victimes d'insolation ? Ne nous étions-nous jamais sentis étourdis ? N'avions-nous jamais eu l'impression de vivre dans un monde irréel où les choses semblaient plus proches qu'elles ne l'étaient vraiment, où les bruits résonnaient plus fort ? Nous le regardions sans avoir aucune idée de ce qu'il disait. Cassis qui avait neuf ans à l'époque, alors que je n'en avais que quatre, semblait le seul à saisir quelque chose de l'histoire.

« Elle fait des choses », dit mon père. « Des choses dont elle ne se souvient pas vraiment après coup. C'est à cause de cette malédiction du sort. »

Nos visages se firent solennels. Malédiction du sort.

Dans mon esprit de petite fille, l'expression était associée aux histoires de sorcières. *La Maison de pain d'épice*, *Les Sept Cygnes*. J'imaginais ma mère allongée sur son lit dans le noir, les yeux ouverts. Des paroles bizarres s'échappaient de ses lèvres comme des couleuvres. J'imaginais son regard capable de traverser les murs et de lire en moi en pénétrant mon corps. J'imaginais son rire sourd, diabolique pendant qu'elle se balançait d'avant en arrière. Papa dormait parfois dans le fauteuil de la cuisine quand Maman avait une de ses crises. Un matin, nous l'avions surpris, il se baignait le front dans l'évier — l'eau était rouge de sang. Il nous expliqua qu'il s'agissait d'un accident, un accident tout bête. Je me souviens pourtant d'avoir vu sur les carreaux de la cuisine des traces de sang encore toutes luisantes. Une bûche sciée pour la cuisinière et abandonnée sur la table était aussi tachée de sang.

« Elle ne nous ferait pas de mal à nous, n'est-ce pas Papa ? »

Il me regarda, hésita quelques secondes. Un moment, il sembla considérer jusqu'où exactement il devait nous dire la vérité.

Puis il se mit à sourire. « Bien sûr que non, ma chérie ! » Son sourire semblait vouloir dire : quelle question ! « Elle ne te ferait jamais de mal à toi ! » Et il m'enveloppa dans ses bras. Un effluve de tabac, de drap mité et de sueur emplit mes narines, elle me rappelait l'odeur de vieux biscuit. Je n'ai jamais oublié cette seconde d'hésitation, cette volonté de nous dire seulement ce qui était nécessaire. Il avait réfléchi, s'était demandé jusqu'où nous pourrions comprendre. Peut-être avait-il misé sur le fait qu'il aurait beaucoup de temps pour tout nous expliquer quand nous serions plus âgés.

Plus tard, cette nuit-là, j'entendis du bruit dans la chambre de mes parents, des cris, un fracas de verre brisé. Le matin, lorsque je m'éveillai, je découvris que mon père avait passé la nuit dans la cuisine. Ma mère, elle, se leva tard. Elle était toute guillerette — enfin autant qu'elle l'avait jamais été ! Elle chantonnait d'une voix basse, presque atone, tout en tournant la confiture de tomates vertes avec une cuillère dans son grand chaudron de cuivre. Elle sortit de la poche de son tablier une poignée de reines-claudes bien dorées et me les tendit. Timidement, je lui demandai si elle se sentait mieux. Le visage pâle et dénué d'expression, elle me regarda d'un air d'incompréhension. Plus tard, quand je me faufilai dans sa chambre, j'y trouvai mon père occupé à recoller une vitre cassée avec un papier adhésif. Il y avait des débris de verre sur le plancher devant

la fenêtre et sous la pendule de la cheminée qui gisait
maintenant sur son cadran. Sur la tapisserie, juste au-dessus
du haut du lit, s'étalait une tache rougeâtre qui avait séché.
Mon regard ne réussissait pas à s'en détacher, et j'y trouvais
une sorte de plaisir. Je pouvais distinguer les cinq virgules
que ses doigts avaient imprimées sur le papier et la grosse
tache là où sa paume s'était posée. Lorsque je revins, quelques heures plus tard, le mur avait été nettoyé et la pièce
était de nouveau en ordre. Ni l'un ni l'autre de mes parents
ne fit allusion à l'incident. Ils se conduisaient comme si
rien ne s'était passé. Pourtant, à partir de ce jour-là, mon
père nous enferma à clef dans nos chambres et verrouilla
nos fenêtres la nuit, comme s'il avait craint que quelque
chose eût pu s'y introduire.

VII

À la mort de mon père, j'éprouvais peu de vrai chagrin.
J'avais beau rechercher la tristesse, je ne découvrais en
moi qu'un cœur pétrifié comme un noyau au centre d'un
fruit. J'essayais de me répéter que jamais plus je ne reverrais son visage. Je l'avais déjà presque oublié de toute
façon. Il était devenu une sorte d'icône aux yeux protubé-
rants comme les statues de saint. Les boutons de son uniforme luisaient comme du vieux velours. J'essayais de
l'imaginer tué au champ de bataille, son cadavre brutalement précipité dans une fosse commune, le visage
déchiqueté par une mine. Je conjurais des images d'horreur aussi peu réelles que des cauchemars. Cassis fut celui
qui supporta le plus mal le coup. Après la nouvelle, il fit
une fugue de deux jours et rentra affamé, épuisé et couvert de piqûres de moustiques. Il avait passé la nuit sur
l'autre rive de la Loire, là où les bois se perdent dans les
marécages. Je soupçonne qu'il avait vaguement eu l'idée
de s'engager mais, en chemin, il s'était perdu, il avait
tourné en rond pendant des heures jusqu'à ce qu'il eût

retrouvé la rivière. Il essaya de s'en sortir en crânant, disant qu'il avait vécu des aventures passionnantes. Pour une fois, je ne le crus pas.

Il commença aussi à se bagarrer avec les autres garçons. Il revenait souvent les vêtements déchirés et avec du sang sous les ongles. Il ne pleura jamais son père et en tira un certain orgueil. Il cria même des insultes à Philippe Hourias le jour où il avait essayé de lui dire qu'il était de cœur avec lui. Reinette, au contraire, semblait adorer l'attention que la mort de Papa lui apportait. Les gens venaient à la maison lui apporter des cadeaux, ils lui tapotaient la joue s'ils la rencontraient dans le village. Au café, ils discutaient de notre avenir et de celui de notre mère d'un air grave, à mi-voix. Ma sœur apprit à remplir ses yeux de larmes chaque fois qu'elle le voulait. Elle cultiva à la perfection son sourire de brave petite orpheline qui lui valait tant de bonbons et lui attribua la réputation d'être la plus sensible de la famille.

Après sa mort, ma mère ne parla jamais plus de lui. Ce fut comme si Papa n'avait jamais vécu parmi nous. Le travail à la ferme continua sans lui, peut-être avec plus d'efficacité qu'auparavant. Les rangs de topinambours que lui seul avait aimés furent déterrés et à leur place nous plantâmes des brocolis et des asperges dont les plumes vertes ondulaient et chuchotaient sous la brise. Ce fut le début de mes vilains rêves. Couchée sous la terre, j'étais envahie par la puanteur de mon propre corps en décomposition. Je me noyais dans la Loire. Je sentais la vase sourdre du lit de la rivière et recouvrir mon cadavre comme un linceul. Essayant de remonter en m'accrochant à quelque chose je ne trouvais que des centaines d'autres cadavres, là, à mes côtés, doucement bercés par le courant des profondeurs, entassés les uns contre les autres, certains étaient intacts, d'autres déchiquetés, sans visage, les mâchoires écartées et les orbites arrondies en un rire sarcastique pour m'accueillir. Je m'éveillais en sueur, appelant à l'aide. Maman ne venait jamais. C'étaient Cassis et Reinette qui venaient à sa place, tour à tour impatients ou compréhensifs. Exaspérés, parfois, ils me pinçaient et proféraient des menaces à voix basse et parfois, ils me berçaient dans leurs bras jusqu'à ce que je me rendorme. Parfois encore, Cassis racontait des histoires que Reine-Claude et moi écoutions les yeux grands ouverts dans le clair de lune. Des histoires de géants et de sorcières, de roses mangeuses d'hommes, de montagnes et de dragons déguisés en êtres humains. Cassis n'avait pas son pareil, à cette époque, pour raconter des histoires. Il n'était peut-être pas toujours gentil, il se moquait peut-être de mes peurs nocturnes mais ce dont je me souviens le plus, ce sont ses histoires et les étincelles dans son regard.

VIII

Papa disparu, nous devînmes aussi habiles que ma mère à prévoir l'arrivée de ses crises. Cela commençait par une façon un peu vague qu'elle avait de s'exprimer, des mouvements nerveux et répétés de la tête — comme une poule qui picore — pour se débarrasser d'une tension des tempes. Elle tendait quelquefois la main pour prendre un objet — une cuiller ou un couteau — et ne l'atteignait pas tout à fait, alors elle tapotait la table ou l'évier du plat de sa main comme si elle le cherchait à tâtons. Quelquefois, elle nous demandait l'heure alors qu'elle se tenait juste en face de la grosse pendule de la cuisine. À ces moments-là, elle posait toujours la même question d'une voix sévère et pleine de méfiance :

« *L'un de vous aurait-il ramené des oranges dans la maison ?* »

Nous faisions non de la tête en silence. Les oranges étaient chose rare. Il nous était parfois arrivé d'en goûter une. Nous en apercevions de temps à autre au marché d'Angers — de grosses oranges d'Espagne à la peau épaisse criblée de fossettes et d'autres coupées en deux, à la peau fine, des sanguines venues du sud qui révélaient leur chair meurtrie toute violacée. Maman passait aussi loin que possible de ces stands comme si la simple vue des oranges la révulsait. Une aimable dame, sur le marché, un jour, nous en donna une à nous partager. Maman nous interdit de pénétrer dans la maison. Il nous fallut d'abord nous laver les mains, nous brosser jusque sous les ongles, nous les enduire d'huile de mélisse et de lavande. Et même après tout cela, elle affirma qu'elle décelait encore une odeur d'orange. Elle laissa les fenêtres ouvertes pendant deux jours jusqu'à ce que l'odeur eût enfin disparu. Bien sûr, les oranges qui provoquaient ses crises n'existaient que dans son imagination. Leur odeur annonçait ses migraines et, quelques heures plus tard, elle était allongée dans l'obscurité avec un mouchoir aspergé d'huile de lavande sur le visage et ses pilules à portée de sa main. J'appris plus tard qu'il s'agissait de morphine.

Elle ne donnait jamais d'explications : le peu d'informations que nous avions pu glaner venaient d'une longue observation. Dès qu'elle sentait une migraine approcher, elle s'enfermait dans sa chambre, sans rien nous dire, nous livrant à notre liberté. C'est ainsi que nous en étions venus à considérer ses crises comme des vacances — allant de quelques heures à une journée entière, peut-être deux — pendant lesquelles nous faisions ce que nous voulions. C'était merveilleux. Nous aurions voulu qu'elles n'aient pas de fin. Nous allions nous baigner dans la Loire, attraper des écrevisses dans les ruisseaux, nous courions les bois, nous nous gorgions de cerises, de prunes ou de groseilles, nous nous battions, nous jouions au soldat avec des fusils à patate, nous décorions les Pierres Levées du butin de nos aventures.

Les Pierres Levées étaient les ruines d'une ancienne jetée emportée depuis longtemps par des inondations : cinq piliers de pierre — dont l'un plus court que les autres — qui ressortaient de l'eau. Chacune avait sur le côté un crochet qui pleurait ses larmes de rouille sur la pierre rongée là où les planches autrefois étaient attachées. Nous accrochions nos trophées à ces pointes de métal : des guirlandes de fleurs et de têtes de poisson, des signes en code secret, des pierres magiques, des morceaux de bois aux formes bizarres apportés par le courant. Le dernier pilier émergeait de l'eau profonde là où le courant était particulièrement fort. C'est là que nous cachions notre trésor, dans un grand coffre de fer, enveloppé d'une toile cirée et alourdi par une chaîne. La chaîne était fixée à une corde, elle-même amarrée au pilier que nous appelions la Pierre au Trésor. Pour reprendre ce trésor, il fallait d'abord atteindre à la nage le dernier pilier — ce qui n'était déjà pas si facile — puis tout en se retenant d'un bras au pilier, hisser le coffre qui gisait au fond, le détacher et le ramener à la berge. Il était bien entendu que, seul, Cassis pouvait tenter l'aventure. Pour un adulte, notre trésor n'aurait eu aucune valeur : les fusils à patate, du chewing-gum enveloppé de papier sulfurisé pour le faire durer plus longtemps, un bâton de sucre d'orge, trois cigarettes, des pièces dans un vieux porte-monnaie, des photos d'actrices — qui, avec les cigarettes, appartenaient à Cassis — et quelques numéros de magazines illustrés, pleins d'histoires corsées.

Paul Hourias nous accompagnait parfois dans nos expéditions — c'était Cassis qui les appelait ainsi — sans toutefois être initié à tous nos secrets. J'aimais bien Paul. Son père vendait de l'appât sur la route d'Angers et sa mère faisait du raccommodage à la maison pour leur permettre de joindre les deux bouts. Il était fils unique de parents assez âgés pour être ses grands-parents et, la plupart du temps, il s'arrangeait pour ne pas rester dans leurs pattes. Il vivait comme j'aurais rêvé de le faire. L'été, il passait des nuits à courir les bois sans que sa famille ne s'en inquiétât. Il savait où découvrir les champignons dans la forêt et faire des sifflets avec des branches de saule. Il était adroit de ses mains, il avait l'esprit vif, mais quand il parlait, il s'exprimait d'une façon gauche, avec lenteur et, en présence d'adultes, il se mettait à bégayer. Cassis et lui étaient à peu près de même âge mais, lui, n'allait pas à l'école. Il aidait son oncle à la ferme, trayant les vaches, les menant aux champs et les ramenant. Il était patient avec moi, plus patient que ne l'était Cassis. Il ne se moquait jamais de mon ignorance, ne me reprochait jamais ma petite taille. Bien sûr, il est vieux maintenant mais parfois je pense que, de nous quatre, c'est lui qui a le moins changé.

DEUXIÈME PARTIE

LE FRUIT DÉFENDU

On n'était encore qu'au début de juin et un été torride s'annonçait déjà. La Loire était basse, maussade, parmi les bancs de sable qui s'écroulaient sous les pas. Les serpents étaient plus nombreux que d'habitude, des vipères brunes à tête plate qui se cachaient dans la boue fraîche où l'eau s'était retirée. Un chaud après-midi, Jeannette Gaudin fut mordue par l'une d'elles alors qu'elle pataugeait au bord de l'eau. On l'enterra une semaine plus tard dans le cimetière de l'église Sainte-Bénédicte sous une petite croix avec un ange « *À notre fille bien-aimée de 1934-1942* ». J'avais trois mois de plus qu'elle.

Ce fut comme si soudain un gouffre s'était ouvert sous mes pas, comme une gueule énorme profonde et chaude. Si Jeannette avait pu mourir comme ça, cela pouvait m'arriver à moi aussi, à tout le monde d'ailleurs. Du haut de ses treize ans, Cassis laissa tomber avec mépris : « Les gens meurent en temps de guerre, idiote, on doit bien s'y attendre. Les gosses aussi. Les gens meurent tout le temps ! »

En vain, j'essayai de lui expliquer. Que des soldats meurent, que mon père meure, c'était une chose. Que des civils même soient tués sous les bombardements — il y en avait peu aux Laveuses, pourtant — mais ça, c'était quelque chose de totalement différent. Mes cauchemars s'aggravèrent. Je passais des heures à guetter la rivière, capturant les vilaines vipères brunes dans mon épuisette. Je fracassais leurs têtes plates et malfaisantes avec un gros caillou et clouais leurs corps immobiles aux racines de la berge que la sécheresse avait découvertes. Au bout d'une semaine, une vingtaine y pendaient, inertes. La puanteur qui s'en dégageait — une odeur de pourriture étrangement sucrée, comme celle du poisson — était intolérable. Cassis et Reinette étaient encore à l'école — tous deux allaient au collège à Angers — et ce fut Paul qui me découvrit. Je m'étais mis une pince à linge sur le nez pour ne pas respirer cette puanteur et, avec un air de résolution inébranlable, je continuais à retourner la boue liquide avec mon filet.

Paul était en short et en sandales et, au bout d'une ficelle, il tenait en laisse son chien Malabar.

Je lui jetai un coup d'œil indifférent et reportai mon attention vers la surface de l'eau. Paul s'assit à côté de moi et Malabar s'écroula haletant au milieu du sentier. Je ne prêtai attention ni à l'un ni à l'autre. Enfin, Paul parla : « Qu'est-ce qu'il y a ? »

Je répondis avec un haussement d'épaules : « Rien. Je pêche, voilà tout. » Un silence suivit. « Des s… erpents ? » Il avait pris soin de faire en sorte que sa voix ne trahisse aucune émotion.

J'acquiesçai et ajoutai d'une voix pleine de défi : « Et alors ? » « Alors, rien ! » Il tapota gentiment la tête de Malabar. « Tu as bien le droit de faire ce qui te plaît. » Un autre silence passa entre nous, un silence qui n'en finissait pas.

« Je me demande si ça fait mal », murmurai-je enfin.

Il me considéra sans se prononcer. « C… Cassis, i' dit que Jeannette Gaudin 'lle avait dû voir Génitrix », déclara-t-il enfin. « Tu sais. C'est pour ça que l'serpent l'a piquée. À cause du mauvais sort qu'il lui a lancé ! » Je fis non de la tête. Cassis, narrateur prolifique et enragé lecteur d'aventures horribles — *La Malédiction de la Momie, L'Essaim barbare* —, disait toujours des trucs comme ça.

« Je ne crois pas que Génitrix existe vraiment », affirmai-je d'un ton agressif. « Je ne l'ai jamais vu en tout cas. Et puis, les mauvais sorts n'existent pas non plus. Tout le monde sait cela ! »

Paul me jeta un regard indigné et triste. « Bien sûr que ça existe », dit-il. « Et, il est bien certain qu'il est là quelque part. M… mon père l'a vu une fois, longtemps avant ma naissance. L'… le plus grand brochet qu'ait jamais existé. Une semaine plus tard, il s'est cassé la jambe en tombant de son vélo. Même que ton père aussi… » Il s'arrêta court et baissa les yeux d'un air gêné.

« Non, pas mon père », corrigeai-je d'un ton sec. « Mon père à moi, il est mort sur un champ de bataille. » Je conjurai brusquement une image de lui, simple maillon d'une chaîne humaine infinie, qui marchait au pas vers la ligne d'horizon qui l'engouffrait petit à petit.

Paul hocha la tête et insista : « C'est sûr qu'il est là, à l'endroit le plus profond de la Loire. Il a peut-être quarante ou cinquante ans. Ça vit longtemps les brochets, enfin les plus vieux. Il est noir comme la vase dans laquelle il se tapit et il est malin, d'une intelligence malfaisante. Il goberait tout aussi facilement un oiseau sur l'eau qu'il avalerait un morceau de pain. Mon père, i'dit que ce n'est pas un brochet du tout, que c'est un fantôme, un assassin, condamné pour l'éternité à regarder vivre les autres. C'est pour cela qu'il nous déteste. » Paul n'avait jamais parlé aussi longtemps. Malgré moi, j'écoutai avec intérêt. Beaucoup de légendes et de contes de vieilles bonnes femmes courent à propos de la rivière mais de toutes, la plus connue est celle du brochet géant dont la gueule est hérissée des hameçons laissés par les pêcheurs qui ont essayé de le ferrer, dont l'œil étincelle de lucidité malfaisante et dont le ventre est le réceptacle d'un trésor d'origine inconnue et d'une valeur inimaginable.

« Mon père, i'dit que celui qui l'attraperait pourrait faire un vœu ! » ajouta Paul. « I'dit que dans son cas i's'contenterait d'un million de francs et d'un petit coup d'œil aux dessous de Greta Garbo ! » et son sourire gêné avait l'air de dire : « C'est bien une idée de parent, ça ! »

Je réfléchis à ce qu'il avait dit. Je me répétais que ni les mauvais sorts ni les vœux gratuits ne m'impressionnaient, moi, et pourtant je n'arrivais pas à chasser le brochet de mon esprit.

« S'il est vraiment là, on doit pouvoir l'attraper », déclarai-je brusquement. « C'est notre rivière à nous. On pourrait… »

Tout à coup, c'était devenu parfaitement évident pour moi. Non seulement la chose était possible mais c'était mon devoir de la faire. Ces cauchemars qui me hantaient depuis la mort de Papa, ces rêves de noyade, de descente en aveugle parmi les flots noirs de la Loire en crue, cette sensation de chair gluante en décomposition autour de moi, ces cris qui ne s'échappaient pas de mes lèvres mais rebondissaient dans ma gorge et se noyaient dans mon propre corps… D'une certaine manière, le brochet était la représentation physique de tout ça. Incapable d'analyser rationnellement ce que je ressentais, je fus soudain certaine pourtant que si j'avais la chance de capturer Génitrix, quelque chose peut-être se passerait — je n'aurais pas su dire quoi, pas même à moi-même — mais quelque chose, ça c'était sûr. Mon exaltation grandissait à cette pensée. Oui, quelque chose.

Paul me regarda, stupéfait. « L'attraper », répéta-t-il. « Mais pourquoi ? »

« C'est notre rivière à nous », m'entêtai-je. « Il ne devrait pas avoir le droit d'y être. » Je voulais lui expliquer que, secrètement, je ressentais la présence même du brochet comme un scandale qui m'indignait au plus profond de mes entrailles, plus encore que celle des vipères — sa fourberie, son âge, sa malsaine arrogance. Je ne trouvais pas d'autre façon de m'exprimer. C'était un monstre !

« D'ailleurs, tu ne l'attraperas pas », enchaîna Paul. « Écoute. Des gens ont essayé, des grands, avec des lignes et des filets aussi. Il s'est échappé en saccageant leurs filets. Quant aux lignes, il les sectionne d'un coup de mâchoire. C'est qu'il est fort, tu sais, plus fort qu'aucun de nous. »

« On n'a pas besoin de force », insistai-je. « On n'a qu'à le prendre au piège. »

« Il faudrait qu'tu sois bien maligne pour prendre Génitrix », fit remarquer Paul d'un ton flegmatique.

« Et alors ? » Il commençait à m'énerver. De frustration, le visage crispé, je me tournai vers lui, les poings serrés. « Nous serons tous les quatre malins : Cassis et moi, Reinette et toi. À moins que tu n'aies la trouille. »

« Je n'ai pas la trouille, mais c'est impossible. » Il recommençait à bégayer comme toujours quand on essayait de le forcer. Je le dévisageai. « Eh bien, je le ferai toute seule si tu ne veux pas m'aider et tu vas voir comment je vais l'attraper ce vieux brochet ! » Quelque chose me piquait les yeux. Je les essuyai rapidement du dos de ma main. Je remarquai l'œil curieux dont Paul me contemplait. Il ne répondit rien. Alors, brutalement, j'enfonçai mon épuisette comme un harpon dans l'eau tiède de la berge.

« Ce n'est jamais qu'un vieux poisson », murmurai-je en continuant à harponner la surface de la rivière.

« Je vais l'attraper. Je vais le pendre aux Pierres Levées, là-bas. » De mon épuisette dégoulinante de boue liquide, je lui indiquai la Pierre au Trésor. « Là-bas, précisément », répétai-je à mi-voix et je crachai par terre pour prouver le sérieux de mon affirmation.

II

Au moins une fois par semaine, tout au long de ce mois torride, ma mère se plaignit d'une odeur d'orange. Une crise ne s'ensuivait pas à chaque fois. En l'absence de Cassis et de Reinette qui étaient à l'école, je montais à la Loire. La plupart du temps, j'étais seule, Paul m'accompagnait parfois lorsque les travaux de la ferme le lui permettaient.

J'étais à l'âge ingrat. Séparée de mon frère et de ma sœur toute la journée, je devenais audacieuse, désobéissante. Quand ma mère me donnait du travail à faire, je m'enfuyais, je sautais des repas, je rentrais tard à la maison le soir, sale, les vêtements souillés de la poussière jaune de la berge, les cheveux défaits, collés en arrière par la sueur. J'avais dû naître contestataire mais, l'été de ma neuvième année, cela s'aggrava. Comme des chattes, à l'affût l'une de l'autre, ma mère et moi établissions nos territoires. Chaque contact produisait son étincelle. Chaque mot prenait des airs d'insulte. Nos conversations étaient comme autant de champs de mines. Aux heures des repas, assises l'une en face de l'autre, devant une assiette de soupe ou de galettes, nous échangions des regards farouches. Cassis et Reinette, courtisans affolés, nous encadraient silencieux, les yeux écarquillés.

Je ne sais pas pourquoi nous nous mesurions ainsi. Peut-être était-ce simplement que je grandissais. Au fur et à mesure que j'approchais de l'adolescence, celle qui avait terrifié mon enfance m'apparaissait sous un angle différent. J'étais consciente des fils gris de ses cheveux, des rides fines aux coins de sa bouche. Dans un éclair de mépris, je découvrais en elle une femme vieillissante que ses crises réduisaient à l'impuissance et renvoyaient dans sa chambre.

Elle me provoquait. Exprès ! Du moins, c'est ce que je pensais alors. À présent, je crois plutôt qu'elle ne pouvait s'en empêcher, qu'il était de sa nature de le faire comme il était de la mienne de relever le gant. Chaque fois qu'elle ouvrait la bouche cet été-là, c'était pour me critiquer. Ma conduite, la façon dont je m'habillais, dont je me tenais, mes opinions, tout, d'après elle, méritait ses reproches. J'étais peu soignée, je laissais mes vêtements en bouchon au pied de mon lit en me couchant au lieu de les plier. Je marchais les épaules voûtées et je deviendrais bossue si je n'y faisais pas attention. J'étais gourmande. Je me gorgeais des fruits du verger et je n'avais d'appétit pour rien d'autre après. Je grandissais comme un haricot vert mais je n'avais que la peau et les os. Pourquoi ne pouvais-je pas ressembler à Reine-Claude ? À l'âge de douze ans, elle était déjà jolie fille. Elle avait la douceur et le parfum d'un miel sombre, des yeux d'ambre et ses cheveux étaient de la couleur des feuilles d'automne. Dans mon imagination, elle était l'héroïne de toutes les histoires, la star de tous les films que j'avais jamais admirés. Quand nous étions encore petites, elle me permettait de lui tresser les cheveux et j'y mêlais des fleurs et des baies sauvages. Je posais sur sa tête des couronnes de liseron qui la faisaient ressembler à une sylphide. Son calme et sa passive sérénité lui donnaient maintenant des airs d'adulte.

Ma mère répétait qu'à côté d'elle j'avais l'air d'une simple grenouille, d'une laide petite grenouille toute maigrelette, avec une large bouche maussade et de grands pieds.

Je me souviens particulièrement bien d'une de ces scènes à table. Ce jour-là, il y avait des paupiettes — ces papillotes de veau, farcies de chair à saucisse, attachées par une ficelle et cuites dans un ragoût épais de carottes, d'échalotes et de tomates au vin blanc. Je gardais les yeux sur mon assiette d'un air blasé et boudeur. Reinette et Cassis regardaient dans le vague, l'air délibérément absent.

Ma mère, horripilée par mon silence, gardait les poings fermés. Depuis la mort de mon père, il n'y avait plus personne pour calmer sa colère, toujours dormante sous la surface, toujours prête à exploser. Chose inhabituelle, pour cette époque-là, et presque une exception, elle nous frappait rarement. Non, je le devine, qu'elle débordât d'amour pour nous mais plutôt parce que, ayant commencé, elle avait peur de ne plus savoir s'arrêter.

« Pour l'amour de Dieu, tiens-toi droite ! » Sa voix avait l'aigreur d'une groseille verte. « Tu sais que si tu te tiens mal, tu finiras par rester comme ça ! »

Je lui lançai un rapide coup d'œil et, d'un air insolent, je posai les coudes sur la table.

« Tes coudes ! » dit-elle d'une voix presque gémissante. « Regarde ta sœur, mais regarde-la donc ! Est-elle bossue ? Se conduit-elle comme une fille de ferme renfrognée ? »

Il ne me venait même pas à l'esprit d'en vouloir à Reinette. Non, c'était à ma mère que j'en voulais. Chacune
de mes actions le lui prouvait. Je lui offrais toutes les raisons de s'en prendre à moi. Elle voulait que le linge
étendu sur le fil soit pendu par l'ourlet du bas, je mettais
les pinces au col. Elle aimait voir les étiquettes sur les
bocaux dans le garde-manger, je les retournais face au
mur. J'oubliais de me laver les mains avant de passer à
table. Je modifiais l'ordre de la batterie de casseroles pen-
dues au mur. Je laissais ouverte la fenêtre de la cuisine de
façon à ce que le courant d'air la fît claquer lorsqu'elle
ouvrait la porte. J'enfreignais les mille petits règlements
qu'elle avait imposés et, chaque fois, elle réagissait avec la
même rage stupéfaite. Pour elle, ces règles ridicules
avaient de l'importance, elle nous contrôlait grâce à elles.
Ces règles disparues, elle n'était plus qu'un être humain
solitaire, une orpheline comme nous tous.

Bien entendu, à l'époque, je ne savais pas cela.

« Tu es vraiment une sale petite teigne, hein ? »
déclara-t-elle enfin, en repoussant son assiette. « Une sale
teigne et têtue comme une mule, avec ça ! » Il n'y avait ni
hostilité ni affection dans sa voix, seulement le ton neutre
qui convenait à une simple constatation. « Au même âge,
j'étais exactement comme toi. » C'était la première fois
que je l'entendais parler de sa jeunesse. Elle avait, en
disant cela, un grand sourire triste. Je ne pouvais croire
qu'elle eût jamais été jeune. D'un coup de couteau, je
perçai ma paupiette qui éclata dans sa sauce figée.

« Je voulais toujours me bagarrer avec tout le
monde », continua ma mère. « J'aurais tout sacrifié,
j'aurais blessé n'importe qui pour le simple plaisir d'avoir
raison, pour gagner. » Elle me lança un regard lourd et
curieux. Les pupilles noires et minuscules brillaient dans
ses yeux sombres comme le goudron. « Contrariante, c'est
ça, tu es contrariante. Je le savais déjà le jour de ta naissance que tu allais mal tourner comme ça. Ça a recom-
mencé juste après et encore pis qu'avant. Et la nuit, tu
braillais et tu refusais ton biberon. Moi, j'étais allongée, la

porte fermée, dans ma chambre, et ma tête résonnait comme un tambour. »

Je ne répondis rien. Au bout d'un moment, ma mère se mit à rire d'un air moqueur et commença à débarrasser la table. Il ne fut plus jamais question de cette guerre entre nous mais cette guerre pourtant était bien loin d'être terminée.

III

Notre Poste de Guet était dans un grand orme au bord de la Loire. Certaines de ses branches surplombaient la rivière et de grosses racines exposées s'enfonçaient profondément dans la terre sèche de la berge. Je trouvais facile d'y grimper. Du haut des branches les plus élevées, j'avais vue sur le village des Laveuses tout entier. Cassis et Paul y avaient construit une cabane rudimentaire — une plate-forme et les branches qui la recouvraient formaient le toit. Quand la hutte fut terminée, j'étais celle qui y passait le plus de temps. Reinette n'aimait pas monter jusqu'au sommet bien que l'on eût installé une corde à nœuds pour lui faciliter les choses. Cassis n'y allait plus souvent maintenant. C'était donc ma propriété. Je m'y réfugiais pour réfléchir, pour épier les allées et venues sur la route. Je voyais quelquefois les Allemands passer dans leurs jeeps, le plus souvent à moto.

Rien, aux Laveuses, ne présentait grand intérêt pour les Allemands. Pas de caserne, pas d'école, pas de bâtiment public qu'ils puissent occuper. Ils s'étaient établis à Angers et, de là, faisaient des patrouilles dans les villages avoisinants. À part leurs véhicules qui passaient sur la route, tout ce dont j'étais consciente étaient les petits détachements de soldats qui venaient toutes les semaines à la ferme Hourias pour y faire des réquisitions. Notre ferme à nous était moins ciblée — nous n'avions pas de vaches, simplement quelques cochons et quelques chèvres. La récolte dont nous dépendions financièrement était celle des fruits et la saison ne faisait que commencer. Une fois par mois, quelques soldats venaient sans grand enthousiasme chez nous mais nos meilleures provisions étaient bien cachées et Maman nous envoyait toujours dans le verger pendant leur visite. Leurs uniformes gris pourtant excitaient ma curiosité. Parfois, assise dans mon Poste de Guet j'envoyais des obus imaginaires vers les jeeps qui passaient à toute vitesse. De ma part, ce n'était pas de l'hostilité — aucun des enfants ne ressentait d'hostilité envers eux —, c'était de la curiosité pure et simple. Si nous répétions les insultes que nous entendions dans la bouche de nos parents — sale Boche, salaud de nazi — c'était par pur esprit d'imitation. Je n'avais aucune idée, moi, de ce qui se passait vraiment en France pendant l'Occupation et je n'avais qu'une très vague notion d'où se trouvait Berlin.

Un jour, ils étaient venus réquisitionner le violon de Denis Gaudin, le grand-père de Jeannette. C'est elle qui m'avait raconté l'histoire le lendemain. La nuit était presque tombée et déjà les volets pour le black-out avaient été tirés, quand, soudain, elle avait entendu quelqu'un frapper à la porte. Elle était allée ouvrir et avait vu, sur le seuil, l'officier allemand. Poliment, avec application, il s'était adressé en français à son grand-père.

« Monsieur… je crois… comprendre… que vous avez… un violon… J'en ai besoin… »

Il paraît que quelques-uns de leurs officiers avaient eu l'idée de former une musique militaire. Même les Allemands, après tout, avaient besoin d'occuper leur temps libre !

Le vieux Denis Gaudin l'avait regardé et lui avait répondu du ton de la plaisanterie : « Un violon, *mein Herr*, c'est comme une femme, ça ne se prête pas ! » et il avait doucement refermé la porte. Un moment de silence s'était écoulé. L'Allemand essayait de comprendre et Jeannette, stupéfaite, regardait son grand-père, les yeux écarquillés. Quelque temps après, ils avaient entendu les cascades de rire de l'officier allemand qui répétait : « *Wie eine Frau ! Wie eine Frau !* »

Il n'était jamais revenu et Denis put ainsi garder son violon pendant longtemps encore, presque jusqu'à la fin de la guerre, d'ailleurs.

IV

Cet été-là, pour la première fois, les Allemands ne furent pas ce qui occupa le plus mon esprit. Non, je passais le plus clair de mon temps, dans la journée et quelquefois pendant la nuit, à imaginer des façons d'attraper Génitrix. Je me plongeai dans l'étude des diverses méthodes de pêche : à la vermée pour les anguilles, à la balance pour les écrevisses, à la traîne, au filet droit, à l'asticot, au leurre. J'allai voir Hourias et l'ennuyai jusqu'à ce qu'il m'eût appris tout ce qu'il y avait à savoir à propos des appâts. Avec une pelle, j'allais chercher de gros vers de vase sur la berge. J'appris à les garder au chaud dans ma bouche. J'attrapai de grosses mouches à ver et les enfilai sur des lignes toutes hérissées d'hameçons qui finissaient par ressembler à d'étranges cheveux d'ange. Je fabriquai des nasses en branches de saule, je les munis de fils et les appâtai. Au moindre contact avec les fils, la nasse se refermait brusquement et la branche courbée en dessous se détendait comme un ressort et projetait le tout en dehors de l'eau. Je tendis des lambeaux de filets en travers des chenaux plus étroits, entre les bancs de sable. Je posai des lignes appâtées avec des boulettes de viande avariée sur la berge, de l'autre côté de la rivière. J'attrapai de cette manière tout ce que je voulais comme perches, ablettes, goujons, anguilles et épinoches. J'en apportais parfois à la maison et regardais ma mère les préparer. La cuisine était le seul *no man's land* de notre maison, le terrain neutre où notre guerre à nous bénéficiait d'une courte trêve. J'étais debout près d'elle à écouter son marmonnement mono-

tone. Ensemble, nous préparions une bouillabaisse ange-
vine — un ragoût de poisson avec des oignons rouges et
du thym — ou une perche rôtie en papillote avec de
l'estragon et des champignons sauvages. Je laissai certaines de mes prises aux Pierres Levées et leurs guirlandes
éclatantes et nauséabondes étaient comme une provocation et servaient d'avertissement pour Génitrix.

Mais Génitrix ne se montrait pas. Le dimanche, Reine
et Cassis n'étaient pas au collège et je m'évertuais à leur
communiquer mon enthousiasme pour cette pêche.
Hélas, depuis l'entrée de Reine-Claude au collège plus tôt
cette année-là, Cassis et elle étaient tous deux devenus
une sorte de race à part. Entre mon frère et moi, il y avait
cinq ans, et entre ma sœur et moi, il y en avait trois. Ils
paraissaient cependant plus proches l'un de l'autre que
cela, tellement semblables dans ce halo que leur conférait
l'approche de l'âge adulte. On aurait pu les prendre pour
des jumeaux avec leurs visages dorés et leurs hautes pommettes. Souvent, ils bavardaient à mi-voix avec des rires de
connivence, laissant tomber des noms de copains dont je
n'avais jamais entendu parler, éclatant de rire à des plaisanteries qu'eux seuls comprenaient. Ils ponctuaient leurs
conciliabules de noms bizarres : Monsieur Toupet,
Madame Troussine, Mademoiselle Culourd. Cassis avait
des surnoms pour chacun de ses professeurs. Il savait
imiter leurs petites manières et leur façon de parler, à la
grande joie de Reine qui gloussait. Quand ils me croyaient
endormie, ils murmuraient d'autres noms dans l'obscurité, les noms de leurs amis sans doute : *Heinemann, Leibniz, Schwartz*. Des rires accompagnaient leurs bavardages,
des rires étranges et méchants où se mêlait parfois une
pointe d'hystérie, de culpabilité. Je ne reconnaissais
aucun de ces noms aux consonances étrangères. Quand je
les questionnais à leur propos, Cassis et Reine-Claude
étaient simplement pris de fou rire et s'enfuyaient, main
dans la main, à travers les vergers.

Leur désir de m'éviter me chagrinait plus que je
n'aurais pu l'imaginer. Alors qu'autrefois ils avaient été

mes égaux, ils étaient maintenant devenus complices. Tout ce que nous avions eu en commun leur paraissait soudain des puérilités : le Poste de Guet, les Pierres Levées n'avaient d'intérêt que pour moi seule maintenant. Reine-Claude déclarait qu'elle était trop effrayée pour aller à la pêche à cause des serpents. Au lieu de cela, elle passait son temps dans sa chambre à se brosser les cheveux et à les arranger de façon compliquée tout en soupirant devant des photos d'actrices de cinéma. Cassis, lui, m'écoutait d'un air poli parler de mes plans avec enthousiasme sans m'accorder beaucoup d'attention, puis il trouvait le moindre prétexte pour me quitter : une leçon à recopier, des verbes latins à apprendre pour M. Toubon. Je comprendrais cela plus tard lorsque je serais plus grande. Leurs efforts n'avaient pour but que de me tenir à l'écart. Ils me donnaient des rendez-vous et ne venaient pas, ils m'envoyaient aux Laveuses acheter quelque chose qu'ils savaient ne pas exister, me promettant de me rejoindre à la rivière alors qu'ils partaient seuls vers la forêt. Et moi, exaspérée, je les attendais, les yeux pleins de larmes. Lorsque je leur faisais des reproches, ils faisaient semblant de s'être trompés. La main posée sur les lèvres, ils s'excusaient hypocritement : « Es-tu sûre que nous avions dit au gros orme ? Moi, j'étais certain que nous avions décidé que ce serait au deuxième chêne. » Et ils étaient pris d'un fou rire lorsque je m'éloignais, drapée dans ma dignité blessée.

Ils allaient rarement se baigner à la rivière. Reine-Claude n'entrait dans l'eau qu'avec précaution et seulement là où elle était plus claire et plus profonde, là où elle était sûre qu'aucun serpent ne se serait aventuré. Moi, au contraire, j'essayais d'attirer leur attention en plongeant de la rive, en nageant entre deux eaux si longtemps que Reine-Claude en hurlait à l'idée que j'avais pu me noyer. Pourtant, ils m'échappaient petit à petit, je le sentais, et la solitude m'accablait.

À cette époque-là, seul Paul me resta fidèle. Plus âgé que Reine-Claude et presque du même âge que Cassis, il

paraissait plus jeune qu'eux pourtant et moins sophisti-
qué. En leur présence, il devenait incapable de s'exprimer
et ne savait que cacher son terrible complexe derrière un
sourire gêné quand ils se mettaient à parler du collège.
Paul savait à peine lire, il avait la longue écriture labo-
rieuse, en pattes de mouche, d'un garçon beaucoup plus
jeune. Pourtant, il aimait les histoires que je lisais dans les
magazines de Cassis lorsqu'il venait me rejoindre au Poste
de Guet. Assis sur la plate-forme, il s'occupait à tailler un
morceau de bois avec son petit couteau pendant que je
lisais *La Tombe de la momie* ou *L'Invasion des Martiens.* De
temps à autre, nous nous coupions une tranche de pain
dans le gros quignon posé entre nous sur les planches.
Paul apportait parfois un morceau de rillettes enveloppé
dans du papier beurre ou un demi-camembert. Pour couronner notre petit festin, j'arrivais les poches remplies de
fraises ou avec un des fromages de chèvre roulés dans la
cendre et que ma mère appelait petits cendrés. Du haut
du Poste de Guet, je surveillais tous mes filets et toutes
mes nasses. Je les vérifiais toutes les heures, les retendant
si nécessaire et rejetant les poissons trop petits.

« Qu'est-ce que tu feras comme vœu quand tu l'auras
attrapé ? » Il en était maintenant arrivé à croire implicite-
ment que j'allais réellement attraper le vieux brochet. Il
en parlait avec une sorte d'admiration mêlée de peur.

Je réfléchis un instant. « J'sais pas ! » Et je mordis une
bouchée de pain et de rillettes. « Y a pas de presse ! Pourquoi décider avant de l'avoir fait. Ça peut prendre du
temps ! »

J'étais prête à attendre. Après trois semaines, mon
enthousiasme ne s'était pas calmé, bien au contraire.
L'indifférence de Cassis et de Reine-Claude ne faisait
qu'accroître ma détermination. Dans mon esprit, Génitrix
était une sorte de talisman, un talisman noir et insaisissable mais qui, si jamais je réussissais à mettre la main dessus, aurait le pouvoir de métamorphoser en bien tout ce
qui n'allait pas dans ma vie.

Je leur ferais bien voir ! Le jour où j'aurais attrapé Génitrix, ils me regarderaient tous avec une admiration stupéfaite. Cassis, Reine, ma mère même — ah ! voir cela sur son visage à elle, la forcer à prendre conscience de mon existence, la surprendre à fermer les poings de rage ou, qui sait peut-être, à m'ouvrir les bras avec tendresse.

Je n'osais pas aller plus loin dans mes divagations et imaginer le reste de la scène.

« D'ailleurs », déclarai-je avec une lenteur étudiée. « Je ne crois pas aux vœux. Je te l'ai déjà dit. »

Paul, d'un air cynique, me demanda : « Si tu n'y crois pas, alors, pourquoi fais-tu ça ? »

Je secouai la tête. « J'sais pas ! Pour m'occuper, j'suppose ! »

Il se mit à rire à gorge déployée. « Ça, c'est bien de toi, Boise », dit-il entre deux éclats de rire. « C'est toi, tout craché ! Attraper Génitrix pour t'occuper ! » Et il recommença à rire en se roulant de façon inquiétante au bord même de la plate-forme. Devant cette hilarité incompréhensible, Malabar, attaché au pied de l'arbre par la ficelle, commença à aboyer et soudain, de peur d'être découverts, nous restâmes silencieux.

V

Quelques jours plus tard, je découvris le rouge à lèvres de Reine-Claude sous son matelas. Quelle bêtise de l'avoir caché là ! N'importe qui — même Maman — aurait pu le trouver. C'était à mon tour de faire les lits. Le tube avait dû tomber d'une façon ou d'une autre et glisser sous le drap de dessous. C'est là que je l'avais découvert, coincé entre le rebord du matelas et le bois du lit. Au début, je n'avais aucune idée de ce que c'était. Ma mère ne s'était jamais maquillée. Tenant entre mes doigts le petit cylindre de métal doré comme un gros stylo trapu et rencontrant une résistance, j'en fis tourner le capuchon. J'étais en train de mettre avec précaution un peu de rouge sur mon bras lorsqu'un halètement de surprise derrière moi m'arrêta net et Reinette me fit brusquement pirouetter. Son visage était blême, déformé par l'émotion.

« Donne-moi ça », dit-elle d'une voix sifflante. « C'est à moi. » Elle m'arracha le tube des mains, il tomba par terre et roula sous le lit. Le visage enflammé de colère, elle se précipita à quatre pattes pour le rattraper.

« Où as-tu acheté ça ? » demandai-je avec curiosité. « Est-ce que Maman sait que tu l'as ? »

« Occupe-toi de tes fesses ! » répondit Reinette en émergeant de dessous le lit et, haletante, elle continua : « Tu n'as pas le droit de fourrer ton nez dans mes affaires ! Et si jamais tu oses en parler à qui que ce soit... »

Avec un sourire rusé, je déclarai : « Peut-être bien que j'en parlerai, ou peut-être pas. Ça dépendra ! » Elle fit un pas dans ma direction mais j'étais presque aussi grande qu'elle. Sa colère l'avait peut-être rendue téméraire mais elle savait aussi qu'il valait mieux ne pas essayer de se mesurer avec moi.

« N'en parle pas, hein ? » plaida-t-elle d'une voix cajoleuse. « J'irai avec toi à la pêche cet après-midi, si tu veux. Nous pourrons lire des magazines au Poste de Guet ? »

Je répondis avec un haussement d'épaules : « On verra ! Où l'as-tu eu ? »

Reinette me regarda. « Tu promets que tu ne le répéteras pas ? »

« Promis ! » dis-je en crachant dans le creux de ma main. Elle hésita une seconde puis en fit autant et nous scellâmes notre accord d'une gluante poignée de main.

« Bon. » Elle s'assit au bord du lit, les jambes repliées sous elle. « C'était au collège, au printemps. Nous avions un prof de latin, M. Toubon. Cassis l'appelle M. Toupet parce qu'il a l'air de porter une perruque. Il était toujours après nous. C'est lui qui gardait la classe entière en retenue. Tout le monde le détestait à cette époque-là. »

« C'est un professeur qui te l'a donné ? » conclus-je avec incrédulité.

« Mais non, idiote. Écoute. Tu sais que les Boches ont réquisitionné le couloir du bas, celui du milieu et les salles de classe tout autour de la cour pour y établir leur caserne et y faire l'exercice ? »

J'avais déjà entendu ça. Le vieux collège, au centre même d'Angers, avec ses grandes salles de classe et sa cour entourée de hauts bâtiments était pour eux l'endroit idéal. Cassis nous avait parlé des manœuvres des Allemands avec leurs masques à gaz — leurs têtes de vache — et il avait ajouté que personne n'était censé les regarder, que les volets devaient être fermés du côté cour à ces heures-là.

« Certains d'entre nous allaient en cachette les observer par une fente, sous l'un des volets », continua Reinette. « À vrai dire, c'était barbant. Ils marchaient au pas d'un bout à l'autre de la cour et on leur criait des ordres en allemand. Je ne vois vraiment pas pourquoi tout ça doit être si secret. » Et elle me fit une moue de mécontentement.

« En tout cas, le vieux Toupet nous a surpris un jour », continuait-elle. « Et il nous a passé un de ces savons — à Cassis et à moi et à d'autres que tu ne connais pas. Il nous a flanqué une colle pour tout un jeudi après-midi et un tas de travail supplémentaire en latin. » Sa bouche se tordit avec une expression méchante. « Je ne sais pas pourquoi il se prend pour quelqu'un de tellement supérieur. Il venait pour voir les Boches, lui aussi ! » Et elle haussa les épaules et continua d'une voix plus enjouée : « En tout cas, nous avons fini par l'avoir. Le vieux Toupet habite au collège où il a un appartement près du dortoir des garçons. En son absence, Cassis est allé y jeter un coup d'œil. Qu'est-ce que tu penses qu'il y a découvert ? »

Je haussai les épaules.

« Eh bien, il avait une grosse radio sous son lit. Un de ces trucs à ondes longues. » Reinette s'arrêta et parut soudain gênée.

« Et alors ? » Je contemplai le petit tube de métal doré qu'elle tenait entre ses doigts sans comprendre ce qu'il avait à voir avec l'histoire.

Elle eut un sourire désagréable, un sourire d'adulte. « Je sais que nous ne sommes pas censés communiquer avec les Boches mais on ne peut pas éviter les gens indéfiniment », affirma-t-elle d'un ton supérieur. « Je veux dire, quand on les voit au portail ou quand on va au cinéma à Angers. » C'était un privilège que j'enviais beaucoup à Cassis et à Reinette. Le jeudi, ils avaient permission de prendre leurs vélos pour aller dans le centre-ville, au cinéma ou au café. Je fis la grimace.

« Alors, tu continues ou quoi ? »

« Je continue », dit Reinette d'une voix geignarde. « Mon Dieu, Boise, comme tu es impatiente ! » Elle se tapota les cheveux. « Comme je te le disais, on est bien forcés de rencontrer les Allemands une partie du temps. D'ailleurs, ce ne sont pas tous des salauds ! » Encore ce sourire. « Et certains sont même très gentils et plus gentils sûrement que le vieux Toupet ! »

Je haussai les épaules avec indifférence. « Alors, comme ça, c'est l'un d'eux qui t'a donné le rouge à lèvres », laissai-je tomber d'un ton de mépris, en pensant qu'elle faisait beaucoup d'histoires pour bien peu de chose. C'était bien d'elle de s'exciter pour moins que rien !

« Nous leur avons raconté — enfin, nous en avons juste parlé à l'un d'entre eux — le coup de Toupet et de sa radio. » Pour une raison que je ne comprenais pas, elle s'empourpra et ses joues devinrent comme des pivoines. « Il nous a donné le rouge à lèvres, des cigarettes pour Cassis, enfin toutes sortes de choses. » Maintenant il n'y avait plus moyen de l'arrêter, elle parlait rapidement et ses yeux brillaient d'excitation.

« Plus tard, Yvonne Cressonet nous a raconté qu'elle les avait vus faire une perquisition dans l'appartement de Toupet, confisquer la radio et l'emmener, lui. Maintenant, nous avons un cours supplémentaire de géographie avec Mme Lambert au lieu du cours de latin et Toupet, personne ne sait ce qu'il est devenu. »

Elle leva les yeux vers moi. Je me souviens de leur couleur dorée, celle du sirop de sucre avant qu'il ne devienne caramel.

Avec un haussement d'épaules, je déclarai d'un ton parfaitement raisonnable : « Rien ne lui est arrivé vraisemblablement. Personne ne voudrait envoyer au front un vieux bonhomme comme ça simplement parce qu'il possédait une radio ! »

« Bien sûr que non ! » Sa réponse avait été trop rapide. « D'ailleurs, ajouta-t-elle, il n'aurait pas dû en avoir une pour commencer, n'est-ce pas ? »

J'étais d'accord là-dessus, il n'aurait pas dû. C'était contre le règlement. Sûrement, un prof aurait dû savoir ça. Reine contemplait le tube de rouge à lèvres qu'elle faisait tourner lentement, amoureusement entre ses doigts.

« Alors, tu n'en parleras pas ? » Elle me caressa le bras d'un air de grande sœur tendre. « C'est sûr, n'est-ce pas, Boise ? »

Je me dégageai un peu, frottant d'un geste instinctif l'endroit où sa main s'était posée. Je n'ai jamais aimé qu'on me tripote. « Cassis et toi, vous les voyez souvent, les Allemands ? » questionnai-je.

Elle haussa les épaules d'un geste vague. « Quelquefois ! »

« Est-ce que vous leur dites autre chose ? »

« Non ! » Là encore, elle avait répondu trop vite. « Nous bavardons, c'est tout. Écoute, Boise, tu n'en diras pas un mot, n'est-ce pas ? »

J'eus un petit sourire : « Eh bien, peut-être que non, si vous faites tous les deux quelque chose pour moi. »

Elle m'observa d'un œil méfiant. « Qu'est-ce que tu veux dire par là ? »

« J'aimerais, par exemple, aller de temps en temps à Angers avec vous », déclarai-je d'un ton sournois. « Au cinéma, au café ou à des endroits comme ça. » Elle lança vers moi un regard perçant comme une lame de couteau.

« Ou bien », continuai-je en me drapant d'une fausse vertu, « je pourrais bien raconter à Maman que vous avez bavardé avec les gens qui ont tué Papa. Non seulement vous leur avez parlé mais vous avez été leurs espions. À des ennemis de la France ! On verra bien ce qu'elle dira de cela. »

Reinette semblait très inquiète. « Boise, tu as promis ! »

Je pris un air solennel en secouant la tête. « Ça ne compte pas ! C'est mon devoir de patriote ! »

J'avais dû dire cela d'un ton convaincant. Reinette devint toute pâle. Pourtant ces mots-là n'avaient aucun sens pour moi. Je ne ressentais aucune hostilité réelle envers les Allemands. Même lorsque je me persuadais qu'ils avaient tué mon père, que son assassin était peut-être là, à Angers, à une heure d'ici à bicyclette, vraiment là, en train de boire un verre de gros-plant dans un bar-tabac quelque part en fumant une Gauloise, je pouvais imaginer tout cela très clairement dans mon esprit mais l'impact réel était bien minime. Peut-être parce que le visage de mon père était déjà devenu flou dans ma mémoire. Peut-être parce que les enfants ne se mêlent que rarement des querelles des adultes et que, de la même façon, il est rare pour des adultes de comprendre l'origine des disputes inexplicables qui soudain éclatent entre les enfants. J'avais peut-être parlé d'un ton désapprobateur et dit les choses qu'il fallait dire mais ce que je désirais vraiment n'avait strictement rien à voir avec mon père, avec la France ou même la guerre. Ce que je voulais, c'était faire partie de nouveau du groupe, être traitée en adulte et être dans leurs secrets. Je voulais aussi aller au cinéma voir Laurel et Hardy, Bela Lugosi ou Humphrey Bogart. Je voulais être assise entre Cassis et Reine-Claude dans une salle obscure sous la lumière clignotante de l'écran, un cornet de frites ou un ruban de réglisse à la main.

Reinette secoua la tête, découragée. « Tu es complètement cinglée », dit-elle enfin. « Tu sais bien que Maman ne te laisserait jamais aller seule en ville. Tu es trop jeune. D'ailleurs… »

Je m'entêtai : « Je ne serais pas seule et Cassis pourrait me prendre sur son porte-bagages, ou toi. » Elle prenait le vélo de Maman et Cassis celui de Papa — un haut échafaudage de métal noir difficile à guider — pour aller au collège. C'était bien trop loin pour qu'ils y aillent à pied et, sans les vélos, ils auraient été forcés d'être pensionnaires, comme beaucoup d'adolescents de la campagne. « C'est bientôt la fin du trimestre. Nous pourrions aller tous les trois voir un film à Angers ou y faire un tour. »

Ma sœur sembla faire sa tête de mule. « Elle voudra nous faire rester à la maison et elle nous obligera à travailler à la ferme », dit-elle. « Tu verras ! Elle ne veut jamais que l'on s'amuse ! »

« Le nombre de fois qu'elle a cru sentir une odeur d'orange récemment », lui dis-je d'un ton pratique. « Ça ne fera aucune différence. Nous pourrions y aller en cachette. Elle ne s'en rendrait même pas compte. »

La chose ne posa aucun problème. Il était facile de faire changer d'avis à Reine. Elle avait quelque chose d'adulte dans sa passivité, dans son caractère bon enfant et rusé à la fois qui masquait une sorte de paresse proche de l'indifférence. Elle se tourna vers moi et me jeta sa toute dernière excuse, une excuse minable comme on jette une poignée de sable.

« Tu es complètement cinglée. » À cette époque-là, Reine pensait que tout ce que je faisais était fou. C'était de la démence de nager entre deux eaux, de me balancer sur une jambe tout en haut du Poste de Guet, de répondre à ma mère, de manger des figues vertes ou des pommes acides à longueur de temps.

Je la rassurai d'un signe de tête. « Ça sera simple comme bonjour. Tu peux me croire », affirmai-je d'un ton ferme.

Vous voyez maintenant l'origine triviale, innocente de tout ce qui se passa ensuite. Aucun de nous n'avait jamais eu la moindre envie de faire du mal à qui que ce fût. Pourtant, il y a en moi quelque chose d'implacablement dur, qui se souvient des détails avec une parfaite précision. Ma mère, elle, prit conscience des dangers avant qu'aucun de nous ne s'en aperçût. J'étais d'humeur incontrôlable, instable comme de la dynamite. Elle le savait bien et, à sa façon, elle essayait de me protéger en me gardant près d'elle, même lorsqu'elle aurait bien voulu m'éloigner. Oui, elle comprenait les choses bien mieux que je ne l'imaginais.

Je m'en fichais, à l'époque. J'avais mon plan, un plan que j'établis de façon aussi précise et aussi étudiée que les nasses à brochet que je posais dans la rivière. À un moment, je pensai que Paul avait peut-être deviné mais, s'il l'avait fait, il ne m'en dit jamais mot. Trivialités à l'origine qui menèrent à des mensonges, à des fourberies, à pire encore.

C'est un samedi matin, au marché, que cela débuta, à l'étalage d'un marchand de fruits. C'était le 5 juillet, deux jours après mon neuvième anniversaire.

Tout commença par une orange.

VI

Jusque-là, on m'avait toujours jugée trop jeune pour aller toute seule en ville, les jours de marché. Ma mère y arrivait pour neuf heures et installait son petit étalage près de l'église, à Angers. Souvent, Cassis ou Reinette l'accompagnait. Moi, on me laissait à la ferme sous prétexte du travail qu'il y avait à faire mais, la plupart du temps, je passais la journée à pêcher au bord de la rivière ou à courir les bois avec Paul.

Cette année-là, les choses changèrent. J'étais assez grande maintenant pour me rendre utile, m'annonça-t-elle de sa façon toujours un peu brutale. Je ne pouvais pas indéfiniment rester une petite fille. Ses yeux de la couleur de vieilles orties me dévisageaient avec attention. Et puis — elle ajouta cela d'un ton détaché, pour ne pas me donner l'impression qu'elle me permettait quelque chose qui me ferait plaisir — je voudrais peut-être aller au cinéma plus tard, avec mon frère et ma sœur...

Je devinai là le coup de pouce de Reinette. Personne d'autre qu'elle n'aurait pu persuader ma mère. Reinette, seule, savait la cajoler. Si dure que fût Maman, j'avais toujours cru découvrir une sorte de douceur dans ses yeux quand elle s'adressait à Reinette, comme si quelque chose fondait sous cette enveloppe revêche. Je marmonnai une réponse à peine aimable.

« D'ailleurs », continua ma mère, « il est peut-être temps que tu te sentes responsable de certaines petites choses. Cela t'empêchera de vivre comme une sauvageonne. Cela t'apprendra ce qui est important dans la vie. »

Essayant d'imiter la docilité de Reinette, je fis oui de la tête. Que ma mère en fût dupe, je ne le crois pas ! Elle leva un sourcil moqueur et conclut : « Alors tu pourras m'aider au marché. »

C'est ainsi que, pour la première fois, je l'accompagnai au marché. Nous partîmes en charrette, nos marchandises dans des caisses recouvertes d'une bâche à côté de nous. Dans une caisse, nous avions les gâteaux et les biscuits, dans une autre, les œufs et les fromages et dans d'autres encore des fruits. Nous n'étions toujours qu'au début de la saison et si les fraises avaient donné une bonne récolte, il n'y avait pas encore grand-chose d'autre. Pour augmenter nos petits revenus, avant le début de la pleine saison des fruits, nous vendions des confitures faites avec le sucre des betteraves de l'année dernière.

Les jours de marché, Angers était plein de monde. Charrette après charrette s'agglutinaient dans les rues principales, roue contre roue, des cyclistes passaient, des paniers d'osier sur leur porte-bagages, un camionneur alignait des bidons de lait dans sa benne, une femme traversait la foule, un grand plateau chargé de pains sur la tête, des pyramides de tomates, d'aubergines, de courgettes, d'oignons et de pommes de terre s'élevaient sur les tréteaux. Ici, un étalage de laines, un autre de poterie, là du vin, du lait, un stand de conserves faites à la ferme, un autre de coutellerie, de fruits, de livres d'occasion, de poisson ou de fleurs. Nous installions notre étal de bonne heure, près de l'église, là où la fontaine ombreuse permettait aux chevaux de s'abreuver. C'était ma tâche d'envelopper la marchandise et de la passer aux clients. Ma mère, elle, s'occupait de l'argent. Elle avait pour cela une mémoire étonnante et calculait à une vitesse prodigieuse, additionnant de tête le coût de toute une série d'articles sans avoir à les noter. Elle n'avait jamais la moindre hésitation au moment de rendre la monnaie. Billets d'un côté, pièces de l'autre, elle gardait l'argent dans les poches de son grand tablier. La réserve allait dans une vieille boîte à biscuits sous la bâche. Je m'en souviens encore, c'était une boîte rose au bord décoré d'une guirlande de fleurs. J'entends encore le bruissement des billets et le tintement des pièces qui glissaient contre la paroi métallique. Ma mère ne faisait pas confiance aux banques. Nos économies étaient cachées sous le plancher de la cave, avec nos bouteilles de vin les plus précieuses.

Une heure après notre arrivée le premier jour, nous avions déjà vendu tous nos œufs et tous nos fromages. Les gens étaient conscients des soldats de garde au carrefour qui déambulaient le fusil posé sur l'avant-bras, l'air morne et indifférent. Ma mère surprit mon regard tourné vers leurs uniformes gris, et elle me rappela brusquement à l'ordre.

« Alors, combien de temps vas-tu rester là, la bouche ouverte à bayer aux corneilles ? »

Même lorsqu'ils traversaient la foule, nous étions censés les ignorer. Je sentais pourtant sur mon bras la main de ma mère qui essayait de contrôler mon attention. Quand il s'arrêta, juste devant notre étalage, je sentis une secousse ébranler sa main, mais son visage demeura impassible. L'homme était trapu, son visage rond et cramoisi aurait pu être dans le civil celui d'un boucher ou d'un marchand de vin. Des yeux bleus pleins de joyeuse gourmandise l'éclairaient.

« *Ach, was für schöne Erdbeeren.* » Il avait dit ça du ton jovial, un peu éméché, du ton d'un paresseux en vacances. Il saisit une fraise entre ses doigts épais et la fourra dans sa bouche. « *Schmeckt gut, ja ?* » Il eut un éclat de rire assez sympathique. Il gonfla les joues : « *Wun-der-schön !* » Il exagérait comiquement son plaisir et roulait des yeux vers moi. Je ne pus m'empêcher de sourire devant ses grimaces.

Le pinçon de ma mère me servit d'avertissement et je perçus la brûlante chaleur de ses doigts nerveux. Encore une fois, je tournai mon regard vers l'Allemand, essayant de comprendre pourquoi elle semblait si tendue. Il n'avait pas l'air plus intimidant que ceux qui venaient parfois au village. À la vérité, il l'était moins peut-être avec sa casquette à visière et son pistolet dans l'étui qu'il portait à la ceinture. Par désir de défier ma mère plus que pour toute autre raison, je lui adressai un autre sourire.

« *Gut, ja* », répétai-je, en faisant oui de la tête. Il se remit à rire, prit une autre fraise et disparut à travers la foule bigarrée du marché. Son uniforme noir mettait une tache étrangement funéraire parmi toute cette mosaïque de couleurs.

Plus tard, ma mère essaya de m'expliquer. Elle me dit que tous les uniformes étaient dangereux, sans exception, mais surtout les noirs, que les noirs n'étaient pas seulement les uniformes de l'armée, qu'ils étaient aussi ceux de la police de l'armée et que les Allemands eux-mêmes en avaient peur, qu'ils étaient capables de n'importe quoi, que ça ne leur faisait rien à eux que je n'aie que neuf ans. Un seul faux pas et ils seraient capables de me fusiller. *Fusiller,* avais-je bien entendu ? Son visage était sans expression mais un tremblement altérait sa voix et elle portait souvent une main à sa tempe d'un air étrange, désespéré, comme si une de ses migraines allait la terrasser. Je ne prêtai que peu d'attention à ses conseils. Pour moi, c'était ma première rencontre, face à face, avec l'ennemi. En y pensant longuement, plus tard, du haut du Poste de Guet, l'homme m'avait vraiment paru terrible-

ment inoffensif, un peu décevant même. Je m'étais attendue à quelqu'un de plus impressionnant.

Le marché se terminait à midi. Déjà, nous avions tout
vendu mais nous nous attardions pour faire nos courses et
pour ramasser les produits abîmés que nous laissaient
avoir les autres marchands — fruits trop mûrs, restes de
viande, légumes légèrement meurtris qui ne pourraient
être vendus le lendemain. Ma mère m'envoya chez l'épicier pendant qu'elle allait chez Mme Petit, la mercière,
acheter en cachette un coupon de soie à parachute
qu'elle ramena soigneusement plié dans la poche de son
tablier. Il était difficile alors de se procurer du tissu,
n'importe quel tissu, et nos vêtements étaient toujours
taillés dans l'étoffe d'anciens vêtements. Ma robe à moi
avait été coupée dans celle de deux autres, elle était faite
d'un corsage gris et d'une jupe de toile bleue. Ma mère
me confia qu'on avait découvert le parachute dans un
champ des environs de Courlé et que le coupon serait
juste ce qu'il fallait pour le corsage de Reinette.

« Ça m'a coûté les yeux de la tête », grommela
Maman, l'air moitié fâchée, moitié excitée. « On peut être
sûr que ces gens-là se débrouilleront bien, même en
temps de guerre. Ils y retrouvent toujours leur compte ! »

Je lui demandai ce qu'elle voulait dire exactement.

« Les juifs », me confia-t-elle. « Ils ont le truc pour
s'enrichir. Elle, par exemple, me fait payer le Pérou pour
ce morceau de soie qui ne lui a pas coûté un sou, à elle. »
Il n'y avait pas la moindre trace de ressentiment dans le
ton de sa voix, c'était plutôt de l'admiration. Lorsque je
l'interrogeai pour savoir ce que faisaient les juifs, elle
haussa les épaules comme pour détourner la question. Je
devinai qu'elle ne savait pas vraiment.

« Ils font sans doute comme nous », répondit-elle
enfin. « Ils se débrouillent comme ils peuvent ! » Elle
caressa doucement le tissu de soie dans la poche de son
tablier.

« Tout de même », murmura-t-elle. « Ils ne devraient
pas faire ça. Ils exagèrent ! »

Je réprimai mal un geste de mépris. S'exciter comme ça pour un simple morceau de soie. Bien sûr, quand Reinette voulait quelque chose, elle devait l'avoir à tout prix. Des fins de bobines de ruban de velours pour lesquelles on devait faire la queue et marchander, toujours le premier choix parmi les vieilles robes de Maman, des socquettes blanches pour aller tous les jours à l'école et des souliers vernis à boucles, longtemps après que nous avons tous été réduits à porter des galoches. Mais cela m'était bien égal. J'avais l'habitude des contradictions dans la logique bizarre de ma mère.

Pendant ce temps-là, je fis le tour des autres stands avec mon panier vide. Les gens me remarquaient et, connaissant l'histoire de notre famille, ils me donnaient ce qu'ils n'avaient pas pu vendre : quelques melons, des aubergines, une chicorée, des épinards, une tête de brocoli, une poignée d'abricots meurtris. J'achetai du pain chez le boulanger et il y ajouta quelques croissants en ébouriffant mes cheveux de sa grosse main enfarinée. Chez le poissonnier, nous échangeâmes quelques bonnes histoires de pêche et il enveloppa pour moi, dans du papier, quelques morceaux découpés qui lui restaient. Je m'attardai près de l'étalage de fruits et de légumes juste au moment où le marchand se baissait pour déplacer un cageot d'oignons rouges. J'essayai de faire en sorte que mon regard ne trahisse pas mon attention.

Je l'aperçus à ce moment-là, par terre, près du stand, à côté d'un cageot d'endives. Les oranges étaient une denrée rare en ce temps-là, on les enveloppait une à une dans du papier de soie violet et on les déposait sur un plateau à l'abri du soleil. Je n'avais guère espéré en voir à ma toute première visite à Angers, elles étaient bien là pourtant, brillantes et mystérieuses dans leur écrin de papier, cinq oranges, soigneusement alignées, prêtes à être remises dans leur caisse. Soudain, j'en voulus une à tout prix et mon désir de possession fut si brutal que je ne pris même pas le temps de réfléchir. Meilleure occasion ne se représenterait sûrement jamais et Maman n'était pas là.

L'orange la plus proche avait roulé au bord du plateau, mon pied la touchait presque. Le vendeur avait toujours le dos tourné. Son employé, un garçon d'à peu près l'âge de Cassis, entassait déjà les caisses à l'arrière de la camionnette. À l'exception des autobus, les engins automobiles étaient une rareté. Le marchand était riche, pensai-je. Cela rendait plus facile à justifier ce que je projetais de faire.

Faisant semblant d'inspecter des sacs de pommes de terre, je dégageai mon pied de mon sabot et atteignis adroitement l'orange — des années d'escalade nu-pieds sont un bon entraînement pour l'agilité des orteils —, je la fis sortir du plateau et elle roula, comme je l'avais prévu, à une certaine distance et s'immobilisa, à demi cachée par le drap vert qui recouvrait les tréteaux voisins.

Je posai furtivement mon panier dessus puis je me baissai comme pour retirer un gravillon de mon sabot. J'observai entre mes jambes le marchand ramasser les derniers cageots et les hisser dans la camionnette. Il ne me vit pas glisser l'orange volée dans mon panier.

Facile ! Cela avait été si facile ! Mon cœur battait à grands coups dans ma poitrine et mon visage s'empourpra tant que je fus sûre que quelqu'un allait s'en apercevoir. Dans mon panier, l'orange était comme une grenade prête à exploser. Je me redressai d'un air parfaitement innocent et me dirigeai vers l'étal de ma mère.

Je m'arrêtai soudain, pétrifiée. De l'autre bout de la place, un des Allemands m'observait. Debout près de la fontaine, le dos un peu voûté, il allumait une cigarette en protégeant la flamme de sa main. Sur le marché, les gens évitaient de passer près de lui. Il se tenait au centre d'une petite oasis de tranquillité, le regard posé sur moi. Il avait sûrement dû me voir. Il n'avait pas pu ne pas me voir.

Pendant une fraction de seconde, je le regardai, incapable de bouger. Mon visage s'était figé. Je me souvins trop tard des histoires que Cassis me racontait à propos de la cruauté des Allemands. Je me demandai ce qu'ils faisaient des voleurs. C'est alors qu'il me lança un clin d'œil complice.

Je le dévisageai un moment puis, soudain, je tournai les talons et partis, le visage cramoisi, ayant presque oublié l'orange au fond de mon panier. Je n'osai regarder dans la direction de l'Allemand, pourtant l'étal de ma mère était tout près de l'endroit où il se tenait. Je tremblais si désespérément que j'étais certaine qu'elle le remarquerait mais son esprit était occupé par trop de choses.

Je devinais derrière nous le regard de l'Allemand toujours fixé sur moi. Je sentais l'impact de son clin d'œil amusé et calculateur comme un clou enfoncé dans mon front. Pendant ce qui me parut une éternité, j'attendis la gifle qui ne vint jamais.

Après avoir démantelé le stand, remis la toile et les tréteaux dans la charrette, nous étions prêtes à partir. J'ôtai le sac d'avoine pendu sous le museau de la jument pour la mener doucement entre les brancards. Je sentis comme une brûlure sur ma nuque, le regard de l'Allemand me suivait toujours. J'avais caché l'orange dans la poche de mon tablier après l'avoir enveloppée d'une feuille de journal humide qui venait de chez le poissonnier pour que ma mère n'en sentît pas l'odeur sur moi. Tout le long du chemin, je gardai les mains dans les poches de peur que cette bosse inhabituelle ne trahît sa présence. Je restai silencieuse pendant tout le retour.

VII

Paul fut le seul à connaître l'histoire de l'orange et seulement parce qu'il arriva à l'improviste au Poste de Guet au moment où je me réjouissais de mon succès. Il n'avait encore jamais vu d'orange. Au début, il crut que c'était une balle. Ensuite il éleva le fruit dans le calice de ses mains et le contempla avec une admiration proche de la vénération comme si elle eût pu par magie s'envoler.

Nous la partageâmes, tenant les deux moitiés au-dessus de grandes feuilles de façon à n'en perdre aucun jus. L'orange à peau fine était délicieuse avec un rien d'âpreté sous son goût sucré. Chaque gouttelette de son jus avalée, chaque parcelle de chair arrachée à sa peau, nous suçâmes ce qui restait, la bouche cotonneuse et, aux lèvres, un goût amer. Paul fit un geste pour lancer les lambeaux de peau du haut du Poste de Guet. Je l'arrêtai à temps.

« Donne-moi ça. »

« Pourquoi donc ? »

« J'en ai besoin pour quelque chose. »

Et lui parti, j'exécutai la dernière partie de mon plan.

Avec mon canif, je découpai en menus morceaux les deux moitiés de la peau d'orange. L'odeur qui s'en dégageait, cet arôme à la fois amer et évocateur, emplissait mes narines. Je découpai aussi les deux feuilles qui nous avaient servi d'assiettes. Elles n'étaient peut-être imprégnées que d'une faible senteur mais elles garderaient le reste humide pendant quelque temps encore. Je plaçai le tout dans un petit carré de mousseline — emprunté à l'équipement dont ma mère se servait pour les confitures — et l'attachai bien serré. J'enfermai le sachet de mousseline et l'odorante préparation dans une vieille boîte à tabac que je remis dans ma poche.

Tout était prêt.

Comme criminelle, j'aurais réussi ! J'avais pensé aux moindres détails. Je m'étais, en quelques minutes, débarrassée des indices qui m'auraient incriminée. En me lavant dans la Loire, je fis disparaître toute trace d'odeur de ma bouche, de mon visage et de mes mains. Je me frottai tant les paumes avec du gros sable de la rive qu'elles prirent une teinte rose comme si je m'étais égratignée. Je me nettoyai les ongles avec la pointe d'une brindille que j'avais préalablement aiguisée. En traversant les champs, pour rentrer à la maison, je ramassai quelques brins de menthe sauvage et m'en frottai les aisselles, les mains, les genoux et le cou. S'il restait la moindre trace de parfum

d'orange, elle serait masquée par l'odeur poivrée et pénétrante des feuilles fraîchement cueillies. En tout cas,
Maman ne remarqua rien lorsque j'entrai dans la maison.
Elle était en train de préparer, avec les restes de poisson
que l'on nous avait donnés au marché, une sorte de
ragoût. Les effluves qui s'échappaient de la cuisine :
romarin, ail, tomates, huile chaude embaumaient la
maison entière.

Bien ! Je touchai des doigts la boîte à tabac qui était
dans ma poche. Très bien !

Évidemment, cela aurait été encore beaucoup mieux
si ce jour-là avait été un jeudi. Le jeudi soir, Cassis et Reinette allaient d'habitude à Angers, c'était le jour où on
leur donnait leur argent de poche. Moi — à quoi dépen-
serais-je de l'argent de poche ? — on me jugeait trop
jeune pour en avoir. J'étais pourtant certaine de pouvoir
penser à quelque chose ! Il n'y avait aucun moyen de
m'assurer si mon plan allait ou non réussir. Il fallait faire
un essai, à tout prix. Je dissimulai la boîte — ouverte à
présent — sous le poêle de la salle de séjour. Il n'était pas
allumé, bien sûr, mais les tuyaux qui le reliaient à la cuisine chaude conduisaient assez de chaleur pour le projet
que j'avais en tête. Quelques minutes après, le contenu du
sachet de mousseline avait commencé à dégager une
odeur puissante, pénétrante, envahissante.

Nous passâmes à table pour dîner.

Le ragoût était réussi : des oignons rouges et des tomates qu'elle avait fait revenir dans une tasse de vin blanc,
assaisonnés d'ail et de fines herbes où mijotaient à feu
doux des morceaux de poisson parmi des pommes de
terre préalablement passées à la poêle et des échalotes
entières. À l'époque, il était difficile d'obtenir de la viande
fraîche. Nous cultivions les légumes nous-mêmes et ma
mère avait trois douzaines de flacons d'huile d'olive,
camouflés sous le plancher de la cave, avec notre meilleur
vin. Je mangeai de bon appétit.

« Boise ! Tes coudes ! »

Sa voix était impérieuse. Je remarquai le geste involontaire de ses doigts qui remontaient vers sa tempe et j'eus un léger sourire. Cela marchait ! Chic !

Ma mère était la plus proche du tuyau. Nous mangions en silence. Elle porta deux fois encore une main furtive à sa tête, à sa joue, à ses yeux, comme pour en vérifier la texture. Cassis et Reine se taisaient, la tête baissée au-dessus de leur assiette. L'air s'alourdissait au fur et à mesure que montait la chaleur de la journée. Je crus moi aussi presque souffrir de maux de tête, par solidarité peut-être.

Tout à coup, elle s'écria : « Ça sent l'orange ici. En avez-vous apporté dans la maison ? » Sa voix était perçante, accusatrice.

« Eh bien ? Répondez ! »

Nous répondîmes par un signe de tête silencieux.

Elle eut encore le même geste, mais plus posé cette fois. Ses doigts maintenant effleuraient, cherchaient, palpaient la chair.

« Je suis certaine que ça sent l'orange ici. Vous êtes absolument sûrs de ne pas en avoir apporté ? »

Cassis et Reine étaient les plus éloignés de la boîte à tabac. Le plat de ragoût avec son délicieux fumet de vin, de poisson et d'huile, se trouvait entre eux. D'ailleurs, nous avions l'habitude des crises de Maman. Il ne leur serait jamais venu à l'esprit que l'odeur d'orange dont ma mère se plaignait fût rien de plus que le produit de son imagination. Je dissimulai mon sourire derrière ma main.

« Boise, le pain, s'il te plaît ! »

Je lui passai la corbeille mais le morceau qu'elle y prit demeura à côté de son assiette pendant toute la durée du repas sans qu'elle y goûtât. Elle lui fit décrire des cercles sur la toile cirée rouge et enfonça les doigts dans la mie tendre, éparpillant les miettes autour de son assiette. Si cela m'était arrivé à moi, elle m'aurait sûrement grondée vertement.

« Boise, le dessert, s'il te plaît ! »

Je quittai la table, parvenant difficilement à cacher mon soulagement.

Presque folle d'agitation, d'appréhension, je m'adressai quelques grimaces de joie en passant devant la batterie de casseroles de cuivre qui brillaient comme des miroirs. Comme dessert, nous avions des fruits et quelques-uns des biscuits que ma mère faisait — des cassés, bien entendu, car elle vendait les meilleurs, ne gardant pour nous que ceux dont la forme n'était pas tout à fait parfaite. J'étais consciente que ma mère inspectait d'un air soupçonneux les abricots que nous avions ramenés du marché, qu'elle les retournait un à un dans sa main, les portant même à son nez pour les flairer comme si l'un d'entre eux aurait pu être — on ne sait trop comment — une orange déguisée. L'autre main ne quittait plus sa tempe, comme pour protéger ses yeux d'un soleil éblouissant. Elle prit une moitié de biscuit, l'écrasa et en laissa retomber les miettes dans son assiette.

« Reine, la vaisselle ! Je crois que je vais monter m'allonger dans ma chambre. Je sens venir une de mes migraines. »

Elle parlait d'un ton monocorde. Seule sa petite manie, le geste nerveux de sa main sur son visage et sa tempe, trahissait son malaise. « Reine, n'oublie pas de tirer les rideaux et de fermer les volets. Boise, que les assiettes soient bien ramassées. N'oublie pas ! » Même à ce moment-là, elle s'attachait encore à ses strictes habitudes d'ordre. Nous devions empiler les assiettes selon leur taille et leur couleur, après les avoir nettoyées à la lavette et essuyées avec un torchon propre. Pas question de se laisser aller à leur permettre de s'égoutter au bord de l'évier sur la paillasse, bien trop facile, ça ! Les torchons devaient être mis à sécher, en rangs bien alignés. « Et que l'eau soit bien chaude pour mes meilleures assiettes, tu m'entends ? » Elle paraissait agacée maintenant à propos de ses assiettes.

« N'oublie pas de bien les essuyer et des deux côtés ! Je ne veux pas que tu les ramasses encore humides, tu m'as bien comprise ? »

Je fis signe que oui. Elle se retourna, le visage déformé par la tension nerveuse. « Reine, tu la surveilleras ! » Ses yeux brillaient d'un éclat presque fiévreux. Avec un curieux mouvement de balancier de la tête, elle regarda la pendule. « Et tu fermeras la porte à clef, et les volets aussi. » Elle semblait finalement prête à monter. Elle se retourna pourtant encore une fois, regrettant de nous abandonner à nous-mêmes, de nous laisser jouir de notre liberté. S'adressant à moi de la voix sèche et tendue qui masquait son inquiétude, elle insista :

« Fais bien attention aux assiettes, Boise ! C'est tout ! »

Et elle se retira. Je l'entendis faire couler de l'eau dans la cuvette du cabinet de toilette. Je tirai les rideaux du salon et, en passant, je me baissai pour récupérer la boîte à tabac. Sortant ensuite dans le couloir, j'annonçai d'une voix assez haute pour qu'elle m'entendît : « Moi, je fais les chambres ! »

Je commençai par celle de ma mère. J'en barricadai les volets, fermai le rideau en veillant bien à le tirer jusqu'au bout puis jetai un rapide coup d'œil dans la pièce. Des clapotements d'eau me parvenaient toujours du cabinet de toilette et j'entendais ma mère se brosser les dents. D'un mouvement rapide et silencieux, je sortis l'oreiller de sa taie à rayures, du bout de mon canif je fis dans la couture une minuscule incision et j'y introduisis le sachet de mousseline en le poussant aussi loin que possible de façon à ce qu'aucune petite bosse ne trahît sa présence. Puis, le cœur battant, je remis la taie d'oreiller et lissai l'édredon avec soin pour faire disparaître les faux plis. C'était le genre de choses que ma mère remarquait toujours.

Je n'eus que juste le temps car je me trouvai nez à nez avec elle dans le couloir. Elle me lança un coup d'œil soupçonneux mais ne dit rien. Elle semblait distraite, perdue. Elle plissait les paupières et ses cheveux bruns, mêlés de gris, étaient défaits. Elle sentait le savon. Dans les ténèbres du couloir, on aurait dit Lady Macbeth — une histoire que j'avais lue dans un autre des livres de Cassis —, elle se frottait les mains l'une contre l'autre, les portait à son visage et, dans leur calice, elle l'effleurait, puis les frottait de nouveau comme si cela eût été une tache de sang — pas de jus d'orange — qu'elle essayait en vain de faire disparaître.

J'eus un instant d'hésitation. Elle paraissait si vieille, si fatiguée. Mon propre mal de tête avait commencé à me serrer les tempes. Je me demandai quelle serait sa réaction si je m'approchais d'elle et me pressais contre son épaule. Les yeux me piquèrent un moment. Quelle était la raison de tout ça exactement ? La pensée de Génitrix rôdant quelque part dans l'eau boueuse avec son regard dément et maléfique m'envahit. Je pensai au trésor renfermé dans son corps.

« Alors ? » La voix de ma mère s'éleva, dure et revêche. « Qu'est-ce que tu fais là à regarder la lune, petite imbécile ? » « Rien. » Mes yeux étaient de nouveau secs. Mon mal de crâne avait disparu comme par enchantement. « Rien du tout ! »

J'entendis le cliquetis de la porte qui se refermait et regagnai la salle de séjour où mon frère et ma sœur m'attendaient. Un sourire monta du plus profond de moi mais mes lèvres restèrent immobiles, indifférentes.

VIII

« Tu es complètement folle. » C'était le refrain de Reinette, son cri de désespoir habituel, lorsque tous les autres arguments avaient échoué. Dans son cas, ça ne prenait pas longtemps, car, à part le rouge à lèvres et les vedettes de cinéma, sa capacité à la discussion avait toujours été limitée.

« Pourquoi pas maintenant ? Autant le faire tout de
suite ! » affirmai-je d'un ton qui n'admettait pas la contra-
diction. « Demain matin, elle restera longtemps au lit.
Tant que les corvées seront faites, nous serons libres de
faire ce qui nous plaira plus tard. » Le long regard direct
que je lui lançai était un rappel de cette histoire de rouge
à lèvres qui n'était pas réglée. Il y avait deux semaines de
cela mais je ne l'avais pas oubliée. Cassis nous observait
d'un œil curieux. J'étais sûre qu'elle ne lui en avait rien
dit.

« Elle sera furieuse si jamais elle l'apprend », dit-il
d'une voix lente.

Je haussai les épaules. « Pourquoi l'apprendrait-elle ?
Nous dirons que nous sommes allés cueillir des champignons. Je parie qu'elle ne sera même pas levée avant
notre retour. »

Cassis s'accorda un moment de réflexion. Reinette lui
lança un coup d'œil à la fois inquiet et suppliant.

« Allez, dis oui, Cassis », dit-elle. Puis d'une voix plus
faible, elle ajouta : « Elle sait… Elle connaît l'histoire
de… » Sa voix se tut. « J'ai été bien forcée de lui dire quelque chose », conclut-elle d'un ton pitoyable.

« Ah ! » Il me dévisagea un instant et j'eus conscience
que quelque chose se passait, que quelque chose *changeait*
entre nous ; la lueur dans ses yeux ressemblait à de l'admiration. Il haussa les épaules — *qu'est-ce que ça fait, de toute
façon ?* — mais son regard demeura pourtant méfiant,
prudent.

« Ce n'est pas de ma faute », gémit Reinette.

« Non, c'est une petite maligne, pas vrai, hein ? »
remarqua Cassis d'un ton léger. « Elle l'aurait découvert
un jour ou l'autre. » C'était, de sa part, un sacré compliment ça ! Quelques mois auparavant, j'en aurais fondu
d'orgueil mais, ce jour-là, je lui lançai un simple regard,
d'égal à égal.

« D'ailleurs », ajouta Cassis du même ton léger, « si
elle en fait autant, elle ne pourra pas aller moucharder à
Maman. » Je n'avais que neuf ans, j'étais déjà assez mûre

pour mon âge, mais encore assez enfant pour me sentir piquée au vif par le mépris caché derrière ses paroles.

« Je ne *moucharde* pas ! »

Il eut un haussement d'épaules. « Moi, je ne vois pas d'inconvénient à ce que tu viennes à condition que tu paies ta part », continua-t-il à son tour sur un ton d'homme d'affaires. « Je ne vois pas pourquoi l'un de nous devrait payer pour toi. Je te prendrai sur mon vélo. C'est tout. Pour le reste, ce sera à toi de te débrouiller. D'accord ? »

C'était une épreuve. Je lisais le défi dans ses yeux. Il avait un sourire moqueur, celui du frère pas toujours très gentil qui partageait parfois avec moi son dernier bout de chocolat mais parfois me serrait si fort le bras qu'il m'en marquait la peau de taches brunes, pailletées de noir.

« Mais elle ne reçoit pas d'argent de poche », gémit Reinette. « À quoi cela servirait-il de l'emmener… »

Cassis haussa les épaules — c'était un geste pour clore la discussion, un geste d'homme — *J'ai dit*. Les bras croisés, il attendait ma réaction avec toujours le même petit sourire aux lèvres.

« Ça me convient ! » déclarai-je d'un ton qui s'efforçait d'être calme. « Ça me convient parfaitement ! »

« Entendu, alors ! » décida-t-il. « On y va demain ! »

IX

Les corvées de la journée commençaient par ça. On allait au puits chercher des seaux d'eau et on les apportait à la cuisine pour la préparation des repas et pour la lessive. Nous n'avions pas d'eau chaude — à vrai dire pas d'eau courante du tout —, la pompe simplement, sur le côté du puits, à quelques mètres de la cuisine. On attendait toujours le courant électrique aux Laveuses et, les bombonnes de gaz devenant difficiles à obtenir, nous devions préparer les repas sur une cuisinière à bois, dans la cuisine.

Le four était dans la cour, près du puits, c'était un grand four à l'ancienne, en forme de pain de sucre, que l'on chauffait au bois. Pour aller chercher de l'eau, l'un de nous actionnait la pompe pendant que l'autre tenait le seau. Le puits lui-même était muni d'un couvercle de bois qu'on avait installé bien avant ma naissance et que l'on maintenait fermé par un cadenas pour éviter les accidents. Quand Maman ne regardait pas, nous nous lavions à la pompe en nous aspergeant d'eau froide mais quand elle était là, nous devions utiliser des cuvettes d'eau que nous faisions chauffer dans les casseroles de cuivre sur la cuisinière et du savon coaltar dont les petits grains nous grattaient la peau comme de la pierre ponce et qui laissait une fine couche grise d'écume mousseuse à la surface de l'eau.

Ce dimanche-là, nous étions sûrs que Maman n'apparaîtrait pas avant longtemps. Nous l'avions tous entendue pendant la nuit se plaindre, se tourner et se retourner dans le vieux lit qu'elle avait autrefois partagé avec mon père, se levant parfois et arpentant la pièce, ouvrant les fenêtres pour mieux respirer et faisant claquer les volets contre les murs à en ébranler le parquet. Pendant longtemps, je restai, moi aussi, éveillée à l'écouter se déplacer, marcher de long en large, pousser des soupirs et poursuivre à mi-voix avec elle-même une conversation animée dont je percevais les éclats étouffés. Je m'endormis vers minuit mais me réveillai vers une heure, une heure et demie, elle était toujours éveillée.

Cela me paraît maintenant la preuve d'un manque total de cœur de ma part mais tout ce que je ressentais alors était une impression de triomphe. Aucun sentiment de culpabilité pour ce que j'avais fait, aucune pitié pour sa souffrance. À l'époque, je ne comprenais pas vraiment. Je n'avais aucune conception des tourments provoqués par l'insomnie. Qu'un si petit sachet de peau d'orange à l'intérieur de son oreiller eût pu causer une réaction pareille me paraissait presque une impossibilité. Plus elle s'était tournée et retournée sur l'oreiller et plus l'odeur avait dû se répandre sous l'influence de la chaleur fébrile qui se dégageait de sa nuque. Plus l'odeur s'était affirmée et plus elle avait dû s'inquiéter, s'attendre à l'apparition des symptômes de la migraine. L'appréhension de la douleur peut, en un certain sens, être encore plus pénible et plus insupportable que la douleur elle-même. L'angoisse qui lui barrait le front d'un pli permanent lui dévorait l'esprit comme un rat prisonnier d'une boîte et rendait tout sommeil impossible — *comment pouvait-il y avoir des oranges ? Impensable !* — et pourtant chaque atome obscur de la pièce exhalait ce miasme amer, ce remugle couleur d'or terni, vieux comme le monde — l'odeur d'orange. À trois heures du matin, elle se leva et alluma la lampe pour écrire dans son album. Je ne peux être absolument sûre de ce qu'elle nota cette nuit-là — elle ne mettait jamais de dates — et pourtant je le sais.

« *La pire que j'aie jamais eue* », nota-t-elle. L'écriture en est minuscule, les lettres s'alignent à l'encre violette le long de la page comme des fourmis en marche. « *Allongée dans mon lit, je me demande si je retrouverai jamais le sommeil. Rien de ce qui pourrait m'arriver ne sera pire que cela. La folie elle-même me serait un soulagement.* » Et un peu plus loin, sous une recette de tourteau de pommes de terre à la vanille, elle griffonne : « *Comme la pendule, j'ai deux visages, ombre et lumière. À trois heures du matin, les possibilités me semblent infinies.* »

Elle se leva ensuite pour prendre sa morphine. Elle gardait ses pilules dans la pharmacie du cabinet de toilette, à côté des choses dont mon père se servait pour se raser. J'entendis la porte s'ouvrir et le crissement de ses pieds nus et mouillés de sueur sur le plancher ciré, elle était épuisée. J'entendis le tintement du flacon, le choc de la tasse et le clapotis de l'eau qu'elle versait avec la cruche. Peut-être ces six heures d'insomnie avaient-elles finalement réussi à provoquer une de ses migraines. En tout cas, en un instant, elle fut endormie et quelques minutes plus tard, moi, je me levai.

Reinette et Cassis dormaient toujours. Une lumière blafarde et glauque passait sous l'épais rideau de black-out. Il était cinq heures du matin, peut-être. Nous n'avions pas de pendule dans notre chambre. Assise dans le lit, je trouvai à tâtons mes vêtements et m'habillai. Je connaissais chaque recoin de la petite pièce. J'entendais la respiration de Cassis et de Reine — celle de Cassis était profonde avec de petits sifflements. Sur la pointe des pieds, je passai devant leurs lits. J'avais encore beaucoup à faire avant leur réveil.

J'écoutai d'abord à la porte de la chambre de ma mère. Aucun bruit. Je savais qu'elle avait pris ses pilules et qu'elle allait sans doute être profondément endormie mais je ne pouvais courir le risque d'être surprise. Je tournai très doucement la poignée de la porte. Sous mon pied nu, une planche du parquet fit entendre un craquement qui résonna comme un pétard. Je m'arrêtai net, prêtant l'oreille au moindre changement dans le rythme de sa respiration — aucune variation. J'ouvris la porte. Elle avait laissé un volet entrouvert et, dans la pièce, il faisait déjà assez jour. Ma mère était couchée en travers du lit. Elle avait repoussé d'un coup de pied les couvertures pendant la nuit et l'un des oreillers était tombé par terre. Son bras, rejeté en arrière, cachait en partie l'autre. Sa tête faisait un angle bizarre avec son cou et ses cheveux touchaient le plancher. Sans surprise, je remarquai que c'était sur l'oreiller dans lequel j'avais caché le sachet de mousseline qu'elle reposait. Elle respirait d'un souffle profond et lent. Sous les paupières meurtries, ses pupilles folles frémissaient par intermittence. Agenouillée à côté d'elle, je glissai les doigts à l'intérieur de l'oreiller qui était sous sa tête.

Ce fut facile. Du bout des doigts, je déplaçai le nœud au centre de l'oreiller et le tirai doucement vers l'incision dans la doublure. J'atteignis le sachet et, avec les ongles, le retirai de sa cachette. Il fut bientôt à l'abri dans le creux de ma main. Ma mère ne broncha même pas. Seuls ses yeux étaient agités de petits mouvements convulsifs sous la peau bistrée des paupières, comme attirés par quelque chose de lumineux et d'insaisissable. Elle avait la bouche ouverte et un mince filet de salive avait coulé de sa joue sur le matelas. Par un mouvement d'impulsion, j'approchai le sachet de ses narines et l'écrasai entre mes doigts pour en libérer son odeur. Elle gémit dans son sommeil, écarta la tête et fronça les sourcils. Je remis le sachet dans ma poche.

C'est alors que je me mis au travail sérieux après avoir jeté un dernier coup d'œil à ma mère endormie — elle aurait pu être un animal sauvage qui feignait le sommeil. Je m'approchai de la cheminée sur laquelle trônait une lourde pendule à cadran circulaire protégée par un dôme de verre orné de dorures. Au-dessus de la simple petite cheminée noire, elle avait l'air déplacée, trop chamarrée pour la chambre de ma mère. Elle lui venait de sa propre mère. C'était l'une des choses auxquelles elle attachait le plus de prix. J'ôtai le dôme de verre avec précaution et fis tourner les aiguilles de cinq heures en arrière. De six heures. Puis, je remis le dôme en place.

Je modifiai la position des ornements sur la cheminée — la photo de mon père, celle d'une autre femme que je savais être ma grand-mère, un vase de terre cuite avec son arrangement de fleurs séchées, un petit vide-poches contenant trois épingles à cheveux et une unique dragée datant du baptême de Cassis. Je retournai les photos contre le mur, plaçai le vase sur le plancher, pris les trois épingles et les déposai dans la poche du vieux tablier que ma mère avait laissé traîner. Je relevai ses vêtements et les drapai artistiquement un peu partout dans la chambre. Un sabot perché en équilibre précaire sur l'abat-jour, l'autre posé sur le rebord de la fenêtre. Je suspendis sa robe sur un cintre derrière la porte mais j'étalai son tablier sur le plancher comme une nappe pour un piquenique. Enfin, j'ouvris son armoire et en coinçai la porte de façon à ce que le lit se reflétât dans le miroir qui était à l'intérieur. À son réveil, la première chose qui frapperait son regard serait sa propre image.

Je ne fis rien de tout cela par méchanceté. Mon intention n'était pas de la blesser mais de la désorienter, de lui faire croire que la crise qu'elle avait imaginée avait été réelle, que c'était elle qui, sans le savoir, avait déplacé les ornements, réarrangé les vêtements, changé l'heure. Mon père m'avait expliqué qu'il lui était arrivé de faire certaines choses sans en avoir par la suite le moindre souvenir, que, lorsqu'elle atteignait l'extrême limite de la douleur et de la désorientation, sa vue se brouillait et sa pensée perdait toute logique. Le cadran de la pendule sur le mur de la cuisine pouvait pour elle tout à coup se réduire à une moitié de lui-même très clairement visible, l'autre moitié ayant soudain disparu, ne révélant rien d'autre que le mur nu devant lequel elle se trouvait. Un verre à vin pouvait paraître bouger tout seul et sournoisement se glisser d'un côté de l'assiette à l'autre. Un visage, celui de mon père, le mien, celui de Raphaël, le propriétaire du café, pouvait d'une seconde à l'autre lui apparaître scié en deux par quelque opération effroyable. Une moitié de la page d'un livre de cuisine se volatilisait alors qu'elle la lisait et ce qui restait des lettres d'imprimerie se mettait à danser une sarabande absurde devant ses yeux.

Bien sûr, à l'époque, je ne savais rien de cela. C'est l'album qui me l'apprit avec ses messages tout gribouillés, ses remarques écrites au bord du désespoir. « *À trois heures du matin, les possibilités me semblent infinies* », d'autres notées sans émotion avec une sorte d'impartialité scientifique, de curiosité.

    « *Comme la pendule, j'ai deux visages : ombre et lumière.* »

X

Lorsque je sortis, Reine et Cassis dormaient toujours. J'avais sans doute encore une demi-heure à ma disposition pour faire ce que je devais faire avant leur réveil. Dans un ciel olivâtre une bande de citrine pâle coupait l'horizon. Dix minutes encore et l'aube poindrait. Il fallait me hâter.

Un seau à la main, j'enfilai mes sabots qui attendaient sur le paillasson et me dirigeai en courant vers la rivière. Je pris le raccourci à travers le champ, derrière la ferme des Hourias. Des tournesols dressaient leurs jeunes crinières de verdure vers un ciel blafard. Je me faisais toute petite et avançais, cachée, parmi tout le feuillage, le seau battant contre ma jambe à chaque pas. Il me fallut moins de cinq minutes pour atteindre les Pierres Levées.

À cinq heures du matin, la Loire, baignée de brume, étale son calme et sa splendeur. De l'onde frileuse, les bancs de sable émergent dans une pâleur éthérée comme des continents perdus. Le parfum de la nuit traîne encore sur la rivière. Un rayon de soleil naissant éclabousse sa surface de luisantes jaspures d'ombre. Ayant ôté ma robe et mes sabots, j'inspectai l'eau. Elle avait l'air sournoisement tranquille.

La Pierre au Trésor, la plus éloignée des Pierres Levées, était bien à dix mètres du bord. La surface de l'eau y paraissait étonnamment chatoyante, comme de la soie — c'était le signe d'un fort courant. Je pourrais me noyer, pensai-je soudain, et personne ne saurait même où me chercher.

Mais je n'avais pas le choix. Cassis m'avait jeté un défi. Il fallait que je finance mes sorties. Comment le faire, puisque je ne recevais aucun argent de poche, sans utiliser celui de la bourse cachée dans le coffre à trésor ? Il y avait bien sûr la possibilité qu'il l'eût déjà pris lui-même. Dans ce cas, je me risquerais à en voler dans la bourse de ma mère. J'hésitais pourtant. Il ne faudrait pas croire que je pensais que ce fût particulièrement mal de voler mais j'étais consciente de l'extraordinaire mémoire que ma mère avait pour les chiffres. Elle savait jusqu'au dernier centime ce qu'elle avait dans sa bourse et aurait immédiatement deviné ce que j'avais fait.

Non. Je devais compter sur le coffre à trésor.

Depuis le début des vacances de Cassis et de Reinette, nous n'avions que rarement été à la rivière. Ils avaient un trésor à eux, plus important, un trésor d'adultes, qui occupait leurs heureux conciliabules. D'ailleurs, il n'y avait pas plus de quelques francs en pièces dans la bourse. Je misai sur la paresse de Cassis, sur la certitude qu'il savait que lui seul était capable d'atteindre le coffre amarré au pilier. Oui, l'argent y était encore, j'en étais certaine.

Avec précaution, je descendis le long de la berge et entrai dans l'eau. Elle était froide. La vase molle remontait entre mes doigts de pied. J'avançai jusqu'à ce que l'eau atteignît ma ceinture. Maintenant le courant se faisait sentir, il tirait comme un chien sur sa laisse. Dieu, si fort déjà ! Je tendis la main et l'appuyai contre le premier pilier pour entrer dans le courant d'une poussée. J'avançai d'un autre pas. Je savais que, juste devant moi, il y avait un trou profond, un endroit au-delà duquel la berge encore doucement inclinée de la Loire tombait brutalement à pic. Chaque fois que Cassis allait à la Pierre au Trésor, il faisait semblant de se noyer à cet endroit-là, tournant ventre en l'air dans l'eau opaque, se débattant, appelant à l'aide et crachant à pleine bouche l'eau brunâtre de la rivière. Reine s'y laissait prendre à chaque fois et elle poussait des cris d'horreur quand il disparaissait sous la surface.

Une telle comédie n'était pas de mon genre. Des pieds, je cherchai le bord du trou. Là. D'une poussée des jambes, je me lançai aussi loin que possible dans ma première coulée en gardant les Pierres Levées à ma droite, en aval. L'eau était moins froide en surface et le courant moins fort. D'une brasse régulière, je décrivis un arc parfait de la première à la deuxième Pierre Levée. Les Pierres étaient situées à intervalles irréguliers, les deux plus éloignées étaient à quatre mètres environ l'une de l'autre. En me propulsant d'une bonne détente des jambes contre chaque pilier, je pouvais avancer de cinq pieds et, en me dirigeant ainsi légèrement vers l'amont, le courant me ramenait au bon moment vers le pilier d'après d'où je pouvais répéter la même manœuvre. Comme un petit voilier tirant des bordées pour remonter un vent assez fort, je m'acheminai lentement vers la Pierre au Trésor, consciente du courant de plus en plus violent. Le froid me coupait la respiration. J'atteignis enfin le quatrième pilier, j'en étais à ma toute dernière étape avant d'atteindre mon but. Le courant me tirait vers la Pierre au Trésor, je la dépassai, hélas. Alors, je fus saisie d'une terreur soudaine, envahissante, en me sentant tirée vers l'aval par le courant de la rivière, mes bras et mes jambes tournoyant comme des ailes de moulin. Suffoquant, sanglotant presque de frayeur, je réussis à me détendre comme un arc dans la direction de la pierre, là, j'agrippai la chaîne qui amarrait le coffre au trésor au pilier. Le contact avec le métal tout gluant d'herbes aquatiques, tout visqueux de la vase immonde et brune de la rivière, me répugnait. Je m'en servis pourtant pour contourner le pilier.

J'y restai accrochée un moment, le temps de permettre à mon cœur de reprendre son rythme habituel. Puis, le dos bien appuyé au pilier, je tirai le coffre au trésor de son lit de vase. C'était une tâche difficile. Le coffre lui-même ne pesait pas particulièrement lourd mais, amarré comme il l'était à une chaîne et protégé par une bâche, c'était un poids mort. À présent je grelottais et, en claquant des dents, je tirai comme une folle sur la chaîne lorsque tout à coup quelque chose céda. À grands coups de pied frénétiques, je réussis à me maintenir contre le pilier et à remonter le coffre. Je frôlai encore une fois la panique lorsque mes pieds se prirent dans la bâche couverte de vase. Mes doigts se mirent au travail pour détacher la corde qui retenait le coffre. Un instant, je fus certaine que mes doigts étaient trop gourds pour ouvrir la boîte, mais la fermeture céda et l'eau s'engouffra à l'inté-

rieur. Je laissai échapper un juron. Enfin, le porte-monnaie était là — celui de cuir brun dont Maman ne se servait plus parce que le fermoir n'était plus sûr. Je m'en
emparai et le coinçai entre mes dents pour ne pas le perdre. Alors, d'un dernier effort, je refermai le coffre d'un
coup sec et le fis redescendre, au bout de sa chaîne, au
fond de la rivière. La bâche était perdue, c'était sûr, et ce
qui restait du trésor serait abîmé par l'eau, mais je n'y
pouvais rien. Cassis serait obligé de chercher une cachette
plus sèche pour ses cigarettes. Moi, j'avais l'argent. C'était
la seule chose qui m'intéressât.

Je regagnai la berge à la nage, ratant les deux derniers
piliers et je fus entraînée deux cents mètres en aval le long
de la route d'Angers avant de pouvoir m'arracher au courant qui ressemblait de plus en plus à un chien forcené,
un chien fauve dont la laisse s'entortillait autour de mes
jambes paralysées de froid. Le tout avait peut-être duré
une dizaine de minutes.

Je me forçai à prendre un moment de repos et je
sentis sur mon visage la douce tiédeur des premiers
rayons du soleil qui faisaient sécher la vase de la rivière.
Tremblant de froid, de joie aussi, je comptai l'argent du
porte-monnaie. Il y en avait certainement assez pour un
billet de cinéma et un verre de limonade. Chic ! Je remontai en suivant la berge jusqu'à l'endroit où j'avais déposé
mes vêtements. Je remis ma vieille jupe, ma blouse rouge,
sans manches, faite d'une ancienne chemise d'homme
raccourcie et j'enfilai mes sabots. Rapidement, je jetai un
coup d'œil à mes nasses, rejetant parfois le menu fretin,
parfois le laissant comme appât. Dans un vieux casier à
écrevisses près du Poste de Guet, je fis une trouvaille inattendue — un jeune brochet — pas Génitrix, bien sûr —
que je glissai dans le seau que j'avais apporté de la maison.
Il y avait aussi d'autres poissons : des anguilles pêchées
dans l'eau trouble près de la grande sablière — assez pour
une matelote — et une ablette de belle taille prise dans
l'un de mes filets. Elles rejoignirent le brochet dans le
seau. Ce serait mon alibi si Cassis et Reinette étaient déjà

éveillés à mon retour. Aussi discrètement que j'étais venue, je repris à travers champs le chemin de la maison.

Le poisson avait été une bonne idée. Cassis se lavait déjà sous la pompe quand j'arrivai. Reinette, par contre, avait fait chauffer de l'eau et avec un gant de toilette et du savon, elle se tapotait délicatement le visage. Ils me regardèrent tout d'abord avec curiosité puis les traits de Cassis se détendirent, laissant apparaître un certain mépris amusé.

« Tu ne démords jamais, hein ? » remarqua-t-il avec un geste de sa tête dégoulinante d'eau vers le seau à poisson. « Qu'est-ce que tu as là-dedans ? »

« Deux ou trois petits », répondis-je d'un ton détaché avec un haussement d'épaules. Le porte-monnaie bien caché dans la poche de ma blouse, j'étouffai un petit sourire intérieur en sentant son poids contre moi. « Un brochet. Pas bien gros », ajoutai-je.

Cassis se mit à rire. « Tu en prendras peut-être des petits mais Génitrix, lui, tu ne l'auras jamais ! » dit-il. « Et d'ailleurs, qu'en ferais-tu si tu l'attrapais ? Un vieux brochet comme ça ne se mange pas. C'est amer comme le fiel et plein d'arêtes. »

« Oh si, je finirai bien par l'attraper », répliquai-je avec entêtement.

« Ah ? » Sa voix était pleine d'incrédulité. « Et que feras-tu après ? Un vœu, je parie ! Tu feras le vœu de gagner un million à la loterie et d'acheter un appartement rue de Rivoli ? »

Je fis non de la tête sans parler.

« Moi, je ferais le vœu de devenir vedette de cinéma », dit Reine en s'épongeant le visage avec sa serviette. « Et d'aller à Hollywood, de voir les lumières et Sunset Boulevard, de me faire conduire en limousine et d'avoir des dizaines et des dizaines de robes. »

Le regard de mépris que lui lança Cassis me remonta énormément le moral. Il s'en prit à moi ensuite, de son sourire effronté, irrésistible. « Et toi, Boise, qu'est-ce que

tu voudrais ? Des fourrures, des voitures, une villa à Juan-
les-Pins ? »

De nouveau, je secouai la tête. « Je te le dirai quand je
l'aurai attrapé », déclarai-je d'un ton sec. « Et cela arri-
vera, tu peux en être sûr. Tu verras bien ! »

Cassis me contempla un moment, son sourire disparut. Il fit claquer sa langue de dégoût et se remit à sa toilette. « Toi, tu es un cas, Boise ! » dit-il. « Tu es vraiment
un cas, tu sais ça ? »

Puis, nous partîmes rapidement terminer les corvées
de la journée avant le réveil de Maman.

XI

Ce n'est pas l'ouvrage qui manque dans une ferme ! C'est
l'eau qu'il faut rapporter de la pompe, les seaux de métal
que l'on aligne sur les dalles de la cave pour que l'eau ne
chauffe pas au soleil, les chèvres à traire et le seau à lait à
couvrir de mousseline avant de le mettre dans la laiterie.
Puis, il faut conduire les chèvres à la pâture pour les
empêcher de voler tous les légumes du potager et donner
à manger aux poules et aux canards, cueillir les fraises
mûres, charger le four à bois — ce jour-là, il n'y avait que
peu de chance que Maman fît beaucoup de pâtisserie. Il
fallait mener notre jument Bécassine au champ et renou-
veler l'eau des auges. Même en nous pressant, il nous
fallut deux bonnes heures pour venir à bout de tout ce
travail. Le soleil se faisait maintenant plus chaud, l'humidité de la nuit montait déjà des sentiers de terre battue,
l'herbe mouillée de rosée séchait lentement. C'était le
moment de nous mettre en route.

Ni Reinette ni Cassis n'avaient fait allusion à la question d'argent. Cela n'était pas nécessaire. C'était à moi de
payer ma part, m'avait dit Cassis qui pensait que c'était
impossible. Étonnée peut-être de mon assurance, Reinette me lançait des regards intrigués pendant que nous

étions occupés à la cueillette des dernières fraises. Quand son regard croisa celui de Cassis, elle pouffa de rire. Je remarquai qu'elle s'était habillée ce matin-là avec un soin qui sortait de l'ordinaire — la jupe plissée qu'elle mettait pour aller à l'école, un pull rouge à manches courtes, des socquettes et ses souliers. Ses cheveux étaient ramenés en un gros chignon sur la nuque et attachés par des épingles. Elle avait une odeur que je ne lui connaissais pas — un mélange douceâtre de poudre de riz, de pâte de guimauve et de violettes. Elle portait aussi le fameux rouge à lèvres. Je me demandai si elle avait un rendez-vous. Un petit ami, peut-être ? Quelqu'un du collège. Elle avait certainement l'air plus agitée que d'habitude et cueillait les fruits sans précaution avec la rapidité d'un lapin invité à brouter de l'herbe chez une famille de belettes. Au fur et à mesure que j'avançais entre les rangs de fraisiers, je l'entendais murmurer quelque chose à l'oreille de Cassis puis elle éclata d'un gloussement aigu, hystérique.

J'eus un haussement d'épaules imperceptible. Je les soupçonnais bien de projeter d'aller quelque part sans moi. J'avais persuadé Reinette de m'emmener et ils ne reviendraient pas sur cette promesse-là. Mais, pour autant qu'ils en savaient, moi, je n'avais pas d'argent. Ils pouvaient donc aller au cinéma sans moi, me laissant peut-être les attendre près de la fontaine de la place du marché ou me faisant chercher partout quelque chose d'imaginaire pendant qu'ils iraient, eux, retrouver leurs amis. Cette pensée me remplit d'amertume. En tout cas, c'était quelque chose de ce genre qu'ils projetaient. Si sûrs d'eux, ils n'avaient pas envisagé la solution évidente à mon problème. Reine ne se serait jamais risquée dans la Loire pour atteindre la Pierre au Trésor et Cassis voyait toujours en moi la petite sœur trop pleine d'admiration devant le grand frère adoré pour oser faire la moindre chose sans sa permission. Il me considérait de temps en temps avec un sourire de satisfaction et un regard brillant de moquerie.

Nous partîmes pour Angers à huit heures. Assise sur le porte-bagages du grand vélo lourd de Cassis, j'avais les pieds périlleusement coincés sous les poignées du guidon. Le vélo de Reine, plus petit et plus élégant, avait un guidon plus élevé et une selle de cuir. Dans le panier accroché au guidon, elle transportait une Thermos de café à la chicorée et trois paquets identiques : nos sandwichs. Pour protéger sa coiffure elle s'était noué autour de la tête un foulard blanc dont les pointes lui fouettaient la nuque pendant qu'elle pédalait. Nous nous arrêtâmes trois ou quatre fois en cours de route — pour boire une tasse de café à la chicorée, pour vérifier un pneu qui s'était dégonflé et pour grignoter un bout de pain et de fromage en guise de petit déjeuner. Enfin, nous atteignîmes les faubourgs d'Angers en passant devant le collège — fermé à présent pour les vacances et gardé par deux soldats allemands, postés en sentinelle devant le portail. Nous longeâmes des rangées de maisons aux façades de stuc pour arriver au centre-ville.

Le Palais Doré était le cinéma de la grande place sur laquelle se tenait le marché. Sur la place, entourée de petits magasins dont la plupart étaient déjà ouverts, un homme, armé d'un balai et d'un seau de métal, lavait le trottoir à grande eau. Nous étions descendus de vélo à ce moment-là. En les poussant, nous entrâmes dans une ruelle entre la boutique du coiffeur pour hommes et la boucherie dont les stores étaient fermés. Il y avait à peine assez de place pour y passer à pied car la ruelle était pleine de gravats et de débris. Nous étions quasi certains que personne ne toucherait à nos vélos dans un pareil endroit. Assise à la terrasse d'un café, une femme nous salua avec un sourire, quelques habitués du dimanche matin étaient déjà là devant des tasses de café à la chicorée, des croissants ou des œufs durs. Un commis de livraison passa à bicyclette en faisant retentir sa sonnette d'un air important. Près de l'église au kiosque, on pouvait acheter des bulletins d'informations d'une seule page. Après avoir jeté un coup d'œil autour de lui, Cassis se dirigea vers le kiosque à journaux. Je le vis donner quelque chose au vendeur qui, à son tour, lui passa un paquet que Cassis fit disparaître rapidement dans la ceinture de son pantalon.

« C'était quoi ? » demandai-je avec curiosité.

Il haussa les épaules. Je me rendais compte qu'il était content de lui, satisfait de ne pas me mettre dans ses confidences rien que pour m'ennuyer. D'un air de conspirateur, il baissa la voix et me laissa entrevoir un rouleau de papier qu'il remit immédiatement dans sa cachette.

« Des illustrés et un feuilleton. » Avec un clin d'œil dans la direction de Reine, il ajouta avec suffisance : « Un film américain ! »

Reine poussa un petit cri aigu d'anticipation et esquissa un geste pour lui saisir le bras. « Laisse-moi, oh ! laisse-moi voir ! »

D'un air irrité, Cassis secoua la tête. « Chut ! Pour l'amour de Dieu, Reine ! » Il baissa de nouveau la voix. « Je lui avais rendu un service. Marché noir ! » articula-t-il, en bougeant les lèvres sans émettre de son. « Alors, il les a gardés pour moi. »

Reinette le contemplait avec admiration. Moi, cela m'impressionnait moins. Peut-être étais-je moins consciente de la rareté de telles choses, peut-être la graine de révolte qui germait en moi m'incitait-elle à mépriser ce qui faisait un peu trop l'orgueil de mon frère. Un haussement d'épaules lui indiqua mon indifférence. Pourtant, je me demandai quelle sorte de service Cassis avait bien pu rendre au vendeur de journaux et je finis par conclure qu'il s'était sans doute vanté. Je le lui laissai entendre.

« Si moi j'avais des contacts dans le marché noir », déclarai-je avec un air de scepticisme assez convaincant, « je m'arrangerais pour obtenir quelque chose de nettement mieux que ces quelques vieux magazines. »

Piqué au vif, Cassis répondit rapidement : « Je peux avoir n'importe quoi, moi : des illustrés, des Américaines, des bouquins, du vrai café, du chocolat. » Il s'interrompit avec un ricanement de mépris. « Toi, tu ne peux même pas trouver l'argent pour un malheureux billet d'entrée au cinéma », s'exclama-t-il.

« Ah non ? Et ça alors ! » Avec un sourire, je sortis le vieux porte-monnaie de la poche de ma blouse et fis tinter les pièces à l'intérieur. Il reconnut le porte-monnaie et ses yeux s'agrandirent de surprise.

« Sale petite voleuse ! » siffla-t-il. « Sale petite garce de voleuse ! »

Je ne répondis rien mais soutins son regard d'un air de défi.

« Et comment es-tu allée chercher ça ? »

« À la nage ! » lançai-je. « Et, de toute façon, ce n'était pas du vol puisque le trésor nous appartenait à tous ! »

Cassis écoutait à peine. « Sale petite garce de voleuse ! » répéta-t-il. De toute évidence, il se sentait vexé que quelqu'un d'autre que lui pût obtenir quelque chose par ruse.

« Quelle différence y a-t-il entre ça et ton marché noir ? » demandai-je d'un ton calme. « C'est du pareil au même, n'est-ce pas ? » Je donnai à ma remarque le temps de faire son effet avant de poursuivre : « Et ça te fâche parce que je suis plus maligne que toi. »

Cassis me décocha un regard furieux. « Ça n'est pas du tout pareil », finit-il par dire.

Je continuai à le regarder d'un air d'incrédulité. Faire en sorte qu'il se trahisse était toujours chose facile. Et c'était pareil pour son fils, des années après. Ni l'un ni l'autre n'avait la moindre idée de ce qu'était la ruse. Maintenant, le visage rouge de colère, Cassis criait presque — il avait bien oublié de prendre des airs de conspirateur ! « Je pourrais t'obtenir n'importe quoi. Du vrai attirail de pêche pour prendre ton foutu brochet », siffla-t-il d'un ton féroce. « Du chewing-gum, des souliers, des bas et des dessous de soie si tu en voulais ! » Élevés comme nous l'avions été, l'idée même de dessous de soie était complètement ridicule et je me mis à rire aux éclats. Furieux, Cassis me saisit par les épaules et me secoua. « Arrête ! » La colère lui enrouait la voix. « Moi, j'ai des amis. Je connais des gens. Je... pourrais... t'obtenir... n'importe... quoi ! »

Vous voyez à quel point il était facile de lui faire perdre son calme ! D'une certaine manière, Cassis avait été gâté aussi. Il s'était trop habitué à être le frère aîné, l'homme de la maison, le premier à atteindre l'âge scolaire, le plus grand, le plus fort, le plus sage. Ses rares écarts de conduite — ses fugues dans les bois, ses moments d'audace sur la Loire, ses petits vols aux étalages du marché et dans les magasins d'Angers — étaient spontanés, sans préparation, des moments d'hystérie pour ainsi dire. Il n'y prenait aucun plaisir. C'était comme s'il avait besoin de nous prouver quelque chose à nous, les filles, ou peut-être de se le prouver à lui-même.

Je l'intriguais, ça je m'en rendais compte ! Ses pouces s'étaient enfoncés dans mes bras si profondément qu'ils y laisseraient des marques couleur de mûres mais je n'eus pas un seul mot de protestation. Je le dévisageai froidement sans détourner mes yeux des siens.

« Nous avons des amis, Reine et moi », expliqua-t-il d'une voix plus douce, d'un ton presque raisonnable maintenant, mais ses pouces continuaient à s'enfoncer dans mes bras. « Oui, des amis puissants. Où a-t-elle trouvé, à ton avis, ce rouge à lèvres à la con ? Ou le parfum ? Ou ce truc dont elle se barbouille la figure, le soir ? Où penses-tu qu'elle est allée chercher ça ? Et d'après toi, qu'est-ce qu'il a fallu faire pour l'obtenir ? »

Alors, il me relâcha le bras. Son visage trahissait un mélange d'orgueil et de désespoir. Je compris, moi, que la peur le rendait malade.

XII

Du film *Circonstances atténuantes*, avec Arletty et Michel Simon, je n'ai que peu de souvenirs. C'était un vieux film que Cassis et Reine avaient déjà vu. Reine, au moins, n'en montrait aucune déception, elle regardait l'écran, les yeux écarquillés de ravissement. Moi, l'histoire me paraissait plutôt tirée par les cheveux, sans lien avec la réalité, et, de toute manière, j'avais l'esprit ailleurs. Deux fois la pellicule cassa pendant la projection, la seconde fois, les lumières se rallumèrent dans la salle et des grondements de protestation s'élevèrent du public. Un homme en smoking cria : « Silence » d'un air inquiet. Dans un coin, quelques Allemands, les pieds posés sur les sièges devant eux, commencèrent à applaudir lentement en signe de moquerie. Reine, qui était sortie de sa transe pour se plaindre amèrement de cette interruption, poussa soudain un petit cri d'agitation.

« Cassis. » Elle se pencha par-dessus moi et je sentis monter de ses cheveux un parfum douceâtre de produit chimique. « Il est là, Cassis ! »

« Chut », siffla-t-il, exaspéré. « Ne te retourne pas. » Pendant un moment, Reine et lui restèrent face à l'écran le visage figé, comme celui d'un mannequin dans une vitrine. Alors, Cassis se mit à parler du coin de la bouche, comme quelqu'un qui dit quelque chose à l'église pendant la messe.

« Qui ? »

Reinette, d'un rapide coup d'œil, indiqua les Allemands.

« Vers le fond », continua-t-elle de la même façon. « Avec d'autres que je ne connais pas. » Autour d'eux, les gens tapaient du pied et poussaient des cris. Cassis s'aventura à jeter un regard prudent.

« Je vais attendre que les lumières s'éteignent », dit-il.

Dix minutes plus tard, elles s'éteignirent et le film continua. Cassis quitta alors furtivement son fauteuil et se dirigea vers le fond de la salle. J'en fis autant. Sur l'écran, Arletty en robe fourreau à grand décolleté se pavanait en battant des cils. Nous nous déplacions rapidement, pliés en deux. La lumière gris argent de l'écran éclairait nos silhouettes et mettait un masque blafard sur le visage de Cassis.

« Retourne à ta place, petite imbécile », siffla-t-il entre ses dents. « Je ne veux pas que tu viennes. Tu me gêneras ! »

Je fis non de la tête. « Je n'ai pas l'intention de te gêner », déclarai-je. « À moins que tu n'essaies de m'empêcher de te suivre ! »

Cassis eut un geste d'impatience. Il savait que j'étais parfaitement sérieuse. Dans l'obscurité, je le sentais trembler d'agitation ou de peur peut-être.

« Ne te redresse pas et laisse-moi parler ! » me dit-il enfin.

Nous nous accroupîmes sur nos talons au fond de la salle tout près de l'endroit où le groupe de soldats allemands faisait comme un îlot au milieu de la foule des habitués. Plusieurs fumaient et nous apercevions le point rouge de leur cigarette au milieu de leur visage dans le clignotement de la lumière.

« Tu vois celui-là au bout ? » murmura Cassis. « Il s'appelle Hauer. Je veux lui parler. Tu n'as qu'à rester avec moi et ne pas dire un mot, d'accord ? »

Je ne répondis rien. Je ne voulais faire aucune promesse.

Cassis, d'un mouvement rapide, s'assit près de l'Allemand dont le nom était Hauer. Je remarquai que personne ne faisait la moindre attention à nous sauf l'Allemand qui se tenait immédiatement derrière nous, un jeune homme mince aux traits anguleux dont la casquette était cavalièrement rejetée en arrière et qui tenait une cigarette à la main. Près de moi, j'entendis Cassis murmurer quelque chose à Hauer d'une voix pressante puis un bruit de papier froissé. L'Allemand aux traits anguleux me fit un sourire et un petit geste de sa cigarette.

J'eus un sursaut, je le reconnus soudain. C'était le soldat du marché, celui qui m'avait vue prendre l'orange. Pendant un instant, je restai incapable de bouger et je le regardai, fascinée.

Il fit un nouveau geste de sa cigarette. La lumière de l'écran illumina son visage et mit quelques dramatiques

touches d'ombre à ses arcades sourcilières et à la ligne de
ses mâchoires.

Je lançai un regard inquiet dans la direction de Cassis
mais mon frère était bien trop occupé à sa conversation
avec Hauer pour faire attention à moi. L'Allemand continuait à me regarder d'un air sûr de lui, il avait un petit
sourire aux lèvres et se tenait à une certaine distance de
l'endroit où les autres étaient assis. Il protégeait sa cigarette de sa main courbée. Je voyais la tache brune de ses os
sous la chair lumineuse. Il était en uniforme mais sa
jaquette était ouverte. Pour une raison inexplicable, cela
me rassura.

« Viens par ici », dit l'Allemand d'une voix douce.

J'étais incapable de dire un mot. J'avais la bouche
sèche comme du foin. Je me serais enfuie en courant si
j'avais été sûre que mes jambes m'auraient obéi. Pourtant,
le menton levé, je m'avançai vers lui d'un air sûr de moi.

« Tu es la petite fille à l'orange, n'est-ce pas ? » dit-il à
mon approche.

Je ne répondis pas.

Mon silence ne le rebuta pas. « Tu es rapide. Aussi
rapide que je l'étais quand j'étais jeune. » Il mit la main à
sa poche et en retira quelque chose enveloppé dans du
papier d'argent. « Tiens. Tu vas aimer ça. C'est du
chocolat. »

Je le dévisageai d'un air soupçonneux. « Je n'en veux
pas ! » répliquai-je. Il eut un autre sourire. « Tu préfères
les oranges, n'est-ce pas ? » demanda-t-il.

Je ne répondis rien.

« Je me souviens d'un verger au bord d'une rivière »,
continua l'Allemand d'une voix douce. « Près du village
où j'ai grandi. Il y avait là les plus grosses prunes, les plus
noires que l'on ait jamais vues. Le verger était entouré de
hauts murs. Des chiens de garde y rôdaient. Tout l'été, j'ai
essayé d'avoir les prunes. J'ai tout fait pour les attraper. Je
ne pouvais penser à autre chose. »

Sa voix était mélodieuse, avec une très légère pointe
d'accent, et ses yeux brillaient derrière la fumée qui mon-

tait de sa cigarette. Je l'observai avec méfiance, n'osant faire un geste, me demandant s'il se moquait ou non de moi.

« D'ailleurs, ce qu'on a volé a toujours meilleur goût que ce que l'on peut avoir comme ça, tu ne penses pas ? »

Maintenant j'étais sûre qu'il se moquait de moi et mes yeux s'agrandirent d'indignation.

L'Allemand sembla remarquer ma réaction et se mit à rire en continuant à me tendre du chocolat. « Vas-y, *Backfisch,* prends-le donc ! Tu n'as qu'à imaginer que tu voles ça aux Boches. »

Le carré qu'il me donna était à moitié fondu et je le mangeai d'une seule bouchée. C'était du vrai chocolat, pas ce truc blanchâtre et granuleux que nous achetions de temps en temps à Angers. L'Allemand me regardait manger d'un œil amusé. Je le dévisageai avec le même air de méfiance qu'auparavant mais cette fois coloré d'une grandissante curiosité.

« Vous les avez eues, à la fin ? » demandai-je enfin, d'une voix onctueuse de chocolat. « Je veux dire, les prunes ? »

Il fit oui de la tête. « Oui, je les ai eues, *Backfisch.* Je me souviens encore de leur goût. »

« Et vous avez été pris ? »

« Oui, j'ai été pris aussi. » Son sourire fit place à la tristesse. « J'en avais mangé tellement que ça m'a rendu malade. C'est comme ça qu'ils m'ont pris. J'ai reçu une sacrée correction mais, à la fin, j'avais eu ce que je voulais. C'est la seule chose qui compte, n'est-ce pas ? »

« Ça, c'est vrai », dus-je reconnaître. « Moi, j'aime gagner. » Je m'interrompis un instant. « Est-ce pour ça que vous n'avez rien dit à propos de l'orange ? »

L'Allemand haussa les épaules. « Pourquoi l'aurais-je dit ? Ça ne me regarde pas. D'ailleurs, l'épicier en avait beaucoup d'autres. Une orange de plus ou de moins ne fait pas beaucoup de différence pour lui. »

J'acquiesçai. « Il a une camionnette », ajoutai-je en léchant le morceau de papier d'argent pour ne rien perdre du chocolat.

L'Allemand semblait d'accord avec moi. « Il y a des gens qui veulent garder pour eux tout ce qu'ils ont », dit-il. « Et ça n'est pas juste, n'est-ce pas ? »

Je fis non de la tête. « C'est comme Mme Petit, la mercière », commentai-je. « Elle vend à un prix fou un bout de soie de parachute qui ne lui a rien coûté à elle. »

« Exactement ! »

Je pensai tout à coup que, peut-être, je n'aurais pas dû parler de Mme Petit. Je lui décochai un rapide coup d'œil mais l'Allemand ne semblait qu'à peine prêter attention à mes paroles. Au contraire, il observait Cassis qui continuait à murmurer quelque chose à Hauer au bout de la rangée de fauteuils. Je ressentis comme une blessure qu'il s'intéressât davantage à Cassis qu'à moi.

« C'est mon frère, ça ! » lui confiai-je.

« Ah oui ! » L'Allemand se retourna vers moi avec un sourire. « Eh bien, vous êtes une sacrée famille. Tu as d'autres frères ou sœurs ? »

Je fis oui de la tête. « Je suis la plus jeune, Framboise. »

« Eh bien, enchanté de faire ta connaissance, Françoise. »

Je souris. « Fram-boise », corrigeai-je.

« Leibniz. Tomas », me dit-il en me tendant la main. Après une seconde d'hésitation, je la lui serrai.

XIII

Et c'est ainsi que je fis la connaissance de Tomas Leibniz. Je ne sais pas exactement pourquoi mais Reinette m'en voulait de lui avoir adressé la parole. Elle bouda pendant tout le reste du film. Hauer avait glissé un paquet de Gauloises dans la main de Cassis et nous étions revenus silencieusement nous asseoir à nos places. Cassis fumait une de ses cigarettes et, moi, j'étais plongée dans mes pensées. Il me fallut attendre la fin du film pour pouvoir poser des questions.

« Ces cigarettes-là », lui demandai-je. « C'est de cela que tu parlais quand tu disais que tu pouvais obtenir des trucs ? »

« Bien sûr. » Superficiellement, Cassis avait l'air content de lui mais je devinais une sorte d'angoisse qui se cachait derrière cette façade. Il tenait sa cigarette en protégeant le bout allumé dans le creux de sa main pour imiter les Allemands mais son geste à lui semblait artificiel et maladroit.

« Tu leur dis des choses ? Hein ? »

« Parfois… nous leur disons des choses ! » avoua Cassis avec un petit sourire satisfait.

« Quel genre de choses ? »

Cassis haussa les épaules. « Cela a commencé par ce vieux fou avec sa radio », dit-il dans un murmure. « C'était pure justice. Il n'était pas censé en avoir une de toute façon. Il n'aurait pas dû faire semblant d'être si scandalisé quand la seule chose que nous faisions, c'était de regarder les Allemands. Quelquefois, nous laissons des messages à un livreur ou au café. Quelquefois, c'est le marchand de journaux qui nous refile les choses qu'ils ont laissées pour nous et quelquefois ils les apportent eux-mêmes. » Il faisait un effort pour avoir l'air nonchalant mais on le devinait inquiet, les nerfs à fleur de peau.

« Ce n'est pas bien important », continua-t-il « La plupart des Boches font eux-mêmes du marché noir, de toute façon, et ils envoient tous des trucs en Allemagne. Tu sais, les trucs qu'ils ont réquisitionnés. Alors, ce qu'on fait nous n'a vraiment aucune importance. »

Il me fallut un moment pour réfléchir à ce qu'il disait. « Mais la Gestapo, alors… »

« Oh ! ne sois pas si gamine, Boise ! » Il se fâchait tout d'un coup, comme toujours lorsque je faisais pression sur lui. « Qu'est-ce que tu sais, toi, de la Gestapo ? » Il jeta un regard inquiet autour de lui et baissa de nouveau la voix.

« Bien sûr, avec eux, on n'a pas de relations. Mais ça, c'est différent. Je te l'ai déjà dit, c'est du commerce. Et en tout cas, ça ne te regarde pas. »

Pleine de ressentiment, je me retournai vers lui. « Et pourquoi que ça ne me regarde pas ? Moi aussi, j'en sais des choses ! » Je commençai à regretter de ne pas en avoir dit davantage à propos de Mme Petit, de ne pas avoir parlé du fait qu'elle était juive.

Cassis secoua la tête d'un air méprisant. « Tu ne pourrais pas comprendre. »

Nous retournâmes à la maison dans un silence plein d'appréhension, nous nous attendions sans doute à ce que Maman ait découvert notre escapade mais, à notre retour, au contraire, elle semblait anormalement de bonne humeur. Elle ne dit pas un mot de l'odeur d'orange, de sa nuit blanche, ni des changements que j'avais apportés à sa chambre. Le repas qu'elle avait préparé était presque un repas de fête : une soupe à la carotte et aux endives, du boudin noir avec de la compote de pommes et des pommes de terre, des galettes de sarrasin et un clafoutis aux pommes lourd des fruits de l'année dernière et tout croustillant sous son voile de cassonade et de cannelle. Le repas fut silencieux comme toujours, mais Maman semblait absente, négligeant de me faire ôter les coudes de la table, de remarquer mes cheveux ébouriffés et mon visage maculé de taches.

L'orange l'avait peut-être amadouée, pensai-je.

Mais le lendemain, elle se rattrapa bien et retrouva son humeur habituelle mais décuplée. Nous l'évitions autant qu'il nous était possible, nous hâtant de terminer nos corvées pour nous retirer dans notre Poste de Guet, à la rivière, où nous nous mettions à jouer sans grand enthousiasme. Quelquefois Paul nous rejoignait mais il devinait qu'il ne faisait plus tout à fait partie de notre bande, qu'il était exclu maintenant de notre cercle. J'avais pitié de lui, je me sentais même un peu coupable, sachant bien moi-même ce que c'était d'être exclu mais je ne pouvais rien faire pour empêcher cela. C'était à Paul de se débrouiller tout seul, comme moi j'avais dû le faire.

D'ailleurs, Paul déplaisait à Maman, comme le reste de la famille Hourias. À ses yeux, Paul était un fainéant, trop paresseux pour aller au collège et trop bête pour apprendre à lire dans le village avec les autres enfants. Et ses parents étaient du même genre — un type qui vendait des vers de vase au bord de la route et une bonne femme qui faisait du raccommodage pour les autres. Mais c'était surtout quand elle parlait de l'oncle de Paul que la langue de ma mère était particulièrement aiguisée. Au début, je croyais qu'il s'agissait d'une de ces jalousies de village. Philippe Hourias était propriétaire de la plus grosse ferme des Laveuses, il avait des hectares de tournesol, de pommes de terre, de choux et de betteraves, il avait une vingtaine de vaches, des cochons, des chèvres, et un tracteur à une époque où la plupart des gens du coin utilisaient des charrues tirées par des chevaux et il avait une trayeuse mécanique du dernier cri. Je me disais que c'était de la jalousie, le ressentiment d'une veuve qui avait du mal à joindre les deux bouts envers un riche veuf. Et pourtant, c'était bizarre puisqu'il s'agissait d'un copain de longue date, du meilleur copain de mon père d'ailleurs. Ils avaient grandi ensemble. Philippe Hourias et lui, ils étaient allés à la pêche ensemble, s'étaient baignés, avaient partagé des secrets. C'est Philippe qui avait lui-même gravé le nom de mon père dans la pierre du monument aux morts et il y portait des fleurs tous les dimanches. Pourtant Maman ne lui adressait jamais plus qu'un signe de tête. Elle n'avait jamais été liante mais, après l'incident de l'orange, elle montra encore plus d'hostilité envers lui.

À vrai dire, ce fut bien plus tard que je commençai à entrevoir la vérité. En fait, c'est en lisant l'album, plus de quarante ans après, en déchiffrant son écriture minuscule — une écriture à en donner la migraine —, chancelante et qui titubait à travers les pages comme un homme blessé.

Elle écrivait : « *Hourias le sait déjà. Je le vois me regarder quelquefois avec un air de pitié et de curiosité comme si j'étais quelque chose qu'il aurait écrasé au bord de la route. Hier soir, il m'a vue sortir de la Rép, je portais les choses que j'ai besoin d'y acheter. Il n'a rien dit mais je savais qu'il avait deviné. Bien entendu, il pense que nous devrions nous marier. Que la veuve et le veuf unissent leurs terres lui semble une évidence. Yannick n'avait pas de frère qui pût prendre la relève à sa mort et on ne pouvait pas s'attendre à ce qu'une femme dirigeât seule une exploitation.* »

Si elle avait été tendre de nature, j'aurais peut-être soupçonné quelque chose plus tôt mais Mirabelle Dartigen n'avait rien d'une femme tendre. Elle était faite de sel gemme et du limon de la rivière, les colères qu'elle piquait étaient aussi soudaines, aussi spectaculaires et aussi inévitables que les éclairs de chaleur l'été. Je n'en cherchais jamais l'origine, me contentant d'en éviter les conséquences du mieux que je le pouvais.

XIV

Cette semaine-là, on ne retourna pas à Angers. Ni Cassis ni Reinette ne semblaient prêts à parler de notre rencontre avec les Allemands. Et en ce qui me concernait, je n'avais aucune envie de faire allusion à ma conversation avec Leibniz, même s'il m'était bien impossible de n'y plus penser. J'en éprouvais un mélange d'inquiétude et de sentiment de puissance.

Cassis était agité, Reinette paraissait boudeuse et mécontente et, pour couronner le tout, une pluie fine tomba toute la semaine qui fit monter la Loire et mit des gouttelettes bleues sur les tournesols encore verts. Depuis notre dernière escapade à Angers, sept jours s'étaient écoulés déjà. Le jour du marché arriva et passa. Cette fois-ci, ce fut le tour de Reinette d'accompagner Maman.

Cassis et moi, pendant ce temps, rôdions maussades dans le verger où pleuraient les arbres. Les prunes vertes me faisaient penser à Leibniz. Cela me remplissait d'inquiétude et de curiosité. Je me demandais si je le reverrais jamais.

Puis, de façon tout à fait inattendue, il se retrouva sur mon chemin.

C'était tôt le matin, un jour de marché. Cette fois-là, c'était le tour de Cassis de donner un coup de main avec les provisions. Reinette apportait les fromages frais enveloppés de feuilles de vigne de l'endroit où on les gardait à l'abri de la chaleur. Maman ramassait les œufs dans le poulailler. Moi, je revenais de la rivière avec ma prise du matin : deux petites perches et des ablettes que j'avais coupées en morceaux pour appâter et que j'avais mises dans un seau près de la fenêtre. Ce n'était pas leur jour habituel, ce fut donc moi, par hasard, qui ouvris la porte en entendant quelqu'un frapper. C'étaient les Allemands.

Ils étaient trois : deux que je ne connaissais pas et Leibniz très correctement vêtu, en uniforme, le fusil reposant sur son avant-bras. En me reconnaissant, il ouvrit de grands yeux et esquissa un sourire.

S'il s'était agi de n'importe quel autre Allemand, je lui aurais sans doute fermé la porte au nez, comme l'avait fait Denis Gaudin lorsqu'ils étaient venus réquisitionner son violon. J'aurais certainement appelé ma mère. Mais cette fois-ci, je fus prise de court, je dansai d'un pied sur l'autre à la porte sans prendre de décision.

Leibniz se retourna vers les deux autres et s'adressa à eux en allemand. Je crus comprendre, d'après les gestes qui accompagnaient ses paroles, qu'il entendait faire chez nous une perquisition lui-même et envoyait les deux autres vers le chemin qui menait aux fermes des Ramondin et des Hourias. L'un des deux autres me contempla et dit quelque chose qui les fit rire tous les trois aux éclats. Alors, Leibniz hocha la tête puis, toujours souriant, passa à côté de moi et pénétra dans la cuisine.

Je savais que j'aurais dû appeler Maman. Quand les soldats passaient, elle était toujours encore plus maussade que d'habitude, son visage de marbre cachant le ressentiment qu'elle éprouvait de leur présence et de la façon cavalière dont ils s'appropriaient ce dont ils avaient besoin. Et aujourd'hui, comme par hasard, elle était déjà d'une humeur assez massacrante, eux ici, ce serait la goutte qui ferait déborder le vase.

Les denrées alimentaires se faisaient rares. Même les Allemands devaient bien manger, m'avait expliqué Cassis quand je lui en avais parlé. « Et ils mangent comme des cochons », avait-il continué sur un ton d'indignation. « Je voudrais que tu voies leur cantine — des pains entiers, avec de la confiture, du pâté, des rillettes, du fromage, des anchois, du jambon, de la choucroute aux pommes — tu n'en croirais pas tes yeux. »

Leibniz referma la porte et jeta un coup d'œil autour de lui. Loin des regards des autres soldats, il perdait sa raideur, il ressemblait plus à un civil. Il sortit une cigarette de sa poche et l'alluma distraitement.

« Qu'est-ce que vous venez faire ici ? » demandai-je enfin. « Nous n'avons rien pour vous ! »

« On a des ordres, *Backfisch* », répondit Leibniz. « Ton père est là ? »

« Je n'ai plus de père », répliquai-je avec un éclat de défiance. « Les Allemands l'ont tué. »

« Ah, je suis désolé ! » Il semblait gêné et un sentiment de plaisir souleva ma poitrine. « Ta mère, alors ? »

« Elle est dehors, dans la cour, derrière. » Je le regardai droit dans les yeux. « C'est le jour de marché aujourd'hui. Si vous nous prenez nos provisions, il ne nous restera plus rien. Nous n'avons déjà plus que juste ce qu'il nous faut. »

Leibniz jeta un regard autour de la pièce, l'air un peu honteux, pensai-je. Je vis qu'il était conscient du sol carrelé tout propre, des rideaux rapiécés, de la table de bois de pin tout écorchée. Il hésita.

« Je dois le faire, *Backfisch* », dit-il d'une voix douce. « On me punira si je n'obéis pas aux ordres. »

« Vous pourriez dire que vous n'avez rien trouvé. Vous pourriez dire qu'il ne restait rien quand vous êtes venus. »

« Peut-être. » Quand il découvrit le seau de morceaux de poisson près de la fenêtre, ses yeux s'allumèrent. « Il y a quelqu'un qui pêche dans la famille, hein ? Qui est-ce ? Ton frère ? »

Je fis non de la tête. « Moi ! »

Leibniz s'étonna : « Tu vas à la pêche, toi ? Tu es trop jeune pour ça, il me semble ! »

« J'ai neuf ans », répliquai-je, piquée au vif.

« Neuf ans. » Des éclairs dansèrent dans ses prunelles mais il ne sourit pas. « Je vais à la pêche, moi aussi, tu sais », murmura-t-il avec sérieux. « Et qu'est-ce que tu pêches par ici ? La truite, la carpe, la perche ? »

Je répondis non d'un signe de tête.

« Quoi, alors ? »

« Le brochet. »

Le brochet est le plus malin de tous les poissons d'eau douce. Il est rusé et prudent en dépit de ses mâchoires féroces. Pour le faire monter à la surface, il faut choisir avec soin son appât. La plus infime petite chose le rend soupçonneux, la plus petite variation de température, la moindre esquisse de mouvement. Il n'y a pas de recette absolue pour l'attraper ; chance à part, il faut patience et longueur de temps pour attraper un brochet.

« Ah ça, c'est différent ! » dit Leibniz d'un air rêveur. « Je ne crois pas que je pourrais laisser tomber un collègue pêcheur dans le besoin. » Il me décocha un large sourire complice.

« Le brochet, hein ? »

Je fis oui de la tête.

« Et qu'est-ce que tu utilises ? Des vers de vase ou des boulettes d'appât ? »

« Les deux ! »

« Ah, je vois ! » Cette fois-ci, il n'eut pas un sourire. C'était vraiment du sérieux. Je l'observai en silence.

C'était une technique qui réussissait toujours à mettre Cassis mal à l'aise.

« Ne prenez pas nos provisions pour le marché », répétai-je. Le silence tomba de nouveau.

Puis, Leibniz acquiesça : « Je suppose que je pourrais toujours inventer quelque histoire », dit-il lentement. « Mais tu ne dois le dire à personne. Sans cela, j'aurais vraiment de gros ennuis. Est-ce que tu comprends ? »

À mon tour, j'acquiesçai. C'était juste ça. Après tout, il n'avait rien dit à propos de l'orange. Je crachai dans ma main pour sceller le marché. Il réprima un sourire et me serra la main d'un air parfaitement sérieux comme s'il s'agissait d'un accord entre deux adultes. Je m'attendais presque à ce qu'il me demandât quelque chose à son tour mais il n'en fit rien et cela me rendit heureuse. Leibniz ne ressemblait définitivement pas aux autres, pensai-je.

Je le regardai partir sans se retourner. Je l'observai flâner dans le chemin qui conduit à la ferme des Hourias. Il envoya d'une pichenette son mégot contre le mur de la grange. Les étincelles jaillirent rouges comme du sang et éclaboussèrent le grès terne de la pierre.

XV

Je ne dis rien à Cassis ni à Reinette de ce qui s'était passé. Leur parler de notre secret à Leibniz et à moi lui aurait enlevé toute sa valeur. Je le gardai rien que pour moi, ce secret, le tournant et le retournant dans ma tête comme un trésor dérobé. J'en ressentais un sentiment étrangement adulte de puissance.

À présent, je n'éprouvais que mépris pour les romans filmés de Cassis et le rouge à lèvres de Reinette. Ah ! Ils croyaient avoir été si malins. En fait, qu'avaient-ils vraiment fait ? Ils avaient agi comme des gosses qui mouchardent à l'école. Les Allemands les traitaient comme des enfants en leur offrant des babioles pour les soudoyer.

Leibniz n'avait pas essayé de m'acheter, moi. Il m'avait traitée en égale, avec respect.

La ferme des Hourias avait été sévèrement touchée. La production d'œufs de toute une semaine avait été réquisitionnée, la moitié du lait, deux quartiers entiers de porc salé, sept livres de beurre, un petit tonneau d'huile, vingt-quatre bouteilles de vin mal camouflées derrière une cloison dans la cave, plus un nombre important de terrines et de conserves. C'est Paul qui m'apprit cela. J'eus un petit pincement au cœur car c'était son oncle qui fournissait la plupart des provisions de leur famille. Je me promis de partager avec lui ma propre nourriture chaque fois que j'en aurais l'occasion. D'ailleurs, la saison ne faisait que commencer et Philippe Hourias ne tarderait pas à rattraper ses pertes. Moi, j'avais d'autres préoccupations en tête.

Le sachet contenant la peau d'orange était toujours caché là où je l'avais mis. Pas sous mon matelas, bien que Reinette, elle, continuât à s'entêter à cacher ses produits cosmétiques au même endroit qu'elle croyait être si secret. Non, je faisais preuve de bien plus d'imagination dans le choix de ma cachette. J'avais glissé le sachet dans un bocal en verre, fermé par un couvercle qui se vissait et que j'avais plongé dans un barillet d'anchois que ma mère gardait dans la cave. J'avais attaché une ficelle autour du rebord du bocal et je n'avais plus qu'à tirer dessus pour le retrouver. Il y avait peu de chances que Maman le découvrît car l'odeur puissante des anchois lui déplaisait. C'était moi d'habitude qu'elle envoyait en chercher quand elle en avait besoin.

J'étais sûre que cela marcherait encore une fois.

J'attendis jusqu'au mercredi soir. Cette fois je cachai le sachet dans le tiroir à cendres sous le fourneau, là où la chaleur ferait se répandre l'odeur le plus vite. En effet, Maman bientôt se frottait les tempes tout en travaillant au-dessus de la cuisinière. Elle m'appelait d'une voix cassante si je ne lui apportais pas au moment voulu la farine ou le bois ou grondait : « Et attention à ne pas ébrécher mes meilleures assiettes, petite sotte ! » Elle humait l'air avec cette expression désorientée d'animal en détresse. Je fermai la porte de la cuisine pour obtenir le maximum d'effet et, de nouveau, l'odeur d'orange envahit la pièce. Comme la fois précédente, je cachai le sachet dans son oreiller — les morceaux de peau d'orange étaient tout secs maintenant, racornis, noircis par la chaleur du fourneau. J'étais certaine, en cousant le sachet dans l'oreiller, sous la taie à rayures, que j'utilisais pour la dernière fois ce sachet de peau d'orange.

Le repas fut tout brûlé.

Personne n'osa le dire, bien sûr. Sous les doigts de ma mère, la dentelle noire de ses crêpes calcinées s'effritait. Elle se palpait les tempes si souvent que j'étais sûre que j'allais me mettre à crier. Elle ne demanda pas si nous avions apporté des oranges dans la maison et pourtant elle en avait envie, je le devinais. Elle était agitée de petits gestes nerveux, se caressant le visage puis réduisant en miettes les morceaux en poussant une furieuse exclamation de rage devant la moindre entorse au règlement de la maison.

« Reine-Claude ! Le pain, sur la planche à pain ! Je ne veux pas trouver de miettes sur le plancher que j'ai nettoyé. »

Elle parlait d'un ton revêche, exaspéré. Je me coupai une tranche de pain faisant exprès de retourner le pain à l'envers — partie plate en haut. Je ne sais pas pourquoi mais cela ne manquait pas de l'agacer, c'était comme l'habitude que j'avais d'entamer le pain par les deux bouts et d'en laisser le milieu.

« Framboise, veux-tu retourner ce pain-là. » Elle porta de nouveau la main à sa tête d'un mouvement furtif, comme pour vérifier qu'elle était toujours à sa place. « Combien de fois t'ai-je dit… » Et elle s'arrêta net, au beau milieu de sa question, la tête de côté, la bouche ouverte.

Elle resta ainsi une bonne trentaine de secondes, le regard perdu dans le vague, avec l'expression du mauvais

élève qui s'efforce désespérément de se souvenir du
théorème de Pythagore ou de la règle gouvernant l'ablatif
absolu. Ses yeux étaient du glauque vitreux de la glace en
hiver et si vides, si vides… Nous échangeâmes des regards
sans mot dire, puis, au fur et à mesure que passaient les
secondes, nous tournâmes les yeux vers elle. Alors, avec
un de ses gestes brusques qui indiquaient son irritation,
elle reprit vie et commença à desservir la table. Nous
n'étions pourtant qu'à la moitié du repas. Personne n'osa
le dire, non plus.

Comme je l'avais prédit, le lendemain, elle resta au lit
et nous retournâmes à Angers. Cette fois-ci, au lieu d'aller
au cinéma, nous traînâmes dans les rues. Cassis, fumant
ostensiblement une de ses cigarettes, s'installa à la terrasse
d'un café du centre : Le Chat Rouget. Reinette et moi
commandâmes un diabolo menthe et Cassis un pastis
qu'il changea en un panaché quand il rencontra le regard
hautain du garçon.

Reine, en buvant, prenait grand soin de ne pas faire
couler son rouge à lèvres. Elle paraissait agitée, tournant
tout le temps la tête comme une girouette, comme si elle
attendait quelque chose.

« Qui est-ce qu'on attend ? » demandai-je d'un ton
curieux. « Vos Allemands ? »

Cassis me lança un regard furieux. « T'as qu'à le crier
sur tous les toits, petite imbécile ! » jeta-t-il d'un ton brusque et il baissa la voix. « Nous les rencontrons quelquefois
ici », expliqua-t-il. « On peut passer des messages. Personne
ne fait attention. Nous échangeons des informations. »

« Quel genre d'informations ? »

Cassis eut une exclamation moqueuse. « N'importe
quoi », dit-il avec impatience. « Les gens qui ont des
radios, ceux qui font du marché noir, les trafiquants, la
Résistance. » Il mit un lourd accent sur son dernier mot et
baissa encore la voix.

« La Résistance », répétai-je.

Imaginez ce que cela voulait dire pour nous. Nous
étions des enfants. Nous avions notre code à nous. Le

monde des adultes était pour nous comme une lointaine
planète, habitée par des êtres étranges. Nous n'y compre-
nions pas grand-chose, et encore moins à ce qu'était la
Résistance, cette fabuleuse quasi-organisation. La littéra-
ture et la télévision en firent plus tard quelque chose de si
bien coordonné qui ne ressemble, hélas, en rien à mes
souvenirs. Ce dont je me souviens c'est d'un effort fou,
sans ordre et sans méthode, un effort de petits groupes, à
un moment où une rumeur en démentait une autre, où
les ivrognes dans les cafés tempêtaient contre le nouveau
régime, où des gens se cachaient chez leurs cousins à la
campagne hors d'atteinte des envahisseurs dont les effectifs étaient déjà éparpillés au-delà de tout bon sens dans
les villes. La Résistance — cette armée secrète, si réelle au
cœur des foules — était un mythe. Il y avait des groupes
multiples : les communistes, les humanistes, les socialistes,
ceux qui cherchaient une croix à porter, les crâneurs, les
ivrognes, les opportunistes et les vrais, les saints, oui, les
saints — le temps, hélas, a canonisé tout le monde ! —
mais une armée, à ce moment-là, sûrement pas, et encore
moins une armée secrète. Ma mère en parlait avec mépris.
D'après elle, nous y aurions tous gagné si les gens s'étaient
simplement tenus tranquilles.

Et pourtant, ce que Cassis avait murmuré me remplit
d'un respect mêlé de crainte. La Résistance. Cela évoquait
pour moi l'aventure, le drame romantique, les bandes
rivales se disputant le pouvoir, les équipées nocturnes, les
fusillades, les rendez-vous secrets, les trésors et les dangers
partagés. D'une certaine manière, cela n'était pas différent des jeux qui nous avaient occupés les années précé-
dentes, Reine, Cassis, Paul et moi — les fusils à patate, les
mots de passe, les rituels. Le jeu maintenant avait pris de
plus grandes proportions, les risques étaient plus gros,
c'était tout.

« Tu ne connais aucun résistant », dis-je d'un ton cynique, en ayant l'air de ne pas paraître impressionnée.

« Pas encore, peut-être », dit Cassis. « Mais on pourrait
en découvrir. On a déjà découvert beaucoup de choses. »

« Il n'y a rien à craindre », continua Reinette. « On ne parle pas des gens du village. On ne pourrait quand même pas dénoncer nos voisins ! »

Je fis signe pour indiquer que j'étais tout à fait d'accord. Ça ne serait pas juste.

« En tout cas, là, à Angers, c'est bien différent. Tout le monde le fait ! »

Je me mis à réfléchir. « Moi aussi, je pourrais découvrir des trucs. » Je faillis lui raconter ce que j'avais dit à Leibniz à propos de Mme Petit et de la soie de parachute mais je me ravisai.

Au lieu de cela, je posai la question que je brûlais de poser depuis que Cassis avait parlé de leurs arrangements avec les Allemands.

« Qu'est-ce qu'ils font quand vous leur dites des trucs ? Ils fusillent les gens ? Ils les envoient au front ? »

« Bien sûr que non. Ne sois pas si bête ! »

« Ben alors, quoi ? »

Mais Cassis ne m'écoutait plus. Ses yeux étaient fixés sur le kiosque à journaux près de l'église, où un garçon à cheveux noirs, qui avait à peu près son âge, nous regardait avec insistance. Il fit dans notre direction un geste d'impatience.

Cassis régla nos consommations et se leva. « Venez », dit-il.

Reinette et moi le suivîmes. Cassis semblait en bons termes avec l'autre garçon — je devinais qu'il l'avait rencontré au collège. J'entendis quelques mots à propos de devoirs de vacances et une sorte de reniflement suivi d'un rire nerveux, étouffé. Je le vis alors glisser un papier plié dans la main de Cassis.

« À bientôt ! » dit Cassis en s'éloignant d'un air dégagé.

Le papier était de Hauer.

Seuls Hauer et Leibniz parlaient couramment français, nous expliqua Cassis quand nous déchiffrâmes le message les uns après les autres. Les autres — Heinemann et Schwartz — ne connaissaient que quelques rudiments de français mais Leibniz, en particulier, aurait pu passer pour un Français, un gars d'Alsace-Lorraine peut-être qui aurait gardé les consonances gutturales du patois de sa région. D'une certaine manière, je devinai que c'était quelque chose qui plaisait à Cassis, comme si passer des informations à quelqu'un qui était presque français rendait la chose plus acceptable.

« *Rendez-vous à midi, au portail* », disait le bref message. « *J'ai quelque chose pour vous.* »

Reinette effleurait le papier du bout de ses doigts. Son visage était rouge d'agitation. « Quelle heure est-il maintenant ? » demanda-t-elle. « Allons-nous être en retard ? »

Cassis secoua la tête. « Pas avec les vélos », répondit-il voulant être laconique. « On va voir ce qu'ils ont pour nous. »

Alors que nous allions reprendre nos bicyclettes à l'endroit habituel dans la petite ruelle, je remarquai que Reinette sortait un poudrier de sa poche et vérifiait l'état de son maquillage. Elle fronça les sourcils, extirpa l'étui doré de rouge à lèvres de la poche de sa robe et refit la courbe écarlate de ses lèvres, puis elle sourit, refit une autre petite touche et sourit de nouveau. Elle referma son poudrier. Cela ne me surprit pas. À ma première visite à Angers, j'avais déjà compris qu'elle avait autre chose en tête que des après-midi au cinéma. Le soin avec lequel elle s'habillait, l'attention qu'elle portait à sa coiffure, le rouge à lèvres et le parfum, tout cela était pour plaire à quelqu'un. Pour dire la vérité, je m'en fichais un peu. J'avais l'habitude de Reine et de sa façon de se comporter. À douze ans, elle en paraissait seize. Les cheveux ondulés à la dernière mode, les lèvres maquillées, elle aurait pu être encore plus âgée. J'étais déjà consciente des regards qu'elle attirait dans le village. Paul Hourias en restait muet, intimidé, quand elle était là — même Jean-Benet Darius qui était un vieux de presque quarante ans et Auguste Ramondin ou Raphaël du café. Les hommes la regardaient, je savais ça, et elle le savait bien. Depuis le premier jour où elle était allée au collège, elle avait raconté un tas d'histoires à propos des garçons qu'elle y rencontrait. Une semaine, c'était peut-être Justin qui avait de si beaux yeux, ou Raymond qui faisait rigoler toute la classe, ou Pierre-André qui jouait aux échecs ou Guillaume dont les parents étaient descendus en province de Paris l'année dernière. Je pouvais même, en y repensant bien, dire quand elle avait cessé de nous raconter ces histoires-là. Ce devait être à peu près au moment où la garnison allemande s'était installée. J'eus un mouvement d'indifférence réprimée. Il y avait sûrement là quelque mystère, pensai-je, mais les secrets de Reinette ne m'intéressaient que rarement.

Hauer était de service au portail. Je le voyais mieux en plein jour — c'était un Allemand aux larges traits dont le visage était pratiquement sans expression. Il murmura à voix basse, en parlant du coin de la bouche : « Vers l'amont, dans dix minutes » puis il nous chassa d'un geste d'impatience feinte comme s'il voulait se débarrasser de nous. Nous enfourchâmes nos bicyclettes sans lui accorder un regard de plus, même Reinette, ce qui me fit penser que Hauer ne pouvait pas être celui dont elle était amoureuse.

Plus de dix minutes après, nous aperçûmes Leibniz. D'abord, je crus qu'il était en civil mais je me rendis compte qu'il avait tout simplement ôté la jaquette de son uniforme et ses bottes et qu'il était assis sur le parapet, les pieds pendant au-dessus de l'eau brune et sournoise de la rivière au courant rapide. Il nous accueillit avec un geste amical de la main et nous invita d'un signe à le rejoindre. Nous dissimulâmes les bicyclettes au bas du talus de la berge de façon à ce que, de la route, elles fussent invisibles, puis nous allâmes nous asseoir à côté de lui. Il paraissait plus jeune que dans mon souvenir, peut-être aussi jeune que Cassis lui-même, et pourtant il évoluait avec un air de désinvolture assurée que mon frère n'aurait jamais pu avoir, même s'il avait vraiment fait des efforts pour cela.

Cassis et Reinette le contemplaient sans rien dire comme des enfants au zoo devant quelque dangereux fauve. Reinette avait le visage écarlate. Leibniz, lui, ne semblait pas gêné du tout par cette inspection, il alluma une cigarette et se mit à sourire.

« La veuve Petit », dit-il enfin, la bouche pleine de fumée. « C'était très bien. » Il eut un petit gloussement amusé. « De la soie de parachute et mille autres choses ; c'était vraiment du marché noir à grande échelle. »

Il me fit un clin d'œil. « Bon travail, *Backfisch.* »

Les deux autres me regardèrent béats. Je ne répondis rien, tiraillée entre le plaisir que me donnaient ses paroles d'approbation et une vague inquiétude.

« J'ai eu de la chance cette semaine », continua Leibniz du même ton. « Du chewing-gum, du chocolat et... » Il fouilla dans sa poche et en sortit un petit paquet. « Ceci ! »

Le paquet se révéla contenir un mouchoir bordé de dentelle qu'il remit à Reinette. Ma sœur devint écarlate de plaisir.

Alors, il se tourna vers moi. « Et toi, *Backfisch*, qu'est-ce que tu veux ? » Il sourit : « Du rouge à lèvres ? De la pommade ? Des bas de soie ? Non, ces choses-là sont plutôt du genre de ta sœur ! Une poupée ? Un ours en peluche ? » Maintenant, il me taquinait gentiment et ses yeux s'emplissaient d'éclairs argentés.

C'était le moment d'avouer que l'histoire de Mme Petit n'avait été qu'une imprudence de ma part, un moment de distraction, mais Cassis me dévisageait toujours avec cette expression de stupéfaction et Leibniz continuait à sourire, alors, soudain une lueur se fit dans mon esprit, je savais.

Sans hésiter, je laissai tomber : « Du matériel de pêche. Du vrai ! » Je m'interrompis et, fixant sur lui un regard insolent, j'ajoutai : « Et une orange ! »

XVI

Nous le rencontrâmes une autre fois, la semaine suivante, au même endroit. Cassis lui fit part d'une rumeur à propos du Chat Rouget, d'une soirée de jeu après le couvre-feu et du curé Traquet qu'il avait entendu dire quelques paroles devant la porte du cimetière à propos d'une cachette secrète où étaient des ornements d'argent qui appartenaient à l'église.

Mais Leibniz semblait préoccupé.

« J'ai dû me débrouiller pour ne pas attirer l'attention des autres », me dit-il. « Ils n'auraient peut-être pas apprécié que ce soit à toi que je le donne. » De dessous sa jaquette d'uniforme négligemment étalée sur la berge, il tira un sac de toile verte étroit et long de quatre pieds environ qui fit un petit bruit comme si quelque chose ballottait à l'intérieur quand il le poussa dans ma direction. « C'est pour toi », dit-il et, comme j'hésitai, il ajouta : « Allez, vas-y ! »

C'était une canne à pêche. Pas une neuve, mais je voyais bien que c'était une belle canne, en bambou sombre, presque noirci par l'âge, avec un moulinet de métal étincelant qui tourna sous mes doigts avec la précision d'un roulement à billes. De surprise, je poussai un long soupir lent.

« C'est... à moi ? » m'assurai-je, n'osant pas tout à fait y croire.

Leibniz se mit à rire et son rire éclata franc et heureux. « Bien sûr », dit-il. « Entre pêcheurs, on doit bien s'aider, n'est-ce pas ? »

Mes doigts couraient le long de la canne, j'avais une envie folle de l'essayer. Le moulinet était frais sous ma main, légèrement huileux comme si on l'avait soigneusement rangé dans de la graisse.

« Mais tu devras y faire bien attention, hein *Backfisch* ? » me dit-il. « Il ne s'agit pas d'en parler à tes parents ni à tes copains. Tu sais garder un secret, n'est-ce pas ? »

Avec un signe de tête, je répondis : « Bien sûr ! »

Il sourit. Ses yeux d'ardoise grise brillaient comme de l'eau claire : « Vas-y, attrape ce brochet dont tu m'as parlé, hein ? »

Je fis oui de la tête encore une fois et il recommença à rire. « Crois-moi, avec une canne comme ça, tu pourrais attraper un sous-marin ! »

Je le regardai d'un air perplexe pendant un moment pour voir exactement jusqu'où allait sa taquinerie. Je l'amusais, c'était évident, mais c'était une gentille moquerie, décidai-je, et il avait tenu sa part du marché. Une chose seulement continuait à m'inquiéter.

« Mme Petit », commençai-je d'une voix hésitante. « Rien de très mal ne va lui arriver, n'est-ce pas ? »

Leibniz tira une bouffée de sa cigarette puis, d'une pichenette, il envoya le mégot dans la rivière.

« Je ne le pense pas », répondit-il d'un ton insouciant. « Pas si elle fait attention à ce qu'elle raconte. » Et soudain, il tourna vers moi un regard direct qui s'adressait aussi à Cassis et Reinette. « Et vous, tous les trois, vous gardez votre langue, d'accord ? »

Nous fîmes oui de la tête.

« Oh. Encore une chose pour vous. » Il prit quelque chose dans sa poche. « Vous allez devoir la partager, hélas. Je n'ai pu en avoir qu'une. » Et il nous tendit une orange.

Vous voyez, il était charmant. Nous étions tous fascinés par lui, Cassis peut-être moins que Reine et moi, parce qu'il était le plus âgé et qu'il avait plus conscience des risques que nous courions. Reinette était toute rose d'émotion et tout intimidée, et moi… oui, d'accord, j'étais sans doute celle qui était le plus tombée sous son charme. Cela commença lorsqu'il me donna la canne à pêche mais il y avait aussi des tas d'autres choses : son accent, ses manières nonchalantes, son air désinvolte mais son rire surtout. Oh ! il savait charmer, ça c'est sûr. Pas à la façon de Yannick, le fils de Cassis, avec sa vulgarité et ses yeux de fouine. Non, Tomas Leibniz avait un charme naturel auquel était même sensible une petite fille solitaire dont la tête était truffée de stupidités.

Je n'aurais pu mettre le doigt sur rien de précis pour expliquer ça. Reine aurait pu dire que c'était la manière dont il vous regardait sans rien dire, ou la façon dont changeait la couleur de ses yeux, parfois d'un vert olive parfois d'un brun saur comme la rivière, ou sa démarche, la casquette rejetée en arrière et les mains dans les poches comme un collégien qui fait l'école buissonnière. Cassis aurait pu dire que c'était sa témérité, cette hardiesse avec laquelle il traversait la Loire à la nage dans sa plus grande largeur, ou l'intrépidité avec laquelle il se pendait par les pieds au Poste de Guet comme s'il avait été un gamin de quatorze ans avec un mépris total du danger. Il savait tout des Laveuses avant même d'y avoir mis le pied. Il venait de la Forêt-Noire. C'était un garçon de la campagne. C'était un puits d'anecdotes à propos de sa famille, de ses sœurs, de ses frères et de ses plans d'avenir. Il faisait toujours des plans. Certains jours, il me semblait que chacune de ses tirades commençait par les mêmes mots : « quand je serai riche et que la guerre sera finie... ». C'étaient des plans à n'en plus finir. C'était le premier adulte que nous ayons rencontré qui eût encore la façon de penser d'un enfant, qui fît des plans comme un enfant. C'est peut-être, en fin de compte, ce qui en lui nous attirait tant. Il était des nôtres, voilà tout. Il obéissait au même code de lois que nous. Depuis le début de la guerre, il avait tué un Anglais et deux Français. Il n'essaya pas de nous le cacher mais, à la façon dont il nous raconta les circonstances, on aurait pu jurer qu'il n'avait pas eu de choix. Plus tard, je réfléchis que l'un d'eux aurait pu être notre père. Même cela, je le lui aurais pardonné. Je lui aurais pardonné n'importe quoi !

Bien sûr, au commencement, j'étais sur mes gardes. Nous le rencontrâmes encore trois fois, deux fois seuls à la rivière et, une fois, au cinéma avec les autres — Hauer, Heinemann, le type trapu aux cheveux roux, et Schwartz, le gros soldat indolent. Deux fois, nous lui envoyâmes des messages en nous servant du garçon du kiosque à journaux et deux fois nous reçûmes des cigarettes, des magazines, des livres, du chocolat et des bas nylon pour Reinette. Les gens se méfient moins des enfants d'habitude. Ils font moins attention à ce qu'ils disent en leur présence. Nous glanions ainsi plus d'informations que vous ne pourriez l'imaginer et nous les passions toutes à Hauer, Heinemann, Schwartz et Leibniz. Les autres soldats ne nous adressaient guère la parole. Schwartz, qui parlait très peu français, lorgnait quelquefois Reinette d'un air polisson et lui murmurait des choses à l'oreille en un allemand guttural et grasseyant. Hauer était raide et gauche. Heinemann était incapable de rester en place et avait l'habitude de gratter constamment les poils roux qui semblaient envahir son visage. Les autres me rendaient mal à l'aise...

Mais pas Tomas. Lui, faisait partie de notre groupe. Il savait nous mettre en confiance comme personne d'autre. Ce n'était pas quelque chose d'aussi évident que l'indifférence de notre mère, la disparition de notre père, le manque de camarades de jeux, ni les privations de la guerre qui en étaient responsables. Nous n'étions qu'à peine conscients de ces choses-là nous-mêmes, tellement nous étions perdus dans le petit monde sauvage de notre imagination. Réaliser à quel point nous avions désespérément besoin de Tomas nous prit sûrement par surprise. Ce n'était pas le besoin de ce qu'il nous apportait : le chocolat, le chewing-gum, les produits de maquillage et les magazines. C'était le besoin d'un copain à qui nous puissions raconter nos exploits, quelqu'un que nous puissions impressionner, un complice qui eût à la fois la passion de la jeunesse et la sophistication de l'expérience, un raconteur de si belles histoires que Cassis lui-même pouvait en rêver. Cela n'arriva pas du jour au lendemain, bien sûr. Comme le disait Maman, nous étions de jeunes fauves et il lui fallut nous apprivoiser. Il avait dû comprendre cela dès le départ à la façon dont il nous charma l'un après l'autre avec adresse, faisant de sorte que chacun de nous se crût spécial. Même maintenant,

Grand Dieu, je peux presque encore le croire. Oui, maintenant encore.

Je mis la canne à pêche dans le coffre à trésor, à l'abri
des regards. Je devais être prudente quand je m'en servais
car, aux Laveuses, les gens avaient l'habitude de fourrer le
nez dans les affaires des autres si vous n'y faisiez pas attention. Il n'aurait pas fallu plus d'une remarque inconsidé-
rée pour éveiller les soupçons de ma mère. Paul était au
courant, bien sûr, mais je lui avais expliqué que la canne à
pêche avait appartenu à mon père. D'ailleurs, bégayant
comme il le faisait, ce n'est pas lui qui allait bavarder. En
tout cas, si jamais il avait eu des soupçons, il les avait
gardés pour lui et je lui en étais reconnaissante.

La température monta en juillet et les choses se gâtè-
rent. Tous les deux jours, le temps s'orageait. Le ciel troublé roulait furieux des nuages d'un gris violacé au-dessus
de la rivière. À la fin du mois, la Loire déborda, emportant tous mes filets et toutes mes nasses, elle envahit les
champs de maïs des Hourias au moment où les épis vert-
jaune avaient encore besoin de trois semaines avant d'être
prêts. Il plut toutes les nuits, ce mois-là.

Des éclairs en nappe tombaient du ciel et se
déroulaient en crépitant comme des feuilles de papier
d'argent. Reinette poussait des hurlements et se cachait
sous son lit. Nous nous tenions, Cassis et moi, devant la
fenêtre ouverte, les mâchoires écartées pour voir si nous
pouvions capter des signaux radio avec nos dents. Maman
souffrait plus que jamais de migraines. Je n'avais pourtant
utilisé le sachet de peau d'orange — renforcé par la peau
de l'orange que Tomas nous avait donnée — que deux
fois ce mois-là. Les autres fois, c'était sa maladie à elle.
Elle se réveillait souvent, ayant passé une mauvaise nuit, la
bouche douloureuse et n'ayant pas à dire la moindre gentillesse. Ces jours-là, je soupirais en pensant à Tomas
comme un être humain, en période de famine, rêve de
nourriture. Les autres aussi, je crois, pensaient à lui.

La pluie ravagea nos fruits aussi. Les pommes, les
poires et les prunes grossirent anormalement puis éclatè-

rent et pourrirent sur l'arbre — les guêpes s'introdui-
saient entre les lèvres de ces plaies purulentes et leur
bourdonnement lourd emplissait le verger —, les arbres
en étaient bruns. Ma mère se débrouillait comme elle le
pouvait. Elle couvrit de bâches certains de ses arbres favoris mais sans grand résultat. La croûte dure et blanche
dont le soleil de juin avait recouvert le sol s'était liquéfiée
sous les pas. Le pied des arbres était entouré de flaques
d'eau et les racines à fleur de terre pourrissaient. Maman
éleva des remparts de terre et de sciure de bois autour des
arbres pour les protéger de l'humidité néfaste mais en
vain. Les fruits tombèrent et se transformèrent en une
boue liquide vaguement sucrée. Nous en récupérâmes un
peu et nous en confectionnâmes des confitures de fruits
verts. Nous savions tous que la récolte était fichue avant
même qu'elle n'ait eu le temps de mûrir. Maman cessa
complètement de nous parler. Sa bouche entrouverte
s'étirait comme une fine balafre blanche, ses yeux se creu-
saient. Le tic nerveux qui annonçait ses migraines l'agitait
presque continuellement et la réserve de pilules dans le
bocal du cabinet de toilette baissait plus rapidement que
jamais.

Les jours de marché surtout étaient silencieux et sans
joie. Nous vendions ce que nous pouvions — les récoltes
étaient mauvaises partout, pas un fermier le long de la
Loire n'avait été épargné — mais les haricots, les pommes
de terre, les carottes, les pâtissons et même les tomates
avaient tous souffert de la chaleur et de l'humidité. Nous
n'avions pas grand-chose à vendre. Alors, nous com-
mençâmes à vendre nos provisions d'hiver, les conserves,
les saucissons, les terrines et les confits que Maman avait
faits la dernière fois qu'on avait tué le cochon. Elle était
tellement proche du désespoir qu'elle vendait chaque
article comme s'il avait été le dernier qu'elle pût vendre.
Certains jours, son regard était si sombre et si maussade
que les clients tournaient les talons et fuyaient plutôt que
de lui acheter quelque chose. Et moi, j'étais là, au supplice, gênée pour elle, pour nous tous, pendant qu'elle

restait inconsciente de la situation, le visage revêche, un doigt à sa tempe comme si elle allait y décharger un pistolet.

Nous arrivâmes une fois au marché pour découvrir que l'on avait mis des planches aux fenêtres de Mme Petit. M. Loup, le mareyeur, me confia qu'un jour elle avait simplement fait ses malles et avait disparu, sans donner d'explications et sans laisser d'adresse.

« C'était les Allemands ? » demandai-je avec une certaine gêne. « Je veux dire... parce qu'elle était juive et tout ça ? »

M. Loup me jeta un regard étrange. « Je ne sais rien de ça, moi », dit-il. « Je sais seulement qu'elle a pris ses cliques et ses claques et qu'elle est partie. Je n'ai jamais rien entendu dire d'autre et si, toi, tu as le moindre grain de bon sens, tu n'iras pas en parler non plus. » Il avait l'air si froid et si plein de désapprobation que je m'excusai, confuse, et me retirai en oubliant presque le paquet de morceaux de poisson qu'il m'avait donné.

Mon soulagement en apprenant que Mme Petit n'avait pas été arrêtée était coloré d'un étrange sentiment de regret. Je pensai à la chose pendant un moment, puis je commençai à me renseigner discrètement à Angers et dans le village à propos des gens sur lesquels nous avions donné des informations : Mme Petit, M. Toupet (ou Toubon), le prof de latin, le coiffeur pour hommes, en face du Chat Rouget, qui recevait tant de colis, les deux hommes que nous avions entendus discuter devant le Palais Doré, un jeudi, après la séance de cinéma. De façon étrange, l'idée que nous avions peut-être passé des informations sans aucune valeur — que cela avait fait rire ou rempli de mépris Tomas et les autres — me torturait plus que la possibilité d'avoir fait du mal aux gens que nous avions dénoncés.

Je pense que Cassis et Reinette connaissaient déjà la vérité mais le monde d'une enfant de neuf ans est bien différent de celui d'enfants de douze ou treize ans. Petit à petit, je compris que pas une seule personne que nous avions dénoncée n'avait été arrêtée, ni même interrogée et que pas un seul endroit dont nous avions parlé n'avait été perquisitionné par les Allemands. La mystérieuse disparition de M. Toubon, elle-même, s'expliquait facilement.

« Oh ! il a dû aller à Rennes pour le mariage de sa fille ! » confia M. Doux, d'un ton dégagé. « Il n'y a pas de mystère à cela, ma petite chatte. Je lui ai livré l'invitation moi-même ! »

Pendant presque un mois, cela me préoccupa. Le manque de certitude me donnait des lourdeurs de tête comme si mon crâne eût été un tonneau plein de guêpes toutes bourdonnantes. J'y pensais quand j'étais à la pêche ou que je posais des nasses, j'y pensais quand je jouais aux bandits ou que je creusais des cachettes dans les bois. Je maigrissais. Ma mère me regardait d'un air critique et concluait que je grandissais si vite que mon état général en souffrait. Elle me conduisit chez le docteur Lemaître qui recommanda que je prenne un verre de vin rouge par jour, mais cela ne fit aucune différence. Je commençai à croire que je me faisais suivre, que les gens parlaient de moi en mon absence. Je perdis l'appétit. Je croyais que, d'une façon ou d'une autre, Tomas et les autres étaient peut-être des membres secrets de la Résistance et qu'ils s'apprêtaient à m'éliminer. Je finis par parler de tout cela à Cassis.

Nous étions tous les deux au Poste de Guet. Il avait plu encore une fois et Reinette, qui avait un rhume, était restée à la maison. Je n'avais pas l'intention de tout lui raconter mais, après les premiers mots, le reste coula de mes lèvres comme les grains de blé s'échappent d'un sac percé. Il m'était impossible de m'arrêter. D'une main je tenais le sac vert qui contenait ma canne à pêche et, d'un geste rageur, je le lançai loin de l'arbre, dans les buissons, où il s'accrocha dans un enchevêtrement de ronces.

« Nous ne sommes pas des bébés », hurlai-je. « Ils ne croient pas les choses qu'on leur dit ? Pourquoi Tomas m'a-t-il donné ça, alors ? » D'un geste passionné, j'indiquai le sac à pêche tout là-bas. « Pourquoi, si je ne l'ai pas mérité ? »

Cassis me regarda d'un air stupéfait. « On dirait que tu voudrais que quelqu'un soit fusillé », dit-il d'un air mal à l'aise.

« Bien sûr que non. » Ma voix était maussade. « Je pensais seulement que... »

« Tu n'as jamais pensé à rien. » C'était le ton du frère aîné, de Cassis, le supérieur, l'impatient, le ton d'un certain mépris. « Tu crois réellement que nous voudrions les aider à faire emprisonner ou à fusiller les gens ? C'est ça que tu pensais que nous faisions ? » Il avait l'air indigné mais je savais qu'au fond, il était flatté.

C'est exactement ce que je pense, commentai-je en moi-même. Si cela t'arrangeait, Cassis, je suis sûre que c'est précisément ce que tu ferais, toi. J'eus un haussement d'épaules.

« Tu es si naïve, Framboise », dit mon frère d'un air hautain. « Tu es bien trop jeune pour être mêlée à quelque chose comme ça. »

C'est alors que je réalisai que, même lui, au début n'avait pas compris. Il était plus malin que moi peut-être mais, quand cela avait commencé, il ne savait pas non plus. Le premier jour, au cinéma, aigri de sueur et d'agitation, il avait vraiment eu peur. Et ensuite, pendant qu'il parlait à Tomas, j'avais lu la peur dans ses yeux. Oui, plus tard, seulement plus tard, il avait été conscient de la vérité.

Cassis fit un geste d'impatience et détourna les yeux. « *Du chantage* », me cria-t-il au visage en me regardant fixement. « Alors, tu ne comprends pas ? C'est tout ce que c'est. Tu penses vraiment qu'ils ont la vie facile eux, là-bas, en Allemagne ? Tu penses vraiment qu'ils sont plus à l'aise que nous ? Que *leurs* enfants ont des souliers, ou du chocolat ou n'importe quelle autre chose comme ça ? Ne penses-tu pas qu'*eux* aussi puissent quelquefois en vouloir ? »

Je le regardai, bouche bée.

« Tu n'as jamais pensé à rien ! » Je savais que ce qui le rendait furieux n'était pas ma propre naïveté, mais la sienne. « Et c'est la même chose ici, idiote ! » cria-t-il. « Ils se procurent des trucs pour les envoyer chez eux. Ils doivent obtenir des renseignements sur les gens, et puis ils les font chanter. Tu sais ce qu'il a dit de Mme Petit : " *C'était vraiment du marché noir à grande échelle.* " Tu crois vraiment qu'on l'aurait laissée partir s'il en avait parlé à quelqu'un. » Il haletait maintenant, au bord de l'hilarité. « Jamais de la vie ! N'as-tu jamais entendu dire ce qu'ils font aux juifs à Paris ? N'as-tu jamais entendu parler des camps de la mort ? »

Je haussai les épaules, consciente de ma stupidité. Bien sûr, j'avais *entendu* parler de ces choses-là mais, aux Laveuses, les choses n'étaient pas du tout comme ça. Nous étions tous conscients des rumeurs, évidemment, mais, dans mon esprit de gosse, elles s'étaient en quelque sorte emmêlées avec le Rayon de la Mort de *La Guerre des mondes*. Dans ma tête d'enfant, Hitler s'était embrouillé avec les films de Charlie Chaplin des magazines que lisait Reinette, où réalité et folklore étaient mélangés, où rumeurs, fiction et reportages d'actualités fusionnaient en un roman-feuilleton, où les guerriers étoilés de la planète Mars faisaient de nuit la traversée du Rhin, fusil à l'épaule, dans un étonnant cocktail de héros de western et de poteaux d'exécution, de sous-marins et de *Nautilus* sillonnant l'océan à vingt mille lieues au-dessous de la surface.

« Du chantage », répétai-je, sans tout à fait comprendre.

« Du commerce », corrigea Cassis d'une voix sèche. « Tu penses qu'il est juste que certains aient du chocolat, du café, des chaussures, des magazines et des livres alors que d'autres doivent s'en passer ? Ne crois-tu pas qu'ils devraient acheter leurs privilèges ? Partager un peu avec les autres ? Et les hypocrites comme M. Toubon, et les menteurs ? Ne crois-tu pas qu'ils devraient payer aussi ? Ce n'est pas comme s'ils ne pouvaient pas se le permettre ! Ce n'est pas comme si quelqu'un allait en souffrir. »

On aurait cru entendre parler Tomas. Ignorer ce qu'il me disait devenait très difficile. J'acquiesçai en silence.

« À mon avis », Cassis en parut soulagé, « ce n'est même pas du vol », continua-t-il, d'un ton de convoitise. « Ces articles qui viennent du marché noir appartiennent à tout le monde. Je m'arrange seulement pour que chacun en ait sa part. »

« Comme Robin des Bois ! »

« Exactement ! »

Je fis un signe de tête d'approbation. Expliqué ainsi, c'était parfaitement honnête et raisonnable.

Satisfaite de ce que j'avais entendu, je descendis chercher mon sac à pêche et le retirai des broussailles et des ronces où il était tombé. J'étais heureuse d'avoir l'assurance qu'après tout, je l'avais vraiment mérité.

LE SNACK-BAR

I

Cinq mois peut-être s'étaient écoulés depuis la mort de Cassis — quatre ans après l'affaire de Mamie Framboise — quand Yannick et Laure revinrent aux Laveuses. C'était l'été et Pistache, ma fille, était chez moi avec ses deux enfants, Prune et Ricot. Jusqu'à ce moment-là, nous avions été heureux. Les enfants grandissaient vite et étaient gentils, ils ressemblaient à leur mère pour ça. Prune avait les yeux couleur de chocolat et les cheveux bouclés. Ricot était un grand garçon aux joues douces comme du velours. Tous les deux sont si heureux de vivre et si espiègles que les revoir me fait presque fondre le cœur. Cela me rappelle autrefois. Je suis sûre que, chaque fois qu'ils viennent, je rajeunis de quarante ans. Cet été-là, je leur avais appris à pêcher, à appâter des nasses, à faire des macarons au caramel et des confitures de figues vertes. On relut *Robinson Crusoé* et *Vingt mille lieues sous les mers,* Ricot et moi. Je racontai à Prune des histoires à dormir debout à propos de poissons que j'avais pris et ensemble on frissonnait de peur en évoquant Génitrix et le sort terrible qu'il pouvait nous jeter.

On racontait que si vous l'attrapiez et le relâchiez, il vous donnerait ce que vous souhaitiez le plus, mais que si vous l'aperceviez, même du coin de l'œil, et que vous ne l'attrapiez pas, quelque chose d'épouvantable vous arriverait.

Prune me contemplait de ses grands yeux de velours sombre, le pouce dans la bouche pour se rassurer.

« Quelle sorte de chose épouvantable ? » murmura-t-elle, avec un désir mêlé d'appréhension.

J'essayai de prendre une voix caverneuse et menaçante. « Tu mourrais, ma chérie », lui dis-je, à voix basse. « Ou bien, ce serait quelqu'un d'autre, quelqu'un que tu aimerais, ou bien quelque chose d'encore plus horrible t'arriverait. De toute façon, même si tu survivais, la malédiction de Génitrix te poursuivrait jusqu'au tombeau. »

Pistache me jeta un regard de réprimande. « Maman, qu'est-ce que tu as à lui raconter de telles histoires ? » me demanda-t-elle d'un ton de reproche. « Tu veux qu'elle fasse des cauchemars et qu'elle mouille son lit ? »

« Mais je ne mouille pas mon lit, moi ! » protesta Prune. Elle me regardait d'un air plein d'attente et me tirait la main. « Mémée, as-tu jamais vu Génitrix, dis, l'as-tu vu ? »

J'eus une soudaine sensation de froid. J'aurais voulu lui avoir raconté une autre histoire. Pistache me jeta un regard impérieux et s'approcha comme pour m'enlever Prune des genoux.

« Prunette, il est temps que tu laisses Mémée tranquille à présent. Il est presque l'heure d'aller au lit et tu ne t'es même pas brossé les dents ni… »

« Mémée, dis-moi, s'il te plaît, tu l'as vu, toi ? »

Je serrai ma petite-fille dans mes bras et la sensation de froid disparut un peu. « Ma chérie, j'ai passé tout un été à essayer de l'attraper. Tout ce temps-là, j'ai essayé la ligne, les filets, les casiers et les nasses. Je les posais tous les jours, je les vérifiais deux fois par jour, quelquefois plus, si c'était possible. »

Prune me regarda d'un air solennel. « Tu devais vraiment vouloir que ton vœu se réalise, hein ? »

Je fis oui de la tête : « Sans doute ! »

« Et tu l'as attrapé ? »

Son visage vibrait de lumière. Je redécouvrais sur elle une odeur d'herbe fraîchement fauchée et de biscuit, cette merveilleuse odeur pénétrante, le parfum de la jeunesse. Les gens âgés ont besoin de la présence des petits pour se souvenir, vous savez.

Je souris. « Oui, je l'ai attrapé. »

Ses yeux s'écarquillèrent de plaisir. Elle baissa la voix et me demanda dans un chuchotement : « Et ton vœu, qu'est-ce que c'était ? »

« Je n'ai pas fait de vœu, ma chérie », lui dis-je calmement.

« Il s'est échappé, alors. C'est ça ? »

Je fis non de la tête. « Non, je l'ai vraiment attrapé. »

Pistache me regardait à présent, le visage à demi caché dans l'ombre. Prune posa sur ma figure ses petites mains potelées et demanda avec impatience : « Quoi, alors ? »

Je la regardai un instant et murmurai : « Je ne l'ai pas rejeté à l'eau. J'ai bien fini par l'attraper mais je ne lui ai pas redonné sa liberté. »

Ce n'était pas tout à fait comme ça que cela s'était passé, pensai-je alors — pas tout à fait, enfin. Alors, j'embrassai ma petite-fille et lui promis de lui raconter le reste plus tard, lui disant que je ne savais pas pourquoi je lui racontais toutes ces vieilles histoires de pêche, de toute façon, et, malgré ses protestations, à force de cajoleries et de clowneries, nous réussîmes enfin à la mettre au lit. J'y repensai beaucoup cette nuit-là, longtemps après que les autres se furent couchés.

Je n'avais jamais eu beaucoup de mal à m'endormir mais, ce soir-là, il me sembla que des heures passèrent avant que je ne puisse trouver le repos et, même alors, je rêvai de Génitrix, là-bas, au fond de l'onde noire et de moi qui tirais, tirais comme si ni l'un ni l'autre ne pouvions supporter l'idée de lâcher le bout de la corde, d'abandonner la lutte.

Enfin, ce fut peu de temps après cela que Yannick et Laure arrivèrent. Ils vinrent d'abord au restaurant, presque humblement, comme des clients ordinaires. Ils choisirent le Brochet angevin et le Tourteau au fromage. Je les observai en secret, de mon poste dans la cuisine, mais ils se tinrent parfaitement bien et ne causèrent aucun ennui.

Ils se parlèrent à mi-voix, n'eurent pas d'exigences déraisonnables dans leur choix de vin et, pour une fois, ils s'abstinrent de m'appeler Mamie. Laure fut charmante, Yannick, jovial. Tous deux voulaient visiblement plaire et qu'on leur plût. Je remarquai avec un certain soulagement qu'ils ne se caressaient plus, ni ne s'embrassaient plus si souvent en public. Je me laissai même aller jusqu'à bavarder avec eux un moment pendant qu'ils prenaient le café avec des petits fours.

Laure avait vieilli en trois ans. Elle avait maigri — c'était peut-être la mode, mais cela ne lui allait pas du tout. Ses cheveux courts lui faisaient une sorte de casque de cuivre parfaitement lisse. Elle semblait nerveuse aussi, et elle se frottait constamment le ventre, comme si elle avait mal. Yannick, lui, pour ce que j'en voyais, n'avait pas changé du tout.

Le restaurant tournait bien, déclara-t-il d'un ton enjoué. Ils avaient des sous en banque. Ils projetaient, pour le printemps, une croisière aux Lucayes. Ils n'avaient pas pris de vacances depuis des années. Ils parlèrent de Cassis avec affection et, il me semble, avec un regret sincère.

Je me dis que je les avais jugés trop sévèrement.

J'avais tort.

Plus tard, la même semaine, ils passèrent à la ferme, à l'heure où Pistache s'apprêtait à coucher les enfants. Ils avaient apporté des cadeaux pour tout le monde — des bonbons pour Prune et Ricot, des fleurs pour Pistache. Ma fille les regardait avec cet air gentil et distrait à la fois que je sais être chez elle signe d'aversion mais qu'ils prirent sans doute pour un peu de simplicité. Laure regardait les enfants avec une insistance étrange qui finit par me troubler, elle jetait sans cesse des coups d'œil dans la direction de Prune qui était en train de jouer sur le plancher avec des pommes de pin. Yannick s'installa dans un fauteuil, au coin du feu. J'étais tout à fait consciente de la présence de Pistache, assise silencieuse, tout près et je souhaitais vivement le départ rapide de ces visiteurs que l'on n'avait pas invités. Pourtant, ni l'un ni l'autre ne montraient aucune intention de partir.

« Le repas était merveilleux ! » dit Yannick d'un ton négligent, « le *brochet*, je ne sais pas comment tu l'as préparé, mais il était simplement délicieux. »

« C'est à cause des produits d'égout », répondis-je d'une voix aimable. « On en déverse tant dans la rivière de nos jours que le poisson ne se nourrit pratiquement que de ça. C'est le caviar de la rivière. Et très riche en minéraux avec ça. »

Laure me regarda, ne sachant que penser. Yannick se mit alors à rire de son petit rire goguenard : « *Hé, hé, hé* », et elle l'imita.

« Mamie aime bien taquiner. *Hé, hé*, le caviar de la rivière. Tu as l'art de la plaisanterie, ma chère. »

Je remarquai pourtant qu'après ça ils ne choisirent jamais plus le brochet !

Après un moment, ils se mirent à parler de Cassis. D'abord ce furent des remarques anodines — « Oh, comme Papa aurait aimé voir sa nièce et ses enfants !... »

« Il disait toujours à quel point il nous souhaitait d'avoir des enfants », dit Yannick. « Mais au point où en était la carrière de Laure... »

Laure lui coupa la parole. « J'ai encore bien le temps pour tout ça », jeta-t-elle d'une voix presque dure. « Je ne suis pas encore trop vieille, n'est-ce pas ? »

Je fis non de la tête : « Bien sûr que non ! »

« Et bien entendu, à ce moment-là, on avait des frais supplémentaires occasionnés par les soins nécessaires à Papa auxquels penser. Il ne lui restait pratiquement aucun argent, Mamie », dit Yannick, en croquant un de mes sablés. « Tout ce qui lui appartenait, c'est nous qui l'avons payé, même sa maison. »

Je n'eus aucun mal à croire cela. Cassis n'avait jamais été du genre à mettre de l'argent de côté. Ça lui filait entre les doigts en cigarettes et, le plus souvent, en nourriture. À Paris, Cassis était toujours le meilleur client de son propre restaurant.

« Bien sûr, l'idée ne nous viendrait pas de lui en vouloir. » La voix de Laure s'était adoucie. « Nous étions très attachés à notre pauvre Papa, n'est-ce pas, chéri ? »

Yannick hocha la tête avec plus d'emphase que de sincérité. « Ah oui ! Très attachés. Et il était si *généreux* avec ça. Pas le moindre ressentiment à propos de cette maison, ni de l'héritage, ni de rien du tout. Un homme extraordinaire ! » Il me lança rapidement un coup d'œil plein de rancœur.

« Qu'est-ce que tu veux dire, exactement ? » Je me dressai d'un seul coup, renversant presque ma tasse de café, toujours très consciente de la présence de Pistache, l'oreille tendue, à mes côtés. Je n'avais jamais parlé de Reinette ni de Cassis avec mes filles. Elles ne les avaient jamais rencontrés. À leur connaissance, j'étais fille unique. Je n'avais jamais parlé de ma mère, non plus.

Yannick avait l'air gêné. « Mamie, tu sais bien que c'était lui qui devait vraiment avoir la maison. »

« Ce n'est pas que nous voulions te faire des reproches. »

« Mais c'était lui l'aîné et, selon le testament de ta mère… »

« Arrêtez-vous là ! » Je m'efforçai pourtant de ne pas parler d'une voix stridente mais, pendant une fraction de seconde, je crus entendre la voix de ma propre mère s'élever, et je vis Pistache tressaillir. « J'ai acheté cette maison à Cassis et je lui en ai donné un bon prix », expliquai-je d'un ton plus grave. « Après l'incendie, il n'en restait plus que la charpente de toute façon, entièrement dévorée par le feu. Les chevrons apparaissaient à travers l'ardoise. Cassis n'aurait jamais pu y habiter. Il n'aurait jamais voulu le faire, d'ailleurs. Je lui en ai donné un bon prix, plus que je ne pouvais me le permettre et… »

« Chut ! ne t'inquiète pas ! » Laure lança un regard furieux à son mari. « Personne ne suggère qu'il y ait eu la moindre indélicatesse dans votre arrangement. »

Indélicatesse.

C'était bien un mot de Laure, ça ! Un mot de snob, exprimant sa suffisance et assaisonné de juste assez de scepticisme. Ma main se resserra autour de ma tasse de café, j'en ressentis la brûlure qui mit de petites taches rouges au bout de mes doigts.

« Mais il faut que tu considères la situation de notre point de vue à nous. » C'était Yannick qui parlait, le visage rutilant. « L'héritage de notre grand-mère... »

Je n'aimais pas du tout le tour que prenait la conversation. Je détestais surtout de savoir Pistache là, les yeux ronds, et qui écoutait tout.

« Aucun de vous n'a jamais même connu ma mère ! » interrompis-je d'une voix dure.

« Là n'est pas l'important, Mamie », se hâta de dire Yannick. « Ce qui l'est, c'est que vous étiez trois. Le testament faisait trois parts. C'est bien vrai, n'est-ce pas ? »

J'acquiesçai prudemment.

« Mais maintenant que notre pauvre Papa est décédé, il faut se demander si l'arrangement à l'amiable fait entre vous est tout à fait équitable par rapport aux autres membres de la famille. » Il parlait d'un ton détaché, mais ses yeux luisaient d'envie et je m'écriai, furieuse tout à coup :

« De quel arrangement à l'amiable s'agit-il ? Je vous l'ai dit. Je l'ai acheté un bon prix. J'ai signé des documents officiels. »

Laure posa la main sur mon bras. « Yannick n'avait pas l'intention de t'offenser, Mamie. »

« Personne ne m'a offensée », répondis-je froidement.

Yannick poursuivit outre. « Certaines personnes pourraient croire qu'un arrangement comme celui que tu as eu avec pauvre Papa — un malade qui avait désespérément besoin d'argent liquide... » Je voyais bien que Laure observait Pistache et je poussai un juron à mi-voix. « D'ailleurs, il y a toujours le tiers que personne n'a réclamé et qui aurait dû appartenir à Tante Reine. » La fortune cachée sous le sol de la cave. Dix caisses de bordeaux mises en cave l'année de sa naissance, couvertes de dalles et d'une couche de ciment pour les protéger des perquisitions allemandes et de ce qui a suivi. Ça doit bien valoir mille francs au moins la bouteille, de nos jours, à mon avis. Et elles attendent qu'on aille les chercher. Nom de Dieu ! Cassis ne savait jamais la fermer quand cela était nécessaire. J'interrompis brutalement.

« Cela a été mis de côté pour elle et je n'y ai pas touché. »

« Bien sûr que non, Mamie. Mais tout de même ! » Yannick eut une grimace de déplaisir. Il ressemblait tellement à mon frère, à ce moment-là, que cela me faisait presque mal de le regarder. Je lançai de nouveau un bref coup d'œil dans la direction de Pistache, assise toute raide sur sa chaise, le visage vide. « Tout de même, il faut bien avouer que Tante Reine n'est guère en état de le réclamer à présent. Ne penses-tu pas qu'il serait plus équitable à l'égard de tous ceux qui… »

« Tout cela appartient à Reine », déclarai-je d'un ton qui n'admettait pas la discussion. « Je ne vais pas y toucher et je ne vous les donnerais pas, même si cela était possible. Cela doit vous suffire, n'est-ce pas ? »

Laure se tourna vers moi. Vêtue de noir, le visage baigné de la lumière jaune de la lampe, elle avait l'air malade, à mon avis.

« Il faut nous excuser », dit-elle en lançant à Yannick un regard expressif. « Nous n'avions jamais eu l'intention de parler d'argent. Il est bien évident que nous ne nous attendions pas à ce que tu renonces à ta maison — ni à aucune partie de l'héritage de Tante Reine. Si l'un de nous t'a donné l'impression… »

Je fis un mouvement de tête et, perplexe, demandai : « Alors, bon Dieu, de quoi s'agit-il exactement ? »

Laure me coupa la parole, les yeux brillants de convoitise. « Il y avait un livre. »

« Un livre ? » répétai-je.

Yannick hocha la tête. « Oui, Papa nous en a parlé. Tu le lui as montré », dit-il.

« Un livre de recettes », expliqua Laure d'une voix étrangement calme. « Tu dois les connaître toutes par

cœur, toi. Mais nous, si nous pouvions seulement le voir…
l'emprunter. »

« Bien sûr, nous te paierions si nous les utilisions », se
hâta d'ajouter Yannick. « Cela serait un moyen de faire
vivre à jamais le nom des Dartigen. »

Ce dut être ça — ce nom-là — qui fit déborder le vase.
Pendant une fraction de seconde, je fus en proie à la confusion, à la peur, à l'incrédulité, mais lorsque j'entendis
prononcer ce nom-là, je fus foudroyée. D'un geste, je
balayai les tasses à café de la table où elles se trouvaient
sur le carrelage de terre cuite de ma mère. J'étais consciente du regard étrange que Pistache m'adressait mais
rien ne put m'empêcher de me laisser emporter jusqu'au
paroxysme de la colère.

« Non ! Jamais ! » Ma voix s'éleva comme un oiseau de
proie dans le ciel de notre petite pièce. Pendant un instant, je me détachai de mon corps et me contemplai
impartialement — une femme à l'air morne, au visage
anguleux, vêtue d'une robe grise, les cheveux ramassés en
arrière en un chignon sévère. Je lisais dans les yeux de ma
fille une étrange incompréhension et, dans ceux de mon
neveu et de ma nièce, une hostilité voilée. Alors la rage
monta en moi de nouveau et, pendant un instant, je
perdis tout contrôle.

« Je sais ce que vous avez derrière la tête », lançai-je
d'un ton frémissant. « Si vous ne pouvez pas réussir avec
Mamie Framboise, alors vous réussirez avec Mamie Mirabelle c'est ça, hein ? » Ma gorge était douloureuse à en
crier. « Je ne sais pas ce que Cassis vous a dit mais il n'en
avait pas le droit et vous non plus. Cette vieille histoire est
du passé maintenant. *Elle* aussi. Vous n'aurez rien de moi,
même si vous deviez attendre cinquante ans pour ça. »
J'étais à bout de souffle maintenant et ma gorge me faisait
affreusement mal. Je pris sur la table de la cuisine leur
tout dernier cadeau — un coffret de mouchoirs de lin
enveloppé de papier argent — et le repoussai d'un geste
véhément dans la direction de Laure.

« Et vous pouvez remporter ces cadeaux avec lesquels vous vouliez nous acheter », m'écriai-je d'une voix enrouée, « et vous pouvez vous les mettre où je pense avec vos menus de Parigots, votre coulis d'abricot à la sauce piquante et vos pauvre vieux Papa ! »

Nos regards se croisèrent. Je lus le sien, sans masque cette fois, il était plein de rancune.

« Je pourrais en parler à mon homme de loi », commença-t-elle.

Je me mis à rire. « C'est ça », m'exclamai-je, avec un éclat sonore. « À ton homme de loi ! Cela revient toujours à ça, à la fin, n'est-ce pas ? » Je partis d'un éclat de rire féroce.

« À ton homme de loi ! »

Yannick essaya de la calmer, les yeux pleins d'inquiétude. « Allons, chérie. Tu sais bien comment nous… »

Laure s'en prit à lui d'un ton furieux : « Et ne me touche pas avec tes grosses pattes sales, toi ! »

Je me mis à rire à gorge déployée, les mains appuyées sur l'estomac. Des papillons noirs dansaient devant mes yeux. Les yeux de Laure, comme des pistolets, déchargèrent leur haine dans ma direction. Puis, elle se reprit.

« Je m'excuse », dit-elle d'un ton glacé. « Tu ne sais pas à quel point c'est important pour moi. Pour ma carrière… »

Yannick essayait de l'entraîner vers la sortie, tout en me gardant à l'œil. « Personne n'avait l'intention de te chagriner, Mamie », balbutia-t-il rapidement. « Nous reviendrons quand tu seras plus calme. Ce n'est pas comme si nous te demandions le livre avec l'intention de le garder. »

Ses mots s'écroulaient comme un château de cartes. Je me mis à rire encore plus fort. La terreur grandissait mais j'étais incapable de maîtriser mon rire, et même après leur départ et après que le crissement des pneus de leur Mercedes se fut étrangement perdu dans la nuit, même alors, j'étais encore de temps en temps secouée d'un fou rire mêlé de demi-sanglots au fur et à mesure que tombait le niveau de mon adrénaline. Je me sentis alors si ébranlée, si vieille.

Si vieille.

Pistache me regardait d'un air indéchiffrable. La petite frimousse de Prune apparut à la porte de la chambre.

« Mémée ? Qu'est-ce qu'il y a ? »

« Retourne au lit, ma petite puce », répondit rapidement Pistache. « Tout va bien. Ce n'est rien. »

Prune n'eut pas l'air convaincue. « Pourquoi est-ce que Mémée criait ? »

« Pour rien ! » Le ton de sa voix maintenant était sans appel, inquiet. « Retourne au lit ! »

Prune obéit à contrecœur et Pistache referma la porte.

Nous restâmes assises sans parler.

Je savais qu'elle parlerait en son temps et que ce n'était pas la peine de la presser. Elle a l'air si douce mais elle peut être entêtée aussi. Je le sais bien. Je suis pareille. Je lavai la vaisselle, l'essuyai et remis à leur place les soucoupes et les tasses. Puis je pris un livre et fis semblant de lire.

Au bout d'un moment, Pistache demanda : « De quoi parlaient-ils exactement ? D'un testament ? »

Je haussai les épaules.

« De rien du tout ! Cassis leur avait fait croire qu'il était riche pour qu'ils s'occupent de lui pendant sa vieillesse. Ils auraient dû être plus malins. C'est tout ! » J'espérais que cela lui suffirait mais le plissement de son front annonçait des ennuis.

« Je ne savais pas que j'avais un oncle », dit-elle d'une voix blanche.

« Nous n'étions pas très proches ! »

Le silence retomba. Je devinais qu'elle repensait à tout cela. J'aurais voulu l'empêcher de retourner ces idées-là dans son esprit mais je savais aussi que c'était impossible.

« Yannick lui ressemble beaucoup », lui dis-je, d'un ton qui essayait d'être enjoué. « Beau garçon et bon à

rien. Et sa femme lui fait faire tout ce qu'elle veut. » Je
pris de grands airs affectés, espérant ramener un sourire
sur son visage. Au contraire, il s'embrunit davantage.

« Ils semblent croire que tu les as volés d'une façon ou
d'une autre », continua-t-elle. « Que tu as fait un marché
avec lui quand il n'avait plus tout à fait sa tête. »

Je m'efforçai de rester calme. Dans un cas comme
celui-là, la colère n'arrangerait rien.

« Pistache », dis-je d'une voix patiente. « Ne crois pas
tout ce que ces deux-là te disent. Cassis n'était pas malade.
Du moins, pas de la façon dont tu l'imagines. Il avait fait
faillite à cause de son goût pour l'alcool et il avait abandonné sa femme et son fils. Il a vendu la ferme pour payer
ses dettes. »

Elle m'observait d'un œil inquisiteur et je dus faire un
nouvel effort pour ne pas m'emporter. « Écoute, ça fait
longtemps de ça. C'est fini. Mon frère est mort. »

« Laure disait qu'il y avait une sœur aussi. »

Je fis oui de la tête. « Reine-Claude. »

« Pourquoi ne m'en as-tu pas parlé ? »

Je haussai les épaules. « Nous n'étions pas… »

« Très proches, je m'en doute ! » Elle n'avait plus
qu'un filet de voix, cette sorte de voix qui sonnait faux.

La peur m'étreignit de nouveau et je dis d'un ton plus
sec que je n'en avais l'intention : « Tu peux comprendre
cela, n'est-ce pas ? Après tout, Noisette et toi, vous n'avez
jamais été… » Je m'arrêtai soudain, mais trop tard. Je la
vis tressaillir et je me mordis la langue.

« Non, c'est vrai, mais j'ai fait un effort. Pour toi. »

Zut. J'avais oublié à quel point elle était sensible. Pendant des années, j'avais cru qu'elle était la tranquille, la
douce, et j'avais vu mon autre fille devenir de jour en jour
plus farouche et plus obstinée. Oui, Noisette avait toujours été ma préférée, mais j'avais cru, jusque-là, l'avoir
bien caché. Si elle avait été Prune, je l'aurais prise dans
mes bras.

Mais en la voyant là, maintenant, cette jeune femme
de trente ans, calme et indéchiffrable, avec son petit sou-

rire blessé et ses yeux de chat, pleins de sommeil... je
pensai à Noisette et à comment, par orgueil, par entêtement, j'en avais fait une étrangère pour moi. J'essayai de
lui faire comprendre cela.

« Nous avons été séparées, il y a longtemps », lui expliquai-je. « Après... la guerre. Ma mère était... malade... et
on nous envoya habiter chez des parents différents. Nous
n'avons pas gardé contact. » C'était presque la vérité, au
moins aussi proche de la vérité que je pouvais lui avouer.
« Reine alla... travailler... à Paris. Elle... tomba malade
aussi. Elle est dans une clinique privée près de Paris. Je lui
ai rendu visite une fois mais... » Comment pouvais-je lui
faire comprendre la rancidité de l'hôpital, la puanteur de
l'institution — l'odeur de chou, de lessive et de maladie
—, les radios braillant à plein volume dans ces salles pleines d'êtres désorientés qui parfois se mettaient à pleurer
parce qu'ils n'aimaient pas la compote de pommes et qui
parfois hurlaient des méchancetés imprévues aux autres
en lançant les bras en avant comme des fléaux ou en les
poussant contre le mur vert pâle de l'hospice ? Il y avait là
un homme dans un fauteuil roulant, un homme relativement jeune encore dont le visage était comme un poing
mutilé et qui roulait des yeux désespérés. Il avait hurlé
« Je ne veux pas rester ici ! Je ne veux pas rester ici ! » pendant tout le temps de ma visite et sa voix s'était peu à peu
assourdie pour ne plus être qu'un bourdonnement vague.
Je me surpris à ignorer sa détresse. Une femme, debout
dans un coin, le visage contre le mur, pleurait, sans que
personne ne fît attention à elle. Et celle qui était allongée
sur le lit, cette énorme enflure de chair aux cheveux
teints, aux grosses cuisses blanches, aux bras frais et doux
comme de la pâte, celle-là, avec son miroir, se faisait des
sourires et se murmurait des douceurs d'un air ravi. Seule
sa voix n'avait pas changé — sans la voix, je n'aurais
jamais pu y croire —, une voix de toute petite fille qui
égrenait des syllabes isolées sans aucune signification. Ses
yeux roulaient ronds et vides dans leurs orbites comme

ceux d'un hibou. Je dus faire un effort de volonté pour la toucher.

« Reine. Reinette. »

Elle avait toujours le même sourire insipide, le même petit signe de la tête pour indiquer qu'elle, la reine, reconnaissait en moi son sujet. Elle avait oublié jusqu'à son nom, me prévint l'infirmière à mi-voix, mais elle était relativement heureuse. Elle avait ses « bons jours ». Elle aimait beaucoup la télévision, surtout les dessins animés. Elle adorait se faire brosser les cheveux en écoutant la musique à la radio.

« Bien sûr, nous avons aussi nos crises, nos mauvais jours », continua l'infirmière. En entendant ces mots, je restai pétrifiée et quelque chose en moi se recroquevilla. Il ne resta bientôt plus qu'une petite boule dure et brillante qui me nouait la gorge, la terreur me possédait. « Nous nous réveillons la nuit. » Étrange, n'est-ce pas, ce pronom « nous » ? Comme si, en partageant l'identité de cette femme, elle avait pu d'une certaine manière être capable de partager aussi sa vieillesse et sa folie — « Nous avons quelquefois nos petites crises de nerfs, n'est-ce pas ? » La jeune femme blonde, d'une vingtaine d'années peut-être, m'adressa un sourire éclatant. À ce moment-là, je haïssais tellement sa jeunesse et son ignorance réjouie que le sourire que je lui rendis fut presque semblable au sien.

Je sentis le même faux sourire farder mon visage pour regarder ma fille et je m'en voulus terriblement. J'essayai de faire prendre un tour plus léger à la conversation.

« Tu sais comment c'est ? » dis-je d'un ton d'excuse. « Je ne peux supporter ni les vieux ni les hôpitaux. Alors, j'ai envoyé de l'argent. »

C'était la chose à ne pas dire ! Il y a des jours où l'on dit toujours ce qu'il ne faudrait pas. Ma mère savait bien ça.

« De l'argent », cracha Pistache avec mépris. « Est-ce vraiment la seule chose qui intéresse les gens ? »

Elle monta se coucher peu de temps après et rien après cela n'alla plus entre nous. Elle partit deux semaines plus tard, un peu plus tôt que prévu, prétextant la fatigue et la rentrée scolaire qui approchait mais je savais, moi, que quelque chose n'allait pas. Une ou deux fois, je voulus lui en parler, mais sans succès. Elle restait distante et sur ses gardes. Je remarquai bien qu'elle recevait beaucoup de courrier mais ce n'est que longtemps après que j'y attachai de l'importance. Mon esprit était préoccupé par autre chose.

II

Quelques jours après cette affaire avec Yannick et Laure, ce fut l'arrivée du snack-bar. Transporté par un énorme camion-remorque, on l'installa sur l'accotement juste en face de Crêpe Framboise. Un jeune homme, avec un chapeau de papier rouge et jaune, en descendit. Moi, je m'occupais alors de mes clients et je n'y fis pas vraiment attention. Lorsque, plus tard, cet après-midi-là, je jetai de nouveau un regard à l'extérieur, je fus étonnée de constater que le camion était reparti en laissant sur le bas-côté de la route une petite remorque affichant en grandes lettres écarlates « Super-Snack ». Je sortis pour aller y jeter un coup d'œil. La remorque semblait abandonnée et pourtant les volets qui en barraient l'entrée étaient protégés par une lourde chaîne et un cadenas. Je frappai à la porte. Personne ne répondit.

Le lendemain, le snack-bar ouvrit. Je m'en aperçus vers onze heures et demie, à l'heure où d'habitude mes premiers clients commencent à arriver. Les volets s'écartèrent. Un comptoir, sous un auvent rouge et jaune, apparut, décoré d'une banderole de drapeaux de couleur dont chacun annonçait un plat et un prix — « Steak-frites 17 francs, Frites-saucisses 14 francs » —, une multiplicité d'affiches aux couleurs vives vantaient les Super-Snacks, les Hamburgers Promotion et toute une kyrielle de boissons non alcoolisées.

« On dirait que vous avez de la concurrence », me dit Paul Hourias qui arriva à son heure habituelle précise, midi et quart. Pas besoin de lui poser de questions, il commande toujours le plat du jour et un demi. On pourrait régler sa montre sur son arrivée. Il n'a jamais grand-chose à dire, il se contente de s'asseoir à sa place habituelle, près de la fenêtre. Là, il mange en regardant la route. Je pensai qu'il plaisantait — ce qu'il fait rarement !

« De la concurrence ! » répétai-je d'un ton ironique. « Monsieur Hourias, le jour où Crêpe Framboise devra rivaliser avec un fricasseur sur roues, j'emballerai mes marmites et mes casseroles et je plierai bagage pour de bon. »

Paul gloussa de plaisir. Les sardines grillées avec une corbeille de pain aux noix, le plat du jour, étaient un de ses mets préférés. Il mangeait, l'air méditatif, tout en observant la route comme d'habitude. La présence du snack-bar ne semblait pas avoir fait diminuer le nombre de clients dans la crêperie. Pendant les deux heures qui suivirent, je fus occupée à la cuisine pendant que ma serveuse, Lise, prenait les commandes. Lorsque je jetai un nouveau coup d'œil à l'extérieur, deux ou trois clients étaient arrivés au snack-bar mais c'étaient des jeunes, pas mes habitués à moi. Ils tenaient à la main des cornets de frites. Cela m'était bien égal et je haussai les épaules.

Le jour suivant, ils étaient une douzaine environ, tous des jeunes, et la radio braillait une musique assourdissante. Malgré la chaleur qui régnait ce jour-là, je fermai la porte de la crêperie. Pourtant des grincements de guitare et le tam-tam de la batterie traversaient la paroi de verre — Marie Fenouil et Charlotte Dupré, des habituées toutes deux, se plaignirent de la chaleur et du vacarme.

Le jour suivant, la foule était encore plus grande et la musique encore plus forte. Je finis par aller porter plainte. À onze heures quarante, je traversai la route pour me planter devant le snack-bar. Je fus immédiatement entou-

rée d'une foule d'adolescents, j'en reconnus certains mais
il y avait aussi beaucoup d'étrangers aux Laveuses, des
filles au dos nu et en jupe d'été ou jeans, des jeunes gens
au col relevé, en bottes de cuir dont les boucles faisaient
un cliquetis continuel. Je remarquai plusieurs motos
appuyées contre le snack-bar. Des relents d'essence se
mêlaient à l'odeur de friture et de bière. Une jeune fille,
aux cheveux coupés à la garçonne et au nez percé, me
lança un regard insolent comme je m'approchais du
comptoir, puis, pour me barrer le passage, elle dressa le
coude et faillit me l'envoyer au visage.

« T'as l'air bien pressée, hein, Mémère », dit-elle de
l'air de quelqu'un qui veut faire rire, en faisant une bulle
avec son chewing-gum. « Tu vois pas qu'il y a une queue
de gens qui attendent. »

« Oh ! c'est ça que tu fais, ma poule ? » répliquai-je
d'un ton mordant. « Moi, je croyais que tu racolais le
client tout simplement. »

La fille en resta la bouche ouverte et je passai devant
elle en jouant des coudes sans lui accorder un autre coup
d'œil. Mirabelle Dartigen, quel que soit ce que l'on eût pu
lui reprocher, n'avait jamais élevé ses enfants à avoir peur
des mots.

Le comptoir était assez haut. En levant les yeux, je me
trouvai face à face avec un jeune homme d'environ vingt-
cinq ans. Il était beau garçon, du genre blondasse, un peu
louche, avec des cheveux qui lui tombaient dans le cou. Il
portait une seule boucle d'oreille en forme de croix, je
pense. J'aurais pu, quarante ans plus tôt, être attirée par
ses beaux yeux, mais, de nos jours, je suis trop vieille et
trop difficile pour ça. L'époque où de telles choses m'intéressaient encore prit fin à peu près au moment où les
hommes cessèrent de porter le chapeau. En y repensant
bien, il me semblait que j'avais vu cette tête-là quelque
part mais, à ce moment-là, cela ne me revint pas à l'esprit.

Bien sûr, lui, me connaissait déjà.

« Bonjour, madame Simon », dit-il poliment d'un air
ironique. « Que puis-je vous proposer ? J'ai un excellent

hamburger à l'américaine, si vous vouliez vous laisser tenter. »

J'étais furieuse mais je m'efforçai de ne pas le paraître. Son sourire indiquait qu'il s'attendait à avoir des ennuis et qu'il était sûr de pouvoir se débrouiller. Je lui décochai mon sourire le plus gracieux.

« Non, pas aujourd'hui, merci bien », lui répondis-je. « Par contre, je vous serais reconnaissante si vous vouliez bien diminuer le volume de votre radio. Mes clients… »

« Mais bien sûr, tout de suite. » Il parlait d'une voix douce et cultivée et ses yeux bleus luisaient comme de la porcelaine. « Je n'avais pas du tout pensé que je puisse gêner quelqu'un ! »

À côté de moi, la fille au nez percé poussa une exclamation d'incrédulité. Je l'entendis demander à sa copine — une autre fille qui portait un haut trop court pour elle et un short si petit que deux lourds croissants de chair s'en échappaient : « Tu l'as entendue, dis ? Tu as entendu ce qu'elle m'a dit ? » Le jeune blondin esquissa un sourire. À contrecœur, je lui accordai un certain charme, une certaine intelligence, et quelque chose de si familier que cela me tortura l'esprit par la suite. Il se pencha en avant pour baisser le son. Chaîne d'or autour du cou, un tee-shirt mal lavé avec des marques de sueur sous les bras, des mains bien trop lisses pour être celles d'un cuisinier — il y avait quelque chose de bizarre en lui, quelque chose qui clochait dans toute cette histoire et, pour la première fois, ma colère s'effaça devant une sorte de crainte vague.

Il demanda d'une voix aimable : « Cela vous va comme ça, madame Simon ? »

Je fis signe que oui.

« Je ne voudrais pas que vous me preniez pour un voisin embêtant. »

Il disait bien ce qu'il fallait dire mais je n'arrivais pas à me défaire de l'idée que quelque chose n'allait pas, que ce ton calme, cette politesse cachaient une moquerie quelconque que je n'avais pas relevée et, bien qu'ayant obtenu ce que je voulais, je m'enfuis rapidement, me tor-

dant presque la cheville sur les graviers du bas-côté de la
route, étouffée par tous ces jeunes êtres qui m'entouraient — il y en avait bien une bonne quarantaine à présent. Je me sentis noyée dans leur vacarme et je sortis de
leur foule aussi vite que possible — je n'ai jamais aimé
que l'on me touche. Au moment où je rentrais à la crêperie, j'entendis une sorte de rire goguenard, comme s'il
eût attendu mon départ pour faire un commentaire quelconque. Je fis brusquement volte-face mais déjà il avait le
dos tourné et il était en train de sauter toute une rangée
de hamburgers d'un coup de poignet expert. J'avais pourtant encore l'idée que quelque chose ne tournait pas rond
et je me surpris à regarder plus souvent qu'à l'ordinaire
par la fenêtre. Lorsque Marie Fenouil et Charlotte Dupré,
les clientes qui s'étaient plaintes du bruit, n'arrivèrent pas
à l'heure habituelle, je commençai à me sentir un peu
tendue. J'essayai de me convaincre que cela n'avait pas
d'importance. Après tout, une seule table était inoccupée
et la grande majorité de mes fidèles étaient là. Pourtant, je
ne réussissais pas à détacher les yeux du snack-bar. À contrecœur, fascinée, je le regardais travailler. J'observais la
foule qui avait envahi le bas-côté de la route, les jeunes
gens qui mangeaient dans des cornets de papier ou dans
des boîtes de polystyrène et lui qui présidait en grand
prêtre à tout ça. Il semblait en bons termes avec tout le
monde. Une demi-douzaine de filles — celle au nez percé
en était — étaient accoudées au comptoir, certaines
avaient une canette de soda à la main. D'autres s'ébat-
taient languissamment aux alentours, prenaient des poses
étudiées avec des mouvements de poitrines provocantes et
des balancements de hanches qui promettaient... de la
conversation. Ces yeux-là, me semblait-il, avaient su toucher des cœurs plus tendres que le mien.

À midi et demi, j'entendis de la cuisine une pétarade
de motos, un vacarme abominable, quelque chose comme
des marteaux-piqueurs hurlant à l'unisson... J'en abandonnai le poêlon dans lequel j'étais en train de retourner
des bolets farcis pour sortir en courant de la crêperie. Le

tintamarre était insupportable. Je me bouchai les oreilles et pourtant, même alors, une douleur lancinante faisait vibrer mes tympans que des années de plongeons dans la Loire avaient déjà rendus sensibles. Cinq motos, que j'avais aperçues la dernière fois appuyées contre le snack-bar, étaient à présent garées sur la route, juste en face. Leurs propriétaires — dont trois avaient une copine gracieusement assise en croupe — emballaient leur moteur dans un concours de décibels et de poses agressives. Je criai dans leur direction pour attirer leur attention. Seuls les hurlements de torture de leurs machines me répondirent. Certains des jeunes clients riaient aux éclats et applaudissaient. J'étais là, agitant furieusement les bras, incapable de me faire entendre au-dessus de leurs bruyantes bacchanales. Les motocyclistes me saluèrent d'un air moqueur et l'un fit se cabrer sa machine comme un cheval fougueux, dans une assourdissante orgie de bruit.

L'épisode tout entier avait duré cinq minutes au bout desquelles mes bolets avaient brûlé, mes oreilles s'étaient mises à bourdonner douloureusement et mon humeur avait monté comme une soupe au lait et débordé. Je n'avais plus le temps maintenant d'aller me plaindre au propriétaire du snack-bar mais je me jurai bien d'aller le faire dès que mes clients seraient partis. Hélas, le snack-bar avait déjà fermé à ce moment-là et, malgré les coups de poings furieux que j'assénai aux volets, personne ne répondit.

Le lendemain, la musique recommença. Je l'ignorai aussi longtemps que cela me fut possible, puis j'allai d'un pas résolu dire au propriétaire ce que j'en pensais. Il y avait encore plus de clients que les jours précédents et bon nombre d'entre eux, me reconnaissant, firent des remarques insolentes alors que je me frayais un passage à travers leur petite foule. Trop exaspérée ce jour-là pour me soucier de politesse, je fixai le propriétaire du snack-bar d'un œil menaçant et lâchai : « Je croyais que nous avions bien tiré les choses au clair l'autre jour. »

Il me sourit de toutes ses dents et s'enquit : « Que puis-je faire pour vous, madame ? »

Je n'étais pas d'humeur à me laisser cajoler. « Ce n'est pas la peine de faire semblant de ne pas savoir de quoi je parle ! Je veux que vous éteigniez cette musique immédiatement ! »

Toujours poli, mais l'air un peu blessé de la brutalité de ma demande, il éteignit la radio.

« Mais, bien sûr, madame. Je n'avais pas l'intention de vous fâcher. Entre voisins immédiats, nous devrions essayer de vivre en bonne entente, n'est-ce pas ? »

Pendant quelques secondes, j'étais trop fâchée pour entendre la petite clochette qui sonnait l'alarme dans mon crâne.

« Entre voisins immédiats, qu'est-ce que vous voulez dire par là exactement ? » lui demandai-je enfin. « Combien de temps pensez-vous que vous allez rester ici ? »

Il eut un haussement d'épaules et répondit d'un ton onctueux : « Qui sait ? Vous savez bien comment c'est dans la restauration, madame. Les choses sont tellement aléatoires. Un jour, c'est la grande foule, le lendemain presque le désert. Qui sait comment les choses vont tourner ? »

Cette fois-ci, la sonnette d'alarme s'était mise à tinter désespérément et des frissons me secouaient tout entière. « Votre remorque est stationnée dans un lieu public », dis-je sèchement. « Je suppose que la police vous obligera à circuler dès qu'ils vous auront repéré. »

Il fit non de la tête. « J'ai permission d'être ici, sur le bas-côté », m'expliqua-t-il d'une voix douce. « Tous mes papiers sont en règle. » Il me contempla avec cet air d'insolence polie qui lui était particulier. « Les vôtres le sont-ils, madame ? »

Par un effort de volonté mon visage resta impassible, mais mon cœur se retourna comme un poisson crevé à la surface de l'eau. Le jeune homme savait quelque chose. Rien que d'y penser, cela me donnait le vertige. Mon

Dieu, oui, il savait quelque chose. Je fis semblant de ne prêter aucune attention à sa question et continuai :

« Encore une chose ! » J'étais assez satisfaite du ton de ma voix, de son timbre à la fois grave et sec, la voix d'une femme qui ne se laisse pas effrayer mais, dans ma poitrine, mon cœur pourtant battait plus fort. « Hier, les motos ont fait un bruit excessif. Si vous n'empêchez pas vos amis de déranger encore une fois mes clients, je vous dénoncerai à la police pour atteinte aux droits privés des voisins. Je suis sûre qu'ils... »

« Je suis sûr, moi, que la police vous répondra que les responsables sont les motocyclistes, pas moi. » Il semblait s'amuser beaucoup. « Vraiment, madame, j'essaie d'être raisonnable, moi, mais menaces et accusations ne vont pas résoudre la situation ! »

Je m'éloignai alors avec un vague sentiment de culpabilité comme si c'était moi qui avais proféré les menaces, pas lui. J'eus le sommeil agité cette nuit-là et, le matin suivant, je grondai Prune qui avait renversé son lait et Ricot qui jouait au football trop près du potager. Pistache me regarda d'un air étrange — depuis la visite de Yannick, nous nous étions à peine adressé la parole — et elle me demanda si je me sentais bien.

« Ce n'est rien », répondis-je sèchement et je retournai en silence à la cuisine.

III

Pendant les quelques jours qui suivirent, la situation empira. D'abord, pendant deux jours, il n'y eut plus de musique et puis cela recommença de plus belle. Plusieurs fois, la bande de motocyclistes revint. À chacune de leurs arrivées et à chacun de leurs départs, ils emballaient leurs moteurs, faisaient le tour du pâté de maisons, rivalisant de vitesse et poussant de longs ululements sauvages. Le groupe des habitués du snack-bar ne semblait pas diminuer. Tous les jours, je passais de plus en plus de temps à ramasser les canettes vides et les papiers éparpillés de chaque côté de la route. Pis encore, le snack commença à ouvrir pendant la soirée, de dix-neuf heures à minuit — ce qui coïncidait exactement avec mes propres heures d'ouverture. Hasard, vraiment ? Je me mis à appréhender le ronronnement de la génératrice qui démarrait, sachant que ma paisible petite crêperie serait bientôt assiégée par le bruit d'un festival en plein air qui n'en finirait plus. Une réclame rose au néon au-dessus du comptoir du snack-bar annonçait : « Chez Luc — Sandwichs — Snacks — Frites ». Des relents de friture, de bière, de gaufres chaudes et de sucre emplissaient l'air tiède de la nuit comme à une foire nocturne.

Certains de mes clients se plaignirent, d'autres cessèrent tout simplement de venir. La crêperie était à moitié vide pendant la semaine. Un samedi, un groupe de neuf arriva d'Angers, le vacarme était particulièrement assourdissant ce soir-là. Ils jetaient des regards inquiets à la foule qui était dans la rue où ils avaient garé leurs voitures. Ils partirent enfin sans prendre de dessert, ni de café et, ostensiblement, sans laisser de pourboire.

Cela ne pouvait plus durer.

Il n'y a pas de commissariat de police aux Laveuses mais on a un gendarme, Louis Ramondin — le petit-fils de François.

Je n'avais jamais eu affaire à lui car il est de l'une des Familles. C'est un homme qui frise la quarantaine. Il a divorcé, il y a quelque temps, après un mariage un peu trop hâtif avec une fille d'ici. Il me fait penser à son oncle Guilherm, celui à la jambe de bois. Enfin, je ne voulais pas vraiment lui parler à ce moment-là mais j'avais l'impression que tout se désagrégeait autour de moi et me tiraillait dans toutes les directions. J'avais besoin d'aide, alors…

Je lui expliquai la situation avec le snack-bar. Je lui parlai du bruit, des ordures, de mes clients et des motocyclistes. Il m'écouta avec l'indulgence d'un jeune homme devant une grand-mère au caractère un peu difficile. Il acquiesçait et faisait tant de sourires que j'aurais bien voulu lui cogner sur la tête pour le faire cesser. Il m'informa de cette voix patiente et joviale que les jeunes prennent pour parler aux sourds et aux personnes âgées qu'aucune loi n'avait été transgressée jusque-là. Crêpe Framboise, expliqua-t-il, était sur une route nationale. Les choses avaient changé depuis mon arrivée au village. Il pourrait peut-être parler au propriétaire du snack-bar, Luc, mais je devais essayer moi aussi de comprendre les choses.

Je les comprenais tout à fait bien, les choses ! Je le revis plus tard, en civil, près du snack-bar. Il bavardait avec une jolie fille en jean et tee-shirt blanc. D'une main, il tenait une canette de Stella Artois et de l'autre une gaufre au sucre et, comme je passais avec mon panier, en chemin pour le marché, Luc m'adressa un de ses sourires ironiques. Je fis semblant de ne les remarquer ni l'un ni l'autre. J'avais compris.

Les jours qui suivirent, Crêpe Framboise vit ses affaires péricliter. L'établissement était à moitié vide à présent, même le samedi soir et, en semaine, à midi, il y avait encore moins de monde. Paul pourtant resta fidèle, avec son plat du jour et son demi. Par pure reconnaissance, je commençai à lui offrir une bière. Il ne demanda jamais plus d'un verre.

Lise, ma jeune serveuse, m'apprit que Luc, le propriétaire du snack-bar, logeait à La Mauvaise Réputation, le café, où ils avaient encore quelques chambres à louer.

« Je ne sais pas d'où il vient », me confia-t-elle. « D'Angers, je crois. Il a payé trois mois d'avance. Il semble donc qu'il a l'intention de rester ici. »

Trois mois. Il resterait donc ici jusqu'en décembre ou presque. Je me demandai si, aux premières gelées, sa clientèle serait aussi enthousiaste. Ce moment-là de l'année était toujours la saison morte pour moi, je comptais sur quelques habitués seulement pour faire tourner l'affaire, même au ralenti. Je savais aussi que, dans l'état des choses, je n'étais même plus sûre de pouvoir compter sur eux. L'été était ma meilleure saison et, pendant les mois de vacances, je réussissais d'habitude à mettre assez d'argent de côté pour être à l'aise jusqu'au printemps. Mais cet été-là... Je calculai froidement que, si la situation continuait, il était possible même que je fasse des pertes. Ce n'était pas trop grave. J'avais encore quelques économies mais il y avait le salaire de Lise aussi à payer, et l'argent que j'envoyais pour Reine, la nourriture d'hiver des animaux et les provisions, le fioul et la location des machines. Et l'automne arrivant, j'aurais aussi les journaliers à payer, pour la cueillette des pommes, et Michel Hourias, avec sa moissonneuse-batteuse. Bien sûr, je pourrais toujours vendre mon grain et mon cidre à Angers pour durer jusqu'à la saison prochaine.

Enfin, cela ne serait pas facile. Pendant une longue période, je me rongeai les sangs en faisant des calculs et des approximations de dépenses. J'en oubliais de jouer avec mes petits-enfants. Pour la première fois, je me surpris à regretter la présence de Pistache, cet été-là. Elle resta encore une autre semaine puis elle partit, emmenant Ricot et Prune. Je lisais dans ses yeux qu'elle me pensait déraisonnable et il n'y avait pas en moi assez de tendresse pour que je puisse lui dire ce que je ressentais. Là où aurait dû se trouver mon amour pour elle, il n'y avait qu'une enveloppe sèche et dure, le noyau au cœur d'un fruit. Je la serrai dans mes bras un bref instant en lui disant au revoir et je me détournai d'elle, les yeux secs. Prune m'offrit un bouquet de fleurs qu'elle avait ramassées dans les champs et, pendant un moment, je fus submergée par une terreur soudaine. Je me conduis comme ma mère, pensai-je, sévère, impassible comme elle, mais aussi dévorée de craintes et d'un sentiment de vulnérabilité. J'aurais voulu lui ouvrir les bras, lui expliquer qu'elle n'était responsable de rien, mais, d'une certaine façon, j'en étais incapable. Nous avions été élevés à garder pour nous nos problèmes, nos soucis. On ne perd pas facilement cette habitude-là.

IV

Et les semaines s'écoulèrent ainsi. Je parlai à Luc à plusieurs reprises mais je me heurtai à une ironie polie. Je n'arrivais pas à me débarrasser de l'idée que, d'une façon ou d'une autre, son visage m'était familier sans pouvoir cependant me souvenir de l'endroit où je l'avais rencontré auparavant. Je posai des questions pour apprendre son nom de famille, espérant que cela m'aiderait, mais il payait comptant à La Mauvaise Réputation et, chaque fois que j'y allais, le café semblait plein des nouveaux venus qui fréquentaient le snack-bar. Il y avait aussi quelques personnes du coin — Murielle Dupré et les deux fils Lelac avec Julien Leloz — mais la plupart étaient des étrangers au village, des péronnelles qui portaient des jeans de marque et des hauts qui leur découvraient le nombril, de jeunes individus en combinaison de cuir ou en short de cycliste. Je notai que le jeune Brassaud avait ajouté un juke-box et un billard à son minable assortiment de machines à sous. Tout le monde n'avait donc pas fait de mauvaises affaires, cet été-là, aux Laveuses !

Peut-être était-ce la raison du manque d'enthousiasme de ceux qui soutenaient ma campagne ? Crêpe Framboise se trouve à l'autre bout du village, sur la route d'Angers. La ferme a toujours été isolée. Sur cinq cents mètres avant d'entrer dans le village lui-même, il n'y a pas d'autres maisons. De l'église et de la poste seulement on aurait peut-être pu entendre le bruit mais Luc s'assurait du silence au moment des messes. Même Lise, qui se rendait bien compte du mal que cela faisait à notre affaire, lui trouvait des excuses. Deux fois encore, je me plaignis auprès de Ramondin. J'aurais mieux fait de cracher en l'air.

Le type ne faisait de mal à personne, déclarait-il, du ton de l'homme qui connaît son boulot. S'il enfreignait la loi, alors on pourrait peut-être y faire quelque chose, mais sans cela, il fallait que je le laisse tranquillement gérer son affaire sans lui causer d'ennuis. C'était bien compris.

C'est à partir de ce moment-là que le reste de l'histoire commença. Par de petites choses, au début. Un soir, on fit partir des pétards quelque part dans la rue. Puis, des motocyclistes emballèrent leurs moteurs, juste devant ma porte, à deux heures du matin. Pendant la nuit, on déchargea des ordures sur le pas de ma porte. Un carreau de ma porte vitrée fut cassé. Quelqu'un passa à moto dans mon grand champ, y décrivit des huit et dessina des boucles folles dans mon blé en train de mûrir en laissant partout des traces de dérapage. De petites choses. Des tracas. Rien que l'on pût lui attribuer, à lui, ni aux étrangers au village qu'il avait attirés dans son sillage. Ensuite, quelqu'un ouvrit la porte du poulailler, un renard y entra et tua toutes mes belles poules de Pologne : dix poulettes, de bonnes pondeuses, étranglées en une seule nuit. J'en informai Louis — les voleurs et les rôdeurs, c'était son boulot de s'en occuper —, mais il m'accusa presque d'avoir oublié de fermer la porte.

« Ne pensez-vous pas que la porte ait pu tout simplement s'ouvrir d'elle-même pendant la nuit ? » me demanda-t-il avec le grand sourire amical des gars de la campagne. Comme si le fait de sourire avait pu faire revenir à la vie mes pauvres petites poules. Je lui décochai un regard sévère.

« Les portes que l'on a fermées ne s'ouvrent pas comme ça toutes seules », répliquai-je d'un ton amer. « Le renard qui saurait ouvrir un cadenas serait un sacré malin ! Non, c'est l'œuvre d'un salaud qui a fait ça délibérément, Louis Ramondin, et vous êtes payé pour découvrir le coupable. »

Louis prit un air sournois, détourna les yeux et marmonna quelque chose à voix basse.

« Qu'avez-vous dit ? » lui demandai-je d'une voix sèche. « J'ai de bonnes oreilles, mon petit gars, crois-moi bien. Tu sais, je me souviens de… » Je m'interrompis soudain. J'avais presque lâché que je me souvenais bien de son vieux grand-père qui ronflait à l'église, saoul comme une grive, le pantalon tout pisseux, et se cachait dans le confessionnal pendant la grand-messe de Pâques, mais la Veuve Simon n'aurait pas pu savoir cela ! J'en eus froid dans le dos à l'idée que j'aurais pu me trahir ainsi, à propos d'un commérage stupide. Vous comprenez bien pourquoi j'évitais autant que je le pouvais d'avoir quoi que ce soit à voir avec les Familles.

En tout cas, Louis finalement consentit à jeter un coup d'œil autour de la ferme. Il ne découvrit rien d'anormal. Je continuai à m'occuper de mes affaires du mieux possible mais la perte de mes poules m'avait porté un coup. Je ne pouvais pas me permettre de les remplacer. D'ailleurs, qui eût pu dire que la chose ne se répéterait pas ? Je dus par conséquent acheter des œufs à la ferme Hourias dont les nouveaux propriétaires, des gens mariés, s'appellent Pommeau. Ils cultivent du maïs et du tournesol qu'ils vendent à l'usine là-bas en remontant la Loire.

Je savais que Luc était derrière toute cette histoire. J'en étais sûre, sans pouvoir le prouver, et cela me faisait devenir folle. Le pire était de ne pas savoir la raison de ses actions. Ma fureur débordait. J'avais la tête prête à éclater. Le lendemain du jour où le renard était entré dans le poulailler, je décidai de passer la nuit à veiller dans l'obscurité, à ma fenêtre, un fusil à la main, prête à tirer. Cela avait dû être une scène bien étrange à observer : moi, en chemise de nuit, un léger manteau d'automne jeté sur les épaules, en train de monter la garde et de surveiller ma cour. J'achetai de nouveaux cadenas pour les portails et l'enclos des animaux. Je veillais toutes les nuits, assise à attendre que quelqu'un vienne. Le salaud avait dû deviner ce que je faisais. Comment ? Je ne le sais pas ! Je commençai à me persuader qu'il était capable de lire dans mes yeux ce que je pensais.

V

Cela ne dura pas longtemps. Le manque de sommeil, bientôt, se fit sentir. Pendant la journée, j'avais du mal à me concentrer. J'oubliais mes recettes. Je ne pouvais plus me rappeler si j'avais ou non salé l'omelette et je la salais deux fois ou pas du tout. Je me coupai en émincant les oignons et je compris seulement que je dormais debout lorsque je découvris ma main ensanglantée et remarquai l'entaille béante à l'un de mes doigts. Mes manières étaient brusques avec le peu de clients qui me restaient. La musique infernale et le vacarme des motos s'étaient un peu calmés, pourtant, mais les choses avaient dû se savoir parce que les habitués que j'avais perdus n'étaient pas revenus. Oh ! je n'étais pas complètement isolée. J'avais encore quelques amis qui avaient pris mon parti, mais le caractère réservé et l'impression qu'elle avait toujours que les gens se méfiaient, traits qui avaient contribué à faire de Mirabelle Dartigen une étrangère au village, devaient être dans mon sang aussi. Je refusais la pitié. Ma colère aliénait mes amis et chassait mes clients. Je vivais de ma fureur et de mon adrénaline.

Aussi étrange que cela puisse paraître, ce fut Paul qui mit fin à tout ça. Certains jours de la semaine, il était mon seul client. Son arrivée était réglée comme un cahier de musique. Il entrait toujours à la même heure et restait exactement soixante minutes, son chien docilement allongé sous sa chaise. Il mangeait sans parler en observant la route. À la façon dont il semblait indifférent à la présence du snack-bar, il aurait aussi bien pu être sourd. Il ne me disait que rarement autre chose que bonjour et au revoir.

Un jour, il entra mais n'alla pas s'asseoir à sa table habituelle. Je sus immédiatement que quelque chose d'anormal se passait. C'était une semaine après l'histoire du renard et du poulailler. J'étais vannée. Après l'entaille que je m'étais faite avec le couteau, j'avais dû envelopper ma main gauche d'un épais bandage et demander à Lise de préparer les légumes pour la soupe. J'insistai cependant pour faire moi-même la pâtisserie — vous imaginez ce que c'est de faire de la pâtisserie avec un sac de plastique sur une main ? Un sacré travail ! Debout, près de la porte de la cuisine, à moitié endormie, je répondis à peine au bonjour de Paul. Il me regarda de biais, ôta son béret, écrasa le mégot de sa petite cigarette noire sur le seuil de la crêperie et dit : « Bonjour, madame Simon. »

Je fis un signe de tête et essayai de lui sourire. La fatigue faisait danser des bulles grises devant mes yeux. Ses paroles résonnaient comme une cascade de voyelles dans un tunnel. Le chien alla se coucher sous leur table près de la fenêtre mais Paul resta là, debout, le béret à la main.

« Vous n'avez pas bonne mine », remarqua-t-il, avec sa lenteur habituelle.

« Ça va ! » répondis-je brièvement. « Je n'ai pas très bien dormi cette nuit, c'est tout. »

« Et aucune nuit ce mois-ci, d'ailleurs », ajouta Paul. « Qu'est-ce que c'est ? Des insomnies ? »

Je pris un air revêche pour lui dire : « Votre repas est servi : une fricassée de poulet avec des petits pois. Si ça refroidit, ne comptez pas sur moi pour vous le réchauffer ! »

Il sourit d'un air endormi et heureux. « À vous entendre parler, madame Simon, on dirait que vous êtes ma femme. Les gens vont jaser ! »

Je pensai que cela devait être une de ses plaisanteries et je ne répondis rien.

« Je pourrais peut-être vous aider », insista Paul. « Ce n'est pas juste de vous traiter ainsi. Quelqu'un devrait y faire quelque chose. »

« Ne vous inquiétez pas pour moi, monsieur. » Après tant de nuits sans sommeil, je sentais les larmes me monter aux yeux. Cette simple remarque, ces quelques mots aimables me firent me frotter les yeux. Je pris une voix sèche et ironique pour me reprendre et détournai mon regard dans la direction opposée. « Je suis tout à fait capable de me débrouiller toute seule ! »

Paul ne broncha pas. « Vous pouvez me faire confiance, vous savez », dit-il d'un ton calme. « Vous devriez le
savoir... depuis le temps. Tout ce temps... » Je levai les
yeux vers lui et soudain, je compris.

« S'il te plaît, Boise. »

Je me raidis.

« Ne crains rien. Je n'ai rien dit à personne, jamais,
n'est-ce pas ? »

Un silence tomba entre nous, long comme un jour
sans pain. Une vérité infinie s'installa.

« N'est-ce pas ? »

Je fis non de la tête. « C'est vrai ! »

« Alors ? » Il fit un pas vers moi. « Tu n'as jamais su
accepter de l'aide quand tu en as besoin, pas même
autrefois. » Il s'arrêta. « Tu n'as pas changé tant que ça,
Framboise. »

C'est drôle, moi, je pensais que j'avais tellement
changé. « Quand as-tu deviné ? » murmurai-je enfin.

Il haussa les épaules. « Ça ne m'a pas pris longtemps »,
dit-il d'un ton laconique. « La première fois que j'ai goûté
le kouign-amann de ta mère, sans doute. À moins que ce
ne soit le brochet. Je n'ai jamais pu oublier une bonne
recette, n'est-ce pas ? » Et il se remit à sourire sous sa
moustache tombante avec cette douce expression de gentillesse et de tristesse pour laquelle les mots sont super-
flus.

« Cela a dû être dur », remarqua-t-il.

Les larmes me piquaient les yeux de façon intolérable
maintenant. « Je ne veux pas parler de ça », chuchotai-je.

Il fit un signe de la tête pour indiquer qu'il comprenait. « Je ne suis pas bavard, moi », dit-il simplement.

Il s'assit alors pour manger sa fricassée, s'interrom-
pant de temps en temps pour me regarder et me sourire.
Après un certain temps, je vins m'asseoir près de lui —
après tout, il n'y avait personne d'autre dans la crêperie et
je me versai un verre de gros-plant. Nous restâmes silencieux pendant un moment. Au bout de quelques minutes,
j'appuyai ma tête sur la table et me mis à pleurer douce-

ment. On n'entendait rien dans la salle sauf le bruit de mes larmes et celui de la fourchette et du couteau de Paul qui mangeait tout en réfléchissant, sans me regarder, sans montrer d'émotion. Je lui étais reconnaissante de son silence si plein de compréhension.

Lorsque j'eus fini, j'essuyai soigneusement mon visage avec mon tablier et déclarai :

« Je pense que j'aimerais en parler maintenant. »

VI

Paul sait écouter. Je lui racontai certaines choses que je n'avais jamais eu l'intention de raconter à quiconque. Il m'écouta en silence, en hochant la tête de temps en temps. Je lui parlai de Yannick et de Laure et de Pistache, de la façon dont je l'avais laissée partir sans un mot d'explication. Je lui parlai des poules et des nuits de veille. Je lui dis comment le bruit de la génératrice me torturait comme si mon crâne grouillait de fourmis. Je lui racontai mes angoisses à propos de mon commerce, de moi-même, de ma jolie maison et de la niche que je m'étais faite parmi les gens de ce village. Je lui avouai ma peur de vieillir. Je lui confiai l'impression que je ressentais devant les jeunes d'aujourd'hui, tellement plus bizarres et plus implacables, me semblait-il, que nous ne l'avions jamais été, malgré ce que nous avions vécu pendant la guerre. Je lui décrivis mes cauchemars, Génitrix, la gueule pleine d'orange, Jeannette Gaudin et les serpents et je sentis le venin qui m'empoisonnait se dissiper petit à petit.

Lorsque enfin je me tus, le silence retomba.

« Tu ne peux pas monter la garde toutes les nuits », dit enfin Paul. « Tu y laisseras ta peau. »

« Je n'ai pas le choix », lui répondis-je. « Ces gens-là pourraient revenir à n'importe quel moment. »

« Nous monterons la garde à tour de rôle », décida Paul simplement. C'est ce que nous fîmes. En l'absence de Pistache et des enfants, il occupa la chambre d'amis. Il ne me donna aucun ennui, restant seul dans sa chambre, faisant son lit lui-même et son propre ménage. La plupart du temps, on n'aurait jamais remarqué sa présence. Pourtant, il était là, silencieux et discret. J'avais des remords à la pensée que je l'avais cru un peu retardé. À la vérité, de bien des façons, il était plus perspicace que moi. Certainement, ce fut lui qui réussit à établir le lien entre le snack-bar et le fils de Cassis.

Nous passâmes deux nuits à monter la garde — Paul, de deux heures à six heures, et moi, de vingt-deux heures à deux heures du matin — et, déjà, je commençai à me sentir plus reposée, plus capable de supporter les choses. Pouvoir partager mes ennuis me suffisait alors, savoir qu'il y avait quelqu'un d'autre avec moi. Bien entendu, les commérages commencèrent presque tout de suite. On ne peut pas vraiment avoir de secret dans un endroit comme Les Laveuses. Trop de gens étaient au courant du fait que le vieux Paul Hourias avait quitté sa cabane au bord de la rivière pour venir s'installer chez la Veuve. À mon entrée dans les magasins, le silence se faisait. En apportant le courrier, le facteur m'adressait un clin d'œil. J'étais l'objet des regards désapprobateurs du curé et de ses bonnes âmes du catéchisme mais, la plupart du temps, c'étaient de petits rires discrets et indulgents. On entendit Louis Ramondin raconter que la Veuve s'était comportée de façon étrange ces dernières semaines mais que, maintenant, il tenait la clef de l'histoire. Le plus drôle de tout ça, c'est que bon nombre de mes clients me revinrent, au moins pendant un certain temps, comme pour s'assurer qu'il y avait quelque chose dans les rumeurs qui couraient à mon égard.

Je les ignorais.

Bien sûr, le snack-bar était toujours là, le vacarme et les ennuis occasionnés tous les jours par la foule continuèrent. J'avais renoncé à essayer de faire entendre raison à Luc. Les autorités locales — celles qui existaient — semblaient s'être lavé les mains de la situation, ce qui ne nous laissait — à Paul et à moi — qu'une seule possibilité : l'enquête.

Paul prit l'habitude d'aller tous les jours, à midi, prendre son demi à La Mauvaise Réputation où s'attardaient les motocyclistes et les filles d'Angers. Il interrogea le facteur. Lise aussi nous aida malgré le fait que j'avais dû renoncer à ses services pour l'hiver. Elle recruta aussi son petit frère Viannet pour s'occuper de l'enquête. Cela dut faire de Luc l'homme le plus surveillé de tout le village et c'est ainsi que nous découvrîmes un certain nombre de choses sur son compte.

C'était un Parisien. Il était venu s'installer à Angers six mois auparavant. Il avait de l'argent, beaucoup d'argent, et le dépensait sans compter. Personne ne semblait connaître son nom de famille mais il portait une chevalière avec les initiales L.D. Il aimait les filles. Il conduisait une Porsche blanche qu'il garait dans l'arrière-cour de La Mauvaise Réputation. Il passait pour un bon gars — ce qui voulait dire ici qu'il payait souvent la tournée !

Pas grand-chose, en fin de compte, pour le mal que l'on s'était donné.

Alors Paul eut l'idée de faire l'inspection du snack-bar. Je l'avais déjà faite moi-même mais Paul attendit l'heure de la fermeture et que le propriétaire fût installé dans le bar de La Mauvaise Réputation. La remorque était imprenable, fermée à clef et au cadenas mais, à l'arrière, il découvrit une petite plaque de métal avec un numéro minéralogique et un numéro de téléphone en cas d'urgence. Nous vérifiâmes le numéro de téléphone qui se révéla être celui du restaurant Aux Délices Dessanges, rue des Romarins, Angers.

J'aurais dû le deviner dès le début !

Yannick et Laure n'auraient jamais renoncé si facilement à une source possible de revenus. Sachant maintenant ce que je savais, il était facile de comprendre pourquoi j'avais vaguement reconnu son visage. Il avait le nez légèrement aquilin, les yeux perçants, calculateurs, et les pommettes saillantes de Laure — Luc Dessanges était son frère.

Mon premier mouvement fut d'aller tout droit au commissariat de police — pas voir Louis bien sûr, non, au commissariat d'Angers — pour me plaindre de harcèlement mais Paul me convainquit de ne pas faire cela.

Il m'expliqua doucement que je n'avais pas de preuves et que, sans preuve, les gens ne pouvaient rien y faire. Luc n'avait ouvertement commis aucune illégalité. Si nous avions pu le prendre sur le fait, cela aurait été une tout autre histoire, mais il était trop prudent, trop malin pour ça. Ils attendaient simplement le moment où je céderais, où ils pourraient intervenir et imposer leurs conditions... « Si seulement tu nous laissais t'aider, Mamie. Essayons un peu. Pas de rancune. »

J'étais tout à fait prête à prendre l'autobus pour Angers et à aller les démasquer dans leur repaire, leur faire honte devant leurs amis et leurs clients. J'allais crier par-dessus les toits que l'on me traquait, que l'on essayait de me faire chanter — mais Paul me persuada d'attendre. Mon impatience et mon agressivité m'avaient déjà coûté plus de la moitié de mes clients. Alors, pour la première fois de ma vie, j'attendis.

VII

Et, une semaine plus tard, ils arrivèrent.

C'était un dimanche après-midi. Trois semaines auparavant, j'avais décidé de fermer la crêperie le dimanche. Le snack-bar était fermé aussi — Luc copiait mes heures d'ouverture à la minute près —, Paul et moi étions assis dans la cour, le visage offert à la caresse du dernier soleil d'automne. Je lisais. Paul, lui, était tout à fait heureux de ne rien faire — il n'était pas grand amateur de lecture autrefois — et il me regardait de temps en temps de son air doux qui ne demandait rien de moi ou bien il s'occupait à aiguiser un bout de bois.

J'entendis frapper à la porte et me levai pour aller ouvrir. C'était Laure, toujours tirée à quatre épingles, vêtue d'une robe bleu foncé, et Yannick, en costume anthracite, la suivait. Ils me jouèrent « Variations sur un sourire » avec brio. Laure portait une grande plante en pot aux feuilles rouges et vertes. Je les reçus à la porte, sans les faire entrer.

« Il y a un décès ? Qui est mort ? » demandai-je, d'un ton glacé. « Pas moi en tout cas, pas encore et ce n'est pas de votre faute à tous les deux, mes petits salauds. »

Laure prit un visage peiné. « Allons, Mamie », commença-t-elle. « Ne venez pas m'embêter avec vos " *allons, Mamie* " », interrompis-je. « Je vois clair dans vos sales petits manèges destinés à m'intimider. Cela ne va pas réussir. J'aimerais mieux crever que de vous aider à faire de l'argent. Alors tu peux dire à ton frère qu'il peut remballer sa charrette à frites et foutre le camp parce que je sais exactement ce qu'il cherche à faire et que, s'il ne cesse pas immédiatement, j'irai à la police, je le jure, et je les mettrai au courant de ce que vous avez manigancé. »

Yannick eut l'air inquiet et commença à prononcer des mots d'apaisement mais Laure, elle, n'était pas du bois dont on fait les flûtes. Sa surprise ne dura pas plus de dix secondes et son visage se masqua d'un sourire tendu et froid.

« Depuis le début, je savais qu'il aurait mieux valu tout te dire », dit-elle, en jetant à son mari un regard méprisant. « Rien de cela ne nous avance ni les uns ni les autres. Je suis convaincue que, lorsque je t'aurai expliqué, tu comprendras l'intérêt d'un peu de coopération. »

Je me croisai les bras et lui dis : « Tu peux m'expliquer tout ce que tu veux mais l'héritage qui me vient de ma mère appartient à moi et à Reine-Claude, quel que soit ce que mon frère ait pu vous dire, et je n'ai rien à ajouter à ça. »

Laure m'enveloppa d'un sourire hostile et malveillant.
« Tu croyais que c'était cela que nous voulions, Mamie ?
Tes malheureux petits sous ? Ah ! vraiment ! Tu dois nous
prendre pour un couple de malfaiteurs. » Je me vis tout à
coup avec leurs yeux à eux : une femme âgée portant un
vieux tablier couvert de taches, une femme aux yeux couleur de prunelle et au chignon si rejeté en arrière qu'il lui
en tirait la peau. Je frémis de colère et montrai les dents
comme un chien désorienté en m'agrippant fermement
aux montants de la porte pour assurer mon équilibre. Je
haletais et chaque respiration me déchirait la poitrine.

« Ce n'est pas que l'argent ne nous arrangerait pas »,
dit Yannick avec franchise. « La restauration ne rapporte
pas beaucoup en ce moment. Et puis cet article dans *Hôte
et Cuisine* n'a pas arrangé les choses non plus. Et enfin,
nous avons eu des ennuis… »

Le regard que Laure lui décocha l'arrêta net. Elle
répéta : « L'argent ne m'intéresse pas du tout. »

« Je sais très bien ce que vous voulez », m'exclamai-je
d'une voix brutale pour cacher mon affolement. « Ce sont
les recettes de ma mère mais vous ne les aurez pas. »

Laure continuait à sourire en me regardant. Je compris que les recettes n'étaient pas les seules choses qu'elle
voulait et mon cœur se glaça.

« Non ! » chuchotai-je.

« L'album de Mirabelle Dartigen », dit Laure d'une
voix douce. « Son journal, ses commentaires, ses recettes
et ses secrets. L'héritage que notre grand-mère nous a
laissé à tous. Ce serait un crime de laisser quelque chose
comme ça ramasser la poussière dans un coin oublié pour
toujours. »

« *Non !* »

Le mot se détacha de mes lèvres comme une aiguille
de glace. Je crus bien en être à mon dernier soupir. Laure
recommença et Yannick recula d'un pas. J'avais l'impression d'avoir des hameçons enfoncés dans la gorge, j'étais
ferrée.

« Tu ne peux pas garder ça indéfiniment secret, Framboise », dit Laure, d'un ton qui voulait me faire entendre raison. « C'est déjà un miracle que, jusque-là, personne n'ait encore rien découvert. Mirabelle Dartigen — elle était rose, presque jolie, d'excitation —, l'une des criminelles les plus secrètes et les plus énigmatiques du XXe siècle. Tout d'un coup, elle décide de tuer un jeune soldat, elle voit la moitié des habitants de son village se faire fusiller sans rien dire, puis elle disparaît sans un mot d'explication. »

« Cela ne s'est pas passé comme ça », interrompis-je malgré moi.

« Alors, dis-moi comment cela s'est passé », dit Laure en faisant un pas en avant. « Je te consulterai pour chaque détail. Nous avons la chance d'avoir une merveilleuse exclusivité. Je sais d'avance que cela fera un livre formidable. »

« Quel livre ? » demandai-je d'un ton stupide.

Laure montra une certaine impatience. « Qu'est-ce que tu veux dire, *quel livre* ? Je croyais que tu avais deviné. Tu as dit... »

Je sentis ma langue se coller à mon palais. J'articulai avec difficulté : « Je pensais que vous vouliez l'album de recettes. Après ce que tu m'as dit... »

Elle secoua la tête d'exaspération. « Non, j'en ai besoin pour faire des recherches pour mon livre. Tu as lu ma brochure, n'est-ce pas ? Tu devais savoir que je m'intéressais à cette histoire. Alors, lorsque Cassis nous a raconté qu'elle était, à la vérité, une parente à nous, qu'elle était la grand-mère de Yannick... » Elle s'interrompit de nouveau pour me prendre la main. Elle avait des doigts longs et froids aux ongles peints de rose nacré, du même rose que ses lèvres. « Mamie, tu es la dernière de ses enfants. Cassis est mort et il n'y a rien à tirer de Reine-Claude. »

« Vous êtes allés lui rendre visite ? » demandai-je d'une voix blanche.

Laure fit un signe affirmatif. « Elle ne se souvient de rien du tout. Elle vit dans un état entièrement végétatif. »

Elle fit une grimace. « Et en plus, aux Laveuses personne ne se souvient plus de rien qui vaille la peine que l'on en parle et, si quelqu'un se souvient, personne ne veut en parler. »

« Comment sais-tu cela ? » Un grand frisson glacé avait remplacé la colère, je comprenais que la situation était bien plus dangereuse que tout ce que j'avais pu imaginer jusque-là.

Elle haussa les épaules. « Luc, bien sûr ! Je lui avais demandé de venir ici, de poser quelques questions, de payer quelques tournées au vieux club des pêcheurs, tu sais bien ce que je veux dire. » Elle me jeta ce regard impatient et railleur. « Tu m'as dit que tu étais au courant de tout ça. »

Trop paralysée par l'émotion et incapable de prononcer un mot, je fis oui de la tête.

« Je dois avouer que tu as réussi à garder le secret plus longtemps que je ne l'aurais cru possible », continua Laure avec une pointe d'admiration. « Personne ne t'imagine être quelqu'un d'autre qu'une aimable Bretonne, la *Veuve Simon*. Les gens ont beaucoup de respect pour toi. Tu t'es bien débrouillée. Personne ne se doute de quoi que ce soit. Tu n'as même jamais rien dit à ta fille. »

« Pistache ! » Je fus surprise du ton stupide de ma voix. Elle semblait aussi fêlée que mon crâne. « Tu ne lui as pas parlé ? »

« Je lui ai écrit quelques lettres. Je pensais qu'elle aurait pu connaître quelques détails au sujet de Mirabelle, mais tu ne lui en as jamais parlé, n'est-ce pas ? »

Mon Dieu, Pistache ! J'étais prise dans un glissement de terrain vertigineux où chaque petit geste précipite une autre avalanche de pierres et fait s'écrouler une autre partie de ce monde que j'avais cru si solide.

« Et ton autre fille ? Quand as-tu eu de ses nouvelles ? Que sait-elle de tout ça ? »

« Tu n'as aucun droit, *aucun droit* du tout. » Les mots crissaient sous mes lèvres, caustiques comme des grains de sel. « Tu ne comprends pas ce que cette ferme représente pour moi. Si les gens apprennent... »

« Allons, allons, Mamie ! » Je me sentais trop chancelante pour la repousser et elle passa ses bras autour de moi. « Bien sûr, ton nom n'apparaîtrait pas. Et même si on découvrait l'histoire — il faut bien accepter que cela pourrait arriver un jour — eh bien, nous te trouverions un autre logement. Quelque chose de bien mieux. À ton âge, tu ne devrais pas vivre dans une vieille ferme comme ça qui n'a même pas le confort moderne élémentaire. Nous pourrions t'installer dans un gentil appartement à Angers. Nous te protégerions des journalistes. Nous avons beaucoup d'affection pour toi, Mamie, malgré ce que tu penses de nous. Nous ne sommes pas des monstres. Ce que nous voulons, c'est pour ton bien, à toi ! »

Je la repoussai avec plus de force que je ne croyais avoir.

« *Non !* »

Je pris peu à peu conscience de la présence de Paul qui se tenait silencieux derrière moi. La peur se transforma en colère et elle éclata comme un immense bouquet où ivresse, rage et exaltation se déchaînaient. Je n'étais pas seule au monde. Paul, mon vieux et loyal copain, était maintenant à mes côtés.

« Pense à ce que cela représenterait pour la famille, Mamie ! »

« *Non !* » Je commençai à refermer la porte mais Laure mit le haut talon de sa chaussure dans la fente.

« Tu ne peux pas passer ta vie à te cacher. »

Alors, Paul s'avança sur le seuil de la porte. Il parla calmement, d'une voix un peu traînante, celle d'un homme qui a atteint une sérénité profonde ou qui est un peu simple d'esprit.

« N'avez-vous pas entendu ce que vous a dit Framboise ? » Il avait un sourire qui aurait pu paraître un peu léthargique si cela n'avait été pour le clin d'œil qu'il me décocha. À ce moment-là, mon amour pour lui fut si parfait et j'en pris si soudainement conscience que ma rage en tomba d'un seul coup. « Si j'ai bien compris, votre affaire ne l'intéresse pas, n'est-ce pas ? » conclut-il.

« Et qui est-il, celui-là ? » demanda Laure. « Et que fait-il ici ? »

Paul sourit, de son sourire endormi. « Un ami », répondit-il simplement. « Un ami de longue date. »

« Framboise », appela Laure, cachée derrière le dos de Paul. « Réfléchis à ce que nous avons dit. Pense à ce que cela représente. Nous ne te le demanderions pas si cela n'était pas important. Penses-y. »

« Je suis sûr qu'elle y pensera », dit aimablement Paul et il referma la porte. Laure commença à frapper avec insistance.

Paul tira le verrou et mit la chaînette de sécurité. J'entendais la voix de Laure, étouffée par l'épaisseur du bois et qui devenait une sorte de bourdonnement aigu.

« Framboise ! Sois raisonnable ! Je vais dire à Luc de s'en aller. Les choses vont redevenir ce qu'elles étaient avant ! Framboise ! »

« Tu veux un café ? », suggéra Paul en allant à la cuisine. « Tu sais, ça te fait toujours du bien. »

Je regardai dans la direction de la porte. « Cette sacrée bonne femme ! » dis-je d'une voix tremblante. « Cette femme détestable ! »

Paul haussa les épaules. « Viens dans le jardin ! » suggéra-t-il simplement. « On n'entendra pas de là-bas. »

Les choses, pour lui, étaient aussi simples que ça. Je le suivis dehors, épuisée, et il m'apporta du café noir bien chaud avec un peu de crème à la cannelle et de sucre et une tranche de far aux airelles qu'il prit dans le placard de la cuisine. Je bus et mangeai sans rien dire pendant un moment et je sentis le courage me revenir.

« Elle ne va pas abandonner comme ça », lui dis-je enfin. « D'une façon ou d'une autre, elle va continuer jusqu'à ce que je sois obligée de partir. Elle sait qu'à ce moment-là je n'aurai plus aucune raison de garder le secret. » Je portai la main à ma tête douloureuse. « Elle doit bien savoir que je ne vais pas vivre indéfiniment. Elle n'a plus qu'à attendre. Ça ne va pas être si long que ça. »

« Alors, tu vas lui céder ? » s'enquit Paul, d'une voix calme et pleine de curiosité.

« Non », répondis-je, d'un ton dur.

Il haussa les épaules. « Eh bien, tu ne devrais pas parler comme si tu allais le faire. Tu es plus maligne qu'elle. » Il rougissait pour une raison quelconque. « Et tu sais bien que tu peux toujours gagner si tu essaies vraiment. »

« Comment ? » Je savais que je parlais comme ma mère à ce moment-là, mais je ne pouvais m'en empêcher. « Contre Luc Dessanges et ses amis ? Contre Laure et Yannick ? En deux mois, ils ont déjà causé la ruine de mon commerce. Ils n'ont qu'à continuer comme ils ont commencé et au printemps… » Je fis un geste de désespoir. « Et que va-t-il se passer quand ils vont commencer à parler ? Ils n'ont qu'à dire que… » Je fus incapable de continuer ma phrase. « Ils n'ont qu'à prononcer le nom de ma mère et… »

Paul secoua la tête d'un air de doute. « Je ne crois pas qu'ils feront ça », dit-il d'un ton calme. « Pas tout de suite, en tout cas. Ils veulent garder quelque chose en réserve. Ils savent bien que tu as peur de ça. »

« Cassis leur a dit », murmurai-je d'un ton morose.

Il haussa les épaules. « Ça ne fait rien », dit-il. « Ils vont te laisser tranquille quelque temps, ils espèrent que tu finiras par changer d'avis, ils vont essayer de te faire entendre raison mais ils veulent que tu prennes la décision toi-même. »

« Et alors ? » Je sentais ma colère se diriger vers lui maintenant. « Ça me donne encore combien de temps ? Un mois ? Deux ? Qu'est-ce que je peux faire en deux mois ? Je pourrais me torturer le cerveau pendant un an que cela ne changerait rien… »

« Ça n'est pas vrai. » Il dit cela d'un ton neutre, sans ressentiment, tout en sortant de la poche de son veston une Gauloise tout abîmée et en grattant une allumette sur son pouce pour l'allumer. « Tu peux faire n'importe quoi quand tu t'es mis dans la tête de le faire. T'as toujours été comme ça ! » Il me regarda au-dessus du bout rouge de sa cigarette et me sourit de son petit sourire triste. « Rappelle-toi les jours d'autrefois. Tu as bien attrapé Génitrix, n'est-ce pas ? »

Je secouai la tête. « Ça n'est pas la même chose, ça », lui répondis-je.

« C'est pourtant à peu près la même chose », répliqua Paul en aspirant une bouffée de fumée âcre. « Tu dois bien te rendre compte de ça. On apprend beaucoup de choses à la pêche, des choses à propos de la vie. »

Je le dévisageai, étonnée. Il poursuivit : « Regarde Génitrix, par exemple et comment tu l'as attrapé alors que tous les autres avaient échoué. »

Je réfléchis un moment et me retrouvai à l'âge de neuf ans. « J'avais observé la rivière », dis-je enfin. « J'avais appris les habitudes du vieux brochet, où il se nourrissait et de quoi il se nourrissait et puis j'avais attendu. J'avais eu de la chance, c'est tout. »

« Hum ! » Le bout de la cigarette rougeoya de nouveau et il rejeta la fumée par ses narines. « Et si cette Dessanges était un poisson, que ferais-tu alors ? » Il eut un grand sourire tout à coup. « Découvre où il se nourrit, découvre le bon appât et tu l'as, n'est-ce pas ? »

Je le regardai.

« N'est-ce pas ? »

« Peut-être ! » L'espérance, « *cette toute petite fille de rien du tout* », laissa dans mon cœur son empreinte vermeille.

Peut-être.

« Je n'ai plus l'âge de me battre contre eux », murmurai-je. « Je suis trop vieille et trop fatiguée. »

Paul posa alors une main rugueuse et brunie de soleil sur la mienne et sourit. « Pas à mes yeux à moi. »

VIII

Il avait raison, bien entendu, à la pêche on apprend beaucoup de choses sur la vie. Tomas m'avait enseigné cela, parmi bien d'autres choses. Nous avions tellement bavardé, l'année où nous étions amis. Quelquefois, Cassis et Reine étaient avec nous, nous causions et nous échangions des informations contre de menus articles de marché noir : un bâton de chewing-gum, une barre de chocolat, un pot de crème de nuit pour Reine ou une orange. Tomas semblait avoir une réserve inépuisable de ces choses-là qu'il distribuait avec une nonchalante indifférence. Il venait presque toujours seul dans ces cas-là.

Depuis ma conversation avec Cassis dans le Poste de Guet, j'avais l'impression que les choses avaient été tirées au clair entre Tomas et moi. Nous observions les règles, pas les règles imbéciles que notre mère avait créées mais de simples règles que même un enfant de neuf ans pouvait comprendre : *ouvre les yeux, veille à tes intérêts, et partage avec les copains.* Nous étions tous les trois capables de nous suffire à nous-mêmes depuis si longtemps que c'était un merveilleux soulagement, même si nous ne le disions pas, d'avoir quelqu'un à la barre de nouveau, un adulte, quelqu'un qui maintienne l'ordre.

Je me souviens d'un jour où nous étions tous les trois. Nous attendions Tomas qui était en retard. Cassis l'appelait encore Leibniz alors que Reine et moi, depuis longtemps, l'appelions par son prénom. Cassis avait les nerfs à vif. L'air renfrogné, il était assis tout seul sur la berge, cinglant de pierres la surface de l'eau. Ce matin-là, il s'était violemment querellé avec Maman à propos d'une broutille.

« Si Papa vivait encore, tu n'oserais pas me parler comme ça ! »

« Si ton père vivait encore, il ferait ce qu'on lui dirait de faire juste comme tu le feras toi-même. »

Cassis, comme toujours, avait fui sous le sifflement de fouet de la riposte. Il gardait le vieux paletot de chasse de

Papa sur un matelas de paille dans la cabane. Il l'avait mis ce jour-là. Comme ça, on aurait dit un vieil Indien bossu sous sa couverture. Quand il portait ce paletot, c'était toujours mauvais signe. Reine et moi le laissions tranquille.

Quand Tomas apparut, Cassis n'avait toujours pas bougé d'où il était.

Tomas le remarqua immédiatement et s'assit un peu à l'écart, sans rien dire.

« J'en ai marre », déclara enfin Cassis, sans tourner les yeux vers Tomas. « J'en ai marre, on me donne toujours des trucs de gosses à faire ! J'aurai bientôt quatorze ans. J'en ai marre de faire ça. »

Tomas retira la capote de son uniforme et la jeta de côté pour que Reinette pût en fouiller les poches. Moi, je me couchai à plat ventre sur la berge pour observer la scène.

Cassis se remit à parler. « Des illustrés, du chocolat, ce sont des niaiseries, tout ça. Ce n'est pas la guerre, c'est un jeu de gosses. Moi, mon père a été tué d'une balle dans la tête et pour vous, c'est un sacré bon Dieu de jeu d'enfant, n'est-ce pas ? »

« C'est vraiment ça que tu penses ? » demanda Tomas.

« Ce que je pense, c'est que tu es un Boche, voilà », cracha Cassis.

« Viens par là », dit Tomas en se relevant. « Vous, les filles, restez ici ! C'est compris ? »

Reine était tout à fait contente de faire précisément cela, pour feuilleter les magazines et découvrir les trésors cachés dans les nombreuses poches de la redingote. Je l'abandonnai à son occupation et me faufilai derrière eux à travers les broussailles en rampant sur les parties couvertes par la mousse. Le bruit de leurs voix m'arrivait, filtré par la distance, comme la lumière qui traverse la voûte des arbres est tamisée.

Accroupie derrière une souche d'arbre, retenant même ma respiration, je n'entendis pas tout. Tomas sortit son pistolet de son étui et le tendit à Cassis.

« Tiens-le, si ça te plaît. Tu vas voir comme c'est lourd ! » Il devait faire un certain poids dans sa main. Cassis l'éleva et le pointa dans la direction de l'Allemand. Tomas ne sembla pas y prêter la moindre attention.

« Mon frère a été fusillé comme déserteur », dit Tomas. « Il venait de terminer son service militaire. Il avait dix-neuf ans. Il était paralysé de terreur. On l'avait mis responsable d'un fusil-mitrailleur et le bruit avait dû le rendre fou. On l'a fusillé dans un village français, tout au début de la guerre. Je me disais que s'il avait été avec moi, j'aurais pu l'aider, le calmer d'une façon ou d'une autre, l'empêcher de faire des bêtises, mais je n'étais même pas là. »

Cassis lui décocha un coup d'œil plein d'hostilité. « Et alors ? »

Tomas ignora la question. « Ernst était le préféré de mes parents. C'était toujours lui qui léchait les marmites lorsque ma mère faisait de la cuisine. C'était Ernst qui avait le moins de corvées à faire. C'était Ernst dont ils étaient fiers. Moi ? J'étais un bon travailleur mais tout juste assez bon pour porter les déchets à la poubelle ou donner à manger aux cochons. Rien de plus. »

Cassis était tout oreilles maintenant. Je sentais presque la tension entre eux, comme si quelque chose brûlait furieusement.

« Quand la nouvelle nous arriva, j'étais en permission à la maison. On reçut une lettre. C'était censé être personnel mais, en moins d'une demi-heure, le village entier savait que le fils Leibniz avait déserté. Mes parents ne pouvaient comprendre ce qui s'était passé ; ils avaient l'air d'avoir été foudroyés. »

Je commençai à ramper de nouveau pour me rapprocher d'eux et me cachai derrière un arbre abattu. Tomas continua : « La chose la plus étrange était que, dans mon esprit, j'avais toujours été le froussard de la famille. Je n'attirais pas l'attention. Je ne prenais jamais de risques. Pourtant, à partir de ce jour-là, je fus un héros aux yeux de mes parents. J'avais soudain remplacé Ernst. C'était un peu comme s'il n'avait jamais existé. J'étais leur fils unique. J'étais tout pour eux. »

« Ça a dû te faire peur, n'est-ce pas ? » demanda Cassis, d'une voix à peine audible.

Tomas fit oui de la tête.

J'entendis alors un gros soupir s'échapper de la poitrine de Cassis comme le bruit d'une lourde porte qui se refermait.

« Il n'était pas *censé* être tué », dit mon frère. Je devinai que c'était de notre père qu'il parlait.

D'un air apparemment impassible, Tomas attendit patiemment qu'il continuât.

« Il avait toujours eu la réputation d'être un malin. Il savait s'occuper de tout. Il n'avait peur de rien... » Cassis s'interrompit et regarda Tomas d'un œil plein de défi, comme si son silence était lourd d'implications. Sa voix tremblait, ses mains aussi. Alors, il commença à hurler d'une voix perçante, comme sous la torture, et j'avais du mal à distinguer ce qu'il disait, les mots se précipitaient dans sa gorge dans un furieux désir de se libérer.

« *Il n'était pas censé être tué !* Il était censé s'occuper de tout, arranger tout et au lieu de ça, le v'là qui part comme un imbécile et qui se fait descendre. Et maintenant, c'est à moi de m'occuper de tout et je... ne sais plus que faire maintenant et j'ai... p... »

Tomas attendit que la crise fût passée. Cela prit un certain temps. Alors, il tendit la main et reprit le pistolet, d'un air indifférent.

« C'est ça l'ennui avec les héros », observa-t-il. « Ils ne sont jamais tout à fait aussi parfaits qu'on l'avait imaginé, n'est-ce pas ? »

« J'aurais pu te tirer dessus », murmura Cassis d'un ton maussade.

« Il n'y a pas qu'une seule façon de se défendre, tu sais », dit Tomas.

Je compris qu'ils avaient bientôt terminé et je commençai à retourner en arrière, à travers les broussailles, je ne voulais pas qu'ils me voient quand ils feraient demi-tour. Reinette était toujours là, plongée dans un exemplaire de *Ciné-Mag*. Cinq minutes plus tard, Cassis et Tomas revenaient bras dessus bras dessous comme des frères et Cassis portait d'un air effronté la casquette allemande sur l'oreille.

« Garde-la », lui conseilla Tomas. « Je sais où je peux m'en procurer une autre. »

L'appât était avalé. À partir de ce jour-là, Cassis lui fut entièrement dévoué.

IX

Après cela, notre enthousiasme pour la cause de Tomas redoubla. N'importe quel renseignement, quelque trivial qu'il fût, lui était bon. Mme Henriot ouvrait des lettres en secret à la Poste, Gilles Petit, le boucher, vendait de la viande pour les chats qu'il faisait passer pour du lapin, on avait entendu Martin Dupré dire du mal des Allemands à La Mauvaise Réputation, il était avec Martin Drouot, tout le monde savait que la famille Truriand avait une radio clandestine cachée sous une trappe dans leur jardin de derrière et que Martin Francin était un communiste. Et tous les jours, il rendait visite à ces gens-là sous prétexte de réquisitionner des vivres pour la caserne et il repartait avec un peu plus qu'il n'était venu chercher… des billets de banque ou du tissu acheté au marché noir ou une bouteille de vin. Quelquefois ses victimes le payaient en lui procurant d'autres informations : un cousin, venu de Paris, que l'on cachait dans une cave en plein centre d'Angers ou une attaque au poignard derrière le café Le Chat Rouget.

À la fin de l'été, Tomas Leibniz connaissait les secrets de la moitié des habitants d'Angers et des deux tiers de ceux des Laveuses. Il avait déjà amassé une petite fortune dans son matelas à la caserne. Il appelait cela se défendre. Il n'eut jamais besoin de nous expliquer contre quoi.

Il envoyait de l'argent à ses parents en Allemagne. Comment ? On ne le sut jamais ! Il y avait des façons de le faire, bien sûr. Les valises diplomatiques et les attachés-cases des messagers, les convois de vivres et les camions sanitaires. Il y avait beaucoup de possibilités à exploiter pour un jeune homme entreprenant s'il avait de bonnes relations. Il échangeait ses services avec ses copains pour pouvoir faire le tour des fermes environnantes. Il écoutait à la porte du mess des officiers. Les gens le trouvaient sympathique, on lui faisait confiance, on bavardait avec lui. Et il n'oubliait jamais un seul détail.

C'était dangereux. Un jour qu'il me rencontrait près de la rivière, il me l'avoua presque. Une seule blague et il pourrait être exécuté. Mais ses yeux pétillaient d'amusement pendant qu'il en parlait. Seul un imbécile se ferait prendre, dit-il avec un sourire. Un imbécile devient négligent, imprudent ou trop gourmand peut-être. Heinemann et les autres étaient comme ça. À un certain moment, il avait eu besoin d'eux mais il préférait agir seul à présent. Ils représentaient trop de risques. Ils avaient trop de faiblesses — le gros Schwartz aimait trop les filles, Hauer, lui, aimait trop la bouteille et Heinemann, avec ses tics nerveux et son habitude de se gratter tout le temps, semblait condamné à finir dans une maison de fous. Non, conclut-il d'une voix traînante, allongé sur le dos, un brin de trèfle entre les dents, il valait mieux opérer seul, garder les yeux ouverts, attendre patiemment et laisser les autres prendre les gros risques.

« Regarde ton brochet », dit-il d'un air pensif. « Il n'a pas vécu toutes ces années au fond de la rivière en prenant tout le temps des risques. Il trouve sa nourriture dans les profondeurs alors qu'il est équipé pour croquer n'importe quel poisson de la rivière. » Il s'interrompit pour jeter le brin de trèfle et s'assit pour observer la surface de l'eau. « Il sait qu'on veut l'attraper, *Backfisch,* alors il reste au fond à manger des choses pourries, des déchets et de la boue. Là, il est à l'abri. Il guette les autres poissons, les plus petits, ceux qui vivent à la surface. Il voit le soleil mettre des reflets sur leur ventre et quand il en voit un, un peu isolé des autres, peut-être un peu plus vulnérable, Haouam !… » D'un geste rapide, ses mains se refermèrent comme des mâchoires sur une proie invisible.

Je le regardai, les yeux écarquillés.

« Il reste bien au large des nasses et des filets. Il les reconnaît à la vue. D'autres poissons deviennent trop gourmands mais ce vieux brochet-là attend le moment propice. Il sait attendre. Et les appâts, il les connaît aussi. Les leurres n'ont aucune chance avec lui. Seuls les appâts vivants marchent et encore, pas tout le temps. Faut être malin pour attraper un brochet ! » Il me fit un sourire. « Toi et moi, *Backfisch*, nous pourrions en apprendre des choses d'un vieux brochet, comme celui-là ! » Je le pris au mot. Nous nous retrouvions une fois tous les quinze jours, ou toutes les semaines même. Une ou deux fois, je fus seule avec lui ; le plus souvent, nous étions trois. C'était le jeudi, d'habitude. Nous avions rendez-vous près du Poste de Guet et nous allions vers les bois ou nous descendions la rivière, loin du village, où personne ne nous apercevrait. Tomas était souvent en civil, il laissait son uniforme dans la cabane pour ne pas attirer la curiosité. Quand Maman avait un de ses mauvais jours, je me servais du sachet de peau d'orange pour m'assurer qu'elle gardât la chambre pendant que nous allions retrouver Tomas. Les autres jours, je me levais à quatre heures et demie pour aller à la pêche avant de m'attaquer aux corvées de la matinée. Je faisais attention à choisir les coins les plus sombres et les plus tranquilles de la Loire. J'attrapais des appâts vivants dans mes casiers et je les y gardais pour m'en servir avec ma nouvelle canne à pêche. Je les faisais raser l'eau, de façon à ce que leur ventre clair effleurât juste la surface en laissant une légère griffure dans le courant. C'est ainsi que je pris plusieurs brochets mais tous étaient petits — jamais plus longs que la main ou le pied. Je les accrochai quand même aux Pierres Levées, à côté de mes trophées de serpents d'eau qui étaient restés pendus là tout l'été.

Comme le brochet, moi aussi, j'attendais.

X

Nous étions au début septembre à présent et l'été tirait à sa fin. Il faisait toujours chaud mais il y avait dans l'air une plénitude, une richesse, une abondance, comme une pourriture sucrée qui exhalait une odeur de miel. Les vilaines averses du mois d'août avaient gâté une bonne partie des fruits. Ce qui en restait était tout noir de guêpes. Nous les ramassâmes tout de même. Nous ne pouvions nous permettre de les perdre. Ce que nous ne pourrions vendre comme fruits frais, nous pouvions toujours l'utiliser pour des confitures ou de la liqueur pour l'hiver. Ma mère surveillait la cueillette. Elle nous donna des gants épais et de grandes pinces de bois — comme celles que l'on utilisait autrefois pour sortir le linge de l'eau bouillante des lessiveuses, à la buanderie — pour ramasser les fruits tombés. Les guêpes, je m'en souviens bien, étaient encore plus agressives qu'à l'ordinaire, cette année-là. Elles devinaient peut-être l'arrivée de l'automne et leur mort prochaine car elles nous piquaient souvent malgré nos gants lorsque nous lancions les fruits à demi pourris dans les grands chaudrons à confiture. Au début, on aurait dit de la confiture de guêpes. C'était à Reine — qui avait les insectes en horreur — d'écumer la surface mousseuse du liquide cramoisi et d'en sortir les guêpes à demi mortes. Elle en fit presque une crise d'hystérie. Elle les envoyait, d'un coup de cuillère, atterrir dans l'allée du jardin, dans une éclaboussure de jus de prunes. Leurs sœurs ne tardaient pas à les rejoindre et à s'enliser à leur tour dans cette glu sucrée. Maman perdit patience devant une telle réaction. Elle ne nous avait pas élevés pour que nous ayons peur de petites bestioles comme les guêpes. Lorsque Reinette hurla et sanglota parce qu'elle devait ramasser des masses de prunes toutes grouillantes de guêpes, elle la gronda plus sévèrement que d'habitude.

« Ne te fais pas plus bête que le bon Dieu ne t'a créée, ma fille », lui lança-t-elle d'un ton sec. « Les prunes ne

vont pas se ramasser toutes seules. Tu voudrais peut-être
que nous fassions le travail à ta place ? »

Reine gémit ; les bras tendus, tout raides, devant elle,
le visage déformé par la répulsion et l'épouvante.

La voix de Maman se fit plus menaçante. Elle semblait, à ce moment-là, bourdonner comme une guêpe
elle-même.

« Allez, vas-y », dit-elle. « Ou bien c'est moi qui te donnerai une raison de gémir. » Et elle poussa Reinette en
avant dans la direction du tas de prunes que nous avions
ramassées, une masse de fruits spongieux, qui commençaient à fermenter sous un essaim de guêpes. Soudain, Reinette se retrouva entourée d'un nuage d'insectes, elle se mit à hurler et, les yeux fermés, recula vers ma
mère, incapable de voir son visage soudain crispé par la
colère. Pendant une seconde, ma mère eut un regard sans
expression puis elle saisit Reinette — qui poussait toujours des cris hystériques — et l'entraîna rapidement vers
la maison sans dire un mot. Nous échangeâmes un
regard, Cassis et moi, sans faire un mouvement pour les
suivre. Nous savions bien ce qui allait se passer. Quand les
cris de Reinette redoublèrent, accompagnés d'un claquement sec, comme celui d'un fusil à air comprimé, nous
haussâmes simplement les épaules et nous reprîmes notre
travail, parmi les guêpes, en utilisant les grandes pinces de
bois pour mettre, dans les cuves espacées le long de
l'allée, les monceaux de prunes abîmées.

Après ce qui nous sembla un long moment, les bruits
que nous avions entendus — pendant la punition de Reinette — cessèrent. Ma mère et elle sortirent de la maison.
Ma mère tenait encore à la main le bout de corde à linge
dont elle s'était servie pour la fouetter. Elles se remirent à
l'ouvrage. Reinette reniflait encore de temps en temps et
s'essuyait les yeux rougis de larmes. Au bout d'un
moment, le tic de Maman recommença. Elle monta à sa
chambre, après nous avoir donné l'ordre bref de ramasser
les fruits qui étaient par terre et de mettre les confitures à

cuire. Elle ne fit par la suite aucune allusion à cet incident et ne sembla jamais se souvenir qu'il avait eu lieu.

Cette nuit-là, pourtant, j'entendis Reinette se retourner et gémir, et je remarquai les zébrures rouges sur ses jambes pendant qu'elle mettait sa chemise de nuit.

Aussi étrange que cela pût paraître, c'était loin d'être la dernière chose bizarre que fit Maman, cet été-là. L'incident fut bientôt oublié, sauf de Reinette, bien entendu. Mais nous avions bien autre chose en tête.

XI

Je n'avais pas vu Paul souvent, cet été-là. Quand Cassis et Reinette étaient en vacances, il restait à l'écart. Mais septembre arrivant, la nouvelle année scolaire allait bientôt commencer et Paul se remit à venir plus souvent. J'aimais bien Paul et pourtant l'idée de sa rencontre possible avec Tomas me mettait mal à l'aise. Je l'évitais donc souvent, restant cachée dans les buissons au bord de l'eau jusqu'à ce qu'il parte, faisant semblant de ne pas entendre ses appels ou ne remarquant pas les signes qu'il me faisait. Au bout d'un certain temps, il sembla avoir compris car il cessa complètement de venir.

C'est à cette époque-là que Maman commença vraiment à se conduire de façon étrange. Depuis l'incident avec Reinette, nous l'observions avec la prudence méfiante de peuplades primitives aux pieds de leur divinité. D'une certaine façon, elle était pour nous comme une idole, distribuant sans logique faveurs ou punitions. De son sourire ou du froncement de ses sourcils se levait le vent qui faisait tourner la girouette de nos émotions. Nous étions à la fin de septembre et, pour les deux plus grands, l'école allait recommencer la semaine d'après. Maman devint une sorte de caricature d'elle-même, se mettant en colère à la plus infime petite chose — un torchon déposé près de l'évier, une assiette laissée sur l'égouttoir, un grain de poussière oublié sur le verre d'un cadre à photo. Presque tous les jours, elle souffrait de maux de tête. J'en enviais presque Cassis et Reinette qui passaient de longues journées au collège. Notre petite école primaire était fermée et je n'avais pas l'âge de les rejoindre à Angers avant un an encore.

J'avais souvent recours au sac de peau d'orange. J'étais remplie de terreur à l'idée d'être découverte mais je ne pouvais pas m'en empêcher. Maman n'était calme que lorsqu'elle prenait ses pilules et elle ne les prenait que lorsqu'elle sentait une odeur d'orange. Je cachais ma réserve de peau d'orange au plus profond du barillet d'anchois et ne la sortais que lorsqu'il le fallait. C'était un coup risqué mais cela me procurait les cinq ou six heures de tranquillité dont j'avais grand besoin.

Entre ces oasis de trêve, la guerre se poursuivait entre nous. Je grandissais rapidement. J'étais déjà aussi grande que Cassis, plus grande que Reinette. J'avais le visage anguleux de ma mère, ses yeux sombres, son regard méfiant, ses cheveux noirs et raides. Je détestais cette ressemblance encore plus que ses bizarreries. Au fur et à mesure que l'été pourrissait et faisait place à l'automne, mon ressentiment s'aggravait. J'avais l'impression qu'il m'étouffait. Dans notre chambre, il y avait un morceau de miroir. Je m'y regardais en cachette. Je ne m'étais jamais beaucoup souciée de mon physique jusque-là mais soudain j'étais devenue curieuse, puis je devins critique. J'énumérais mes défauts, atterrée d'en découvrir autant. J'aurais voulu avoir les cheveux bouclés comme Reinette et des lèvres généreuses et carminées. Je m'emparai des cartes postales d'actrices de cinéma cachées sous le matelas de ma sœur et j'en appris tous les détails, non pas avec des soupirs d'extase mais avec des grincements de dents désespérés. Je tordais mes cheveux en papillotes pour les faire friser. Je pinçais cruellement les pâles bourgeons ambrés de ma poitrine pour les rendre plus volumineux. Rien n'y faisait. Je continuais à être l'image même de ma mère : gauche, maussade et sans aucun talent pour la conversation. D'autres choses étranges se passaient aussi. J'avais des rêves dont je gardais un souvenir très précis. Je m'en réveillais haletante et en sueur alors que les nuits devenaient fraîches. Mon odorat s'affinait. Certains jours, je pouvais percevoir l'odeur d'une meule de foin qui brûlait de l'autre côté des champs des Hourias alors que le vent soufflait dans l'autre direction. Je savais si Paul avait mangé du jambon fumé ou ce que ma mère préparait dans la cuisine avant d'être même entrée dans le verger. Pour la première fois, j'avais conscience de ma propre odeur, cette odeur chaude et salée, cette odeur de poisson qui persistait même après m'être frotté la peau avec de la citronnelle et de la menthe poivrée, l'odeur rance et musquée de mes cheveux. J'avais des crampes d'estomac — moi qui n'avais jamais mal au cœur — et des migraines. Je commençai à me demander si je n'avais pas aussi hérité des bizarreries de ma mère, si je n'étais pas prise dans un engrenage secret, furieux et frénétique.

Un matin je m'éveillai et découvris du sang sur le drap. Cassis et Reinette s'apprêtaient à partir au collège à bicyclette et ne faisaient que peu attention à moi. Je tirai instinctivement la couverture pour couvrir la tache de sang et j'enfilai rapidement une vieille jupe et un pull avant de courir jusqu'à la Loire me rendre compte de ce qui m'arrivait. J'avais du sang sur les jambes, je le rinçai à la rivière. J'essayai de me faire un pansement avec de vieux mouchoirs mais la blessure était trop profonde, la plaie trop déchiquetée pour cela. On aurait dit que l'on m'avait écartelée, que l'on m'avait arraché les nerfs un à un.

Il ne me vint jamais à l'idée de le dire à ma mère. Je n'avais jamais entendu parler de menstruation — Maman était très collet-monté quand il s'agissait des fonctions du corps humain… Je crus que j'étais gravement blessée, mourante peut-être. Une chute quelque part dans les bois, un champignon vénéneux causant une hémorragie interne qui débordait, une vilaine pensée peut-être. Nous n'allions pas à l'église — ma mère détestait *la curaille* et

ricanait devant la foule de gens qui allaient à la messe —
et pourtant elle nous avait inculqué une conscience très
claire de ce qu'était le péché. « Le mal finira par sortir »,
disait-elle. Nous en étions pleins, comme des outres
rebondies contenant un vin devenu aigre, des outres que
l'on doit surveiller, tapoter, dont chaque petit détail,
chaque petit bruit est une indication du mal fondamental,
du mal profond qu'elles dissimulent.

J'étais la plus contaminée. Je comprenais bien cela. Je
le voyais clairement dans le miroir, mes yeux ressemblaient tant aux siens avec leur insolence bestiale et stupide. Une seule mauvaise pensée peut faire venir la mort,
nous disait-elle. Cet été-là, toutes mes pensées avaient été
comme ça. Je la croyais. Comme un animal blessé à mort,
je me cachai, je grimpai au Poste de Guet où je me couchai en boule sur le plancher de la cabane et où j'attendis
la mort. J'avais des douleurs lancinantes à l'abdomen.
Comme la mort ne venait pas, je lus un des illustrés de
Cassis pendant un moment et puis, contemplant la voûte
lumineuse du feuillage au-dessus de moi, je m'endormis.

XII

Elle m'expliqua plus tard, en me tendant le drap propre.
Elle ne montra aucune émotion, à part cet air soupçonneux qu'elle adoptait toujours en ma présence. Ses lèvres
minces étaient presque invisibles et ses yeux s'ouvraient
comme des entailles faites par des fils barbelés dans la
pâleur de son visage.

« C'est la malédiction qui commence un peu tôt »,
déclara-t-elle, « tu ferais bien de prendre ça. » Et elle me
remit une pile de petits carrés de mousseline, un peu
comme des couches de bébé, sans me montrer comment
les utiliser.

« La malédiction ? » Je passai la journée dans la
cabane, attendant ma dernière heure. Son absence

d'émotion me rendait furieuse. Je ne savais que penser. J'avais toujours aimé les grandes scènes théâtrales. Je m'imaginai à ses pieds, morte, des fleurs au-dessus de ma tête, et une pierre tombale de marbre avec les mots « *À ma fille bien-aimée* ». Je me persuadai que j'avais dû apercevoir Génitrix sans m'en rendre compte et qu'il m'avait jeté un mauvais sort.

« La malédiction de la mère », dit-elle comme si elle avait la même pensée que moi. « Tu seras comme moi maintenant. »

Elle n'ajouta rien. Pendant deux jours, je fus terrifiée mais ne le lui avouai pas. Je lavai les carrés de mousseline dans la Loire. Après cela, la malédiction cessa pendant quelque temps et je n'y pensai plus.

Mais le ressentiment existait toujours. Il avait été mis en perspective par ma peur, maintenant aiguisée par le refus de ma mère de me rassurer. Ses paroles me hantaient… « Tu seras comme moi, maintenant. » Je commençai à imaginer que le changement se faisait de façon imperceptible, que je lui ressemblais de plus en plus par des détails insidieux, à peine remarquables. Je me pinçai les bras et les jambes, trop maigres, parce que c'étaient les siens. Je me giflai pour que mes joues soient moins pâles. Un jour, je me coupai les cheveux — si courts que je me tailladai le crâne en plusieurs endroits — parce qu'ils refusaient de boucler. J'essayai de m'épiler les sourcils mais, ne sachant comment m'y prendre, je les avais presque fait complètement disparaître lorsque Reinette me surprit en train de m'acharner au-dessus du miroir avec la pince à épiler. Un profond pli de fureur me barrait le front.

Maman s'en aperçut à peine. L'histoire que je lui racontai — que je m'étais brûlé les cheveux et les sourcils en essayant de rallumer la chaudière de la cuisinière — semblait avoir satisfait sa curiosité. Une fois seulement — cela avait dû être l'un de ses bons jours — nous étions toutes deux dans la cuisine où nous préparions des terrines de lapin, elle se tourna vers moi, dans un moment d'impulsion étrange.

« Voudrais-tu venir au cinéma avec moi aujourd'hui, Boise ? » me demanda-t-elle soudain. « Nous pourrions y aller, toutes les deux seulement. »

Cette proposition, si extraordinaire de la part de ma mère, me prit complètement par surprise. Elle ne quittait jamais la ferme, sauf pour le commerce. Elle ne dépensait jamais d'argent inutilement en distractions. Je remarquai tout à coup qu'elle portait une nouvelle robe — aussi nouvelle qu'elle pouvait l'être en ces jours de crise — au corsage rouge décolleté. Elle devait l'avoir confectionnée avec des restes de tissu, dans sa chambre, pendant ses nuits d'insomnie, parce que, moi, je ne l'avais encore jamais vue. Elle avait le visage légèrement empourpré, presque juvénile et du sang de lapin tachait ses mains tendues.

Je fis un pas en arrière. Cela avait été un geste d'amitié, je le savais. Le rejeter était impensable. Pourtant, entre nous, il y avait trop de silence, de sujets tabous pour rendre la chose possible. Pendant un instant, je m'imaginai allant vers elle, la laissant me prendre dans ses bras, lui racontant tout...

Cette pensée me rappela immédiatement à la réalité.

Lui raconter quoi exactement ? me questionnai-je, en faisant un effort pour être réaliste. Il y avait beaucoup trop à raconter et, en même temps, il n'y avait rien, rien du tout. Elle me regarda d'un air curieux.

« Boise ? Qu'en dis-tu ? » Sa voix était inhabituellement douce, presque caressante. Je la vis soudain couchée dans un lit, avec mon père, les bras tendus, le visage tout illuminé de ce choquant désir de plaire. « Nous ne faisons jamais rien d'autre que de travailler », me dit-elle d'une voix basse. « Nous n'avons jamais de temps pour autre chose. Et je suis si fatiguée. »

Je l'entendais pour la première fois, je crois, émettre une plainte. De nouveau, j'eus une terrible envie de m'approcher d'elle, de sentir sa chaleur, mais c'était

inconcevable. Nous n'avions pas l'habitude de ces choses-
là, d'être en contact physique — l'idée même semblait
presque une indécence.

Je murmurai gauchement quelque excuse — j'avais
déjà vu ce film-là.

Pendant un instant, les mains tachées de sang restèrent tendues vers moi, m'invitant. Alors, son visage se
referma et le plaisir que j'en ressentis fut brutal comme
un coup de poignard. Pour la première fois, au cours de
notre long et cruel combat, le point était en ma faveur.

« Je comprends », dit-elle d'une voix presque inaudi-
ble. Et elle ne parla plus jamais d'aller au cinéma. Elle ne
fit aucune remarque lorsque, le jeudi, j'allai à Angers avec
Cassis et Reine voir le film que j'avais justement déclaré
avoir déjà vu. Elle avait peut-être déjà oublié cela.

XIII

Ce mois-là, notre mère, dont l'humeur était si imprévisible et la conduite si arbitraire, sembla en proie à un
nouvel éventail de caprices. Un jour, elle était toute
joyeuse et elle chantait dans le verger en surveillant la fin
de la cueillette, le lendemain, elle nous grondait pour
avoir osé venir trop près d'elle. Nous recevions des
cadeaux inattendus : des morceaux de sucre, un précieux
carré de chocolat, un corsage pour Reine, taillé dans la
fameuse soie de parachute de Mme Petit et fermé par de
minuscules boutons de nacre. Comme la robe au corselet
rouge, elle avait dû le coudre en secret car je ne l'avais vue
ni découper le tissu ni lui faire essayer le corsage. Il était
magnifique. Comme d'habitude, le cadeau fut présenté
sans un mot, dans un silence gauche, brutal, où des paroles de remerciements ou de plaisir auraient paru
déplacées.

« *Elle est si jolie comme ça* », confia-t-elle à son album.

« *Elle est presque femme maintenant, elle a les yeux de son père. S'il était encore vivant, je serais peut-être jalouse d'elle. C'est peut-être ce que ressent Boise, avec sa drôle de petite frimousse de grenouille qui ressemble tant à la mienne. Je vais essayer de découvrir quelque chose qui lui fasse plaisir. Il n'est pas trop tard.* »

Si seulement elle avait dit quelque chose au lieu d'avoir écrit ça de sa minuscule écriture, si difficile à déchiffrer ! D'une certaine manière, ces petits mouvements de générosité — si c'était vraiment ce qu'ils étaient — m'emplissaient encore plus de colère. Je me surpris à chercher des occasions de la blesser comme je l'avais fait si bien, ce jour-là, dans la cuisine.

Je ne cherche aucune excuse. Je voulais vraiment la blesser. Les enfants sont cruels, dit-on, et c'est entièrement vrai. Quand ils vous font du mal, ils y vont jusqu'à l'os avec la précision qu'un adulte n'aurait pas. Nous étions de jeunes animaux sauvages, pour lesquels la moindre faiblesse éveillait l'instinct de prédateurs. Cette seconde, dans la cuisine, où elle avait tendu les bras vers moi, avait été sa perte. Elle le savait peut-être, mais trop tard. Ayant découvert sa faiblesse, à partir de ce jour-là, je fus implacable. La solitude me dévorait, ouvrant dans mon être entier des gouffres de plus en plus profonds, de plus en plus noirs. Si, par moments, je l'aimais aussi, d'un amour avide, douloureux et désespéré, j'en chassais la pensée même, en me souvenant de son indifférence, de sa froideur et de sa colère. Mon raisonnement avait la merveilleuse logique des aliénés. J'allais lui faire regretter son attitude envers moi, me promettais-je. Je lui donnerais des raisons de me haïr.

Je rêvais souvent de Jeannette Gaudin, du gravier blanc et de la statue de l'ange, des lys blancs dans le vase au-dessus de sa tête. « *À notre fille bien-aimée.* » À mon réveil, parfois, des larmes inondaient mon visage, mes mâchoires étaient douloureuses à force d'avoir grincé des

dents pendant des heures. Parfois, j'avais du mal à reprendre contact avec la réalité et j'étais certaine d'être à l'ago-
nie. Le serpent avait fini par m'avoir après tout, en dépit
de toutes les précautions que j'avais prises, pensais-je,
comme encore sous l'effet d'un anesthésique... Il m'avait
piquée, mais, au lieu de provoquer une mort rapide —
fleurs blanches, marbre étincelant et chagrin profond —,
il me forçait à ressembler de plus en plus à ma mère. Et je
gémissais dans la chaleur de ce demi-sommeil. Et je prenais ma pauvre tête tondue entre mes mains impuissantes.

J'avais recours parfois au sachet de peau d'orange par
pure cruauté, pour me venger, en cachette, de mes cauchemars. Je l'entendais marcher de long en large dans sa
chambre, parler toute seule. Le bocal qui contenait sa
morphine était presque vide. Un jour, elle lança quelque
chose de lourd qui se fracassa contre le mur. Plus tard, je
découvris les débris de la pendule de sa mère dans la poubelle. Le dôme s'était brisé en mille morceaux et le
cadran s'était fendu en deux. Je n'éprouvai pour elle
aucune pitié de cette perte. Je l'aurais fracassée moi-
même, si j'avais osé.

Pendant ce mois de septembre-là, deux choses seulement m'empêchèrent de sombrer. D'abord, mes efforts
pour prendre le brochet. J'en attrapai plusieurs en suivant
le conseil de Tomas d'appâter à vif — les Pierres Levées,
décorées de leurs cadavres, empestaient et au-dessus
d'elles chatoyait un nuage violacé tout crépitant de mouches. Génitrix ne se laissait pas prendre, pourtant j'étais
certaine que j'allais bientôt réussir. J'imaginais qu'à chacune de mes prises, le gros brochet m'observait, que sa
témérité augmenterait avec sa rage impuissante. Son désir
de vengeance serait sa perte, me persuadais-je. Il ne pourrait pas indéfiniment tolérer les attaques contre son peu-
ple. Quelle que fût sa patience, quelle que fût sa maîtrise,
le moment viendrait sûrement où il ne pourrait plus s'en
empêcher. Il sortirait de son repaire, il livrerait bataille et
je le vaincrais. Je persévérais et j'épanchais ma colère
contre les cadavres de mes victimes avec de plus en plus

d'ingéniosité. J'utilisais parfois ce qu'il en restait pour appâter mes casiers.

La deuxième chose qui m'empêchait de sombrer était la présence de Tomas. Nous le voyions toutes les semaines quand il pouvait se libérer, presque toujours le jeudi, qui était son jour normal de congé. Il venait à moto. Il la cachait, avec son uniforme, dans les buissons, derrière le Poste de Guet, souvent avec un paquet de marchandises de marché noir que nous nous partagions. Nous étions si habitués à ses visites que, de façon étrange, nous nous en serions contentés, mais nous ne l'avouâmes jamais, ni les uns ni les autres. En sa présence, nos personnalités se modifiaient : Cassis devenait nonchalant, faisant de temps en temps un coup de tête par pure bravade… « Regarde comme je peux traverser la Loire à la nage à l'endroit où le courant est le plus rapide ! Regarde comme je peux voler le miel des abeilles sauvages ! » Reine, elle, jouait à la jeune chatte timide, lui jetant de furtifs regards du plus profond de ses yeux fardés et gonflant ses jolies lèvres peintes comme pour un baiser. Je haïssais les poses et les manières de Reine. Comme j'étais consciente de n'avoir aucune chance si j'essayais de faire concurrence à ma sœur à ces jeux-là, je faisais de mon mieux pour rivaliser d'audace avec Cassis dans tous les domaines où il s'aventurait. Je traversais à la nage des endroits plus profonds et plus dangereux de la rivière, je plongeais plus longtemps que lui sous l'eau. Je me balançais à bout de bras aux branches les plus hautes du Poste de Guet et lorsque Cassis osait en faire autant, sachant très bien qu'il souffrait secrètement de vertige, je m'y balançais par les pieds en riant et en poussant des cris à la Tarzan pour attirer l'attention des autres en bas. Avec mes cheveux coupés ras, j'avais plus l'air d'un garçon qu'un vrai garçon. Déjà Cassis se mettait à donner des signes de la mollesse de caractère à laquelle il allait succomber à l'âge mûr. J'avais le courage mieux trempé, le corps plus dur à l'effort qu'il ne l'avait. J'étais trop jeune pour comprendre comme lui ce qu'était la peur et je risquais ma vie, l'esprit léger, pour

marquer un point contre lui. C'est moi qui avais inventé
le Jeu des Racines — qui devint un de nos favoris. Je passais des heures à m'y entraîner, j'étais ainsi presque toujours la gagnante.

Le principe du jeu était très simple. Le long des
berges de la Loire qui avait maintenant baissé depuis la
fin des pluies, il y avait une profusion de racines mises à
nu par le courant de la rivière. Certaines avaient un dia-
mètre de la taille d'une petite fille, d'autres n'étaient pas
plus grosses que le doigt, elles retombaient dans l'eau
pour se rattacher souvent à l'argile jaune un mètre ou
deux plus bas. Elles formaient des boucles ligneuses dans
l'eau sombre. Il s'agissait de plonger à travers ces boucles
— dont certaines étaient très étroites — et brusquement
de changer la direction de son corps de façon à pouvoir
repasser dans la même boucle une autre fois avant de
remonter. Si vous loupiez la boucle la première fois dans
l'eau boueuse, si vous réapparaissiez à la surface sans y
être passé une seconde fois, ou si vous refusiez de relever
un défi, vous étiez éliminé. Celui qui gagnait était celui
qui pouvait passer à travers le plus grand nombre de boucles, sans en louper aucune.

C'était dangereux. Les racines formaient des boucles
aux endroits de la rivière où le courant était le plus rapide
et où les berges étaient les plus férocement érodées. Des
serpents se cachaient dans les trous, sous les racines. Si la
berge s'écroulait, il était possible de rester prisonnier
dans le glissement de terrain. On n'y voyait pratiquement
rien et on devait à tâtons se frayer une sortie à travers les
petites racines. Il était toujours possible que quelqu'un s'y
fît prendre comme dans un filet entraîné par le courant
rapide et s'y noyât. Cela, bien sûr, faisait la beauté de ce
jeu-là et c'était ce qui nous fascinait.

J'étais bonne à ça. Reine jouait rarement et faisait fréquemment des crises d'hystérie quand Cassis et moi rivali-
sions d'audace par désir d'impressionner. Cassis était incapable de refuser un défi. Il était toujours plus robuste que
moi, mais j'avais l'avantage d'avoir une ossature plus fine

et une colonne vertébrale plus flexible. J'étais comme une anguille, par contre, plus Cassis faisait le fanfaron, plus il jouait au gros dur, et plus son corps devenait raide. Je ne me souviens pas d'avoir jamais perdu.

Les seules occasions où je voyais Tomas seule étaient les jours où Cassis et Reine avaient fait des bêtises au collège. Ils étaient obligés d'y rester en retenue le jeudi alors que les autres étaient partis chez eux. Assis à leurs pupitres, dans la salle d'études, ils devaient conjuguer des verbes ou recopier des centaines de fois le même principe de conduite. Cela arrivait rarement d'habitude, mais les temps étaient durs pour tout le monde. Le collège était toujours occupé. Il n'y avait que peu de professeurs et les effectifs étaient souvent de cinquante à soixante élèves par classe. Alors, quelquefois, ils étaient à bout de patience et une toute petite chose pouvait provoquer ça : un mot maladroit, un mauvais résultat à une interrogation écrite, une bataille dans la cour de récréation, une leçon mal apprise. Moi, je faisais des prières pour que cela arrive.

Le jour où cela arriva fut sans pareil et je m'en souviens aussi clairement que certains rêves, il représente un souvenir plus coloré, plus précis que tout le reste, une sorte de diapositive merveilleuse parmi la grisaille des événements flous de cet été-là. Au cours de cette journée unique, tout se trouvait parfaitement orchestré. Pour la première fois de ma vie, je ressentis une sorte de sérénité, j'étais en paix avec moi-même, avec le monde qui m'entourait, j'avais l'impression qu'il était en mon pouvoir de faire durer indéfiniment la magie de cette journée. Je n'ai jamais retrouvé cette impression-là et pourtant j'ai connu quelque chose qui s'en approchait à la naissance de chacune de mes deux filles et peut-être une ou deux fois avec Hervé ou peut-être encore lorsqu'un plat que je préparais s'était révélé exactement comme je l'avais voulu. Mais ce jour-là, je ressentis l'authenticité de la chose, je bus à l'élixir de la mémoire infinie.

Maman avait été souffrante le soir précédent. Cette fois-là, ce n'était pas moi qui en étais responsable. Le sachet de peau d'orange, chauffé si souvent pendant les derniers mois que les morceaux en étaient tout noircis et calcinés, avait complètement perdu son pouvoir, l'odeur en était imperceptible. Non, cette fois-là, il s'agissait bien d'un de ses mauvais jours habituels. Au bout d'un certain temps, elle prit ses pilules et s'allongea, m'abandonnant à moi-même. Je m'éveillai très tôt et je partis pour la rivière avant que Cassis et Reine n'ouvrissent les yeux. C'était une de ces journées corallines et dorées du début d'octobre, l'air était frais et piquant comme un alcool de cidre. À cinq heures du matin, le ciel clair était de cette couleur bleu lapis qui teinte seulement les plus belles journées d'automne. Il n'y en a que deux ou trois par an comme celles-là. Celle-ci en était une. Je chantonnais en vérifiant mes nasses. Les voiles de brume qui montaient des berges de la Loire renvoyaient ma voix en écho comme un défi. C'était la saison des champignons. Après avoir rapporté ma prise à la ferme et avoir nettoyé les poissons, je déjeunai de pain et de fromage et partis à travers les bois à la cueillette de champignons. Je savais où les trouver. À la vérité, je le sais encore mais, à cette époque-là, j'avais le nez pour ça. Je les découvrais à l'odeur, la craterelle grise et la girolle jaune à l'odeur d'abricot, le bolet brun et la psalliote des champs, le coprin chevelu, la tête-de-nègre et le pied-bleu. Maman nous recommandait toujours de faire vérifier nos champignons par le pharmacien pour être absolument sûrs de ne pas en avoir ramassé de vénéneux mais je ne me suis jamais trompée. Je reconnaissais l'odeur charnelle du bolet doux et la senteur d'humus de la tête-de-nègre. Je savais les coins qu'ils aimaient et où ils se multipliaient. J'étais patiente.

Lorsque je rentrai à la maison, il était presque midi. Cassis et Reinette auraient dû être de retour du collège, mais il n'y avait aucun signe de leur présence. Je préparai les champignons et les mis à mariner dans un bocal d'huile d'olive parfumé de thym et de romarin. À travers la porte de sa chambre j'entendais la lourde respiration de ma mère, sous l'effet de sa drogue.

Midi et demi arriva, une heure moins le quart. Ils auraient dû être là maintenant. Tomas arrivait d'habitude vers deux heures au plus tard. Je commençai à ressentir des picotements de plaisir. Je montai à notre chambre et me contemplai dans le miroir de Reinette. Mes cheveux avaient commencé à repousser mais, derrière, ils me donnaient encore l'air un peu garçonnier. Je mis mon chapeau de paille pour les couvrir, bien que l'été fût déjà passé et décidai que cela m'allait beaucoup mieux.

Une heure. Ils avaient au moins une heure de retard. Je les imaginais dans la salle de retenue dont les hautes fenêtres laissaient pénétrer le soleil, avec son odeur de parquet ciré et de vieux bouquins. Cassis était maussade. Reinette reniflait furtivement. Je pris le précieux tube de rouge à lèvres sous le matelas de Reinette où il était caché et m'en barbouillai les lèvres puis je me regardai d'un œil critique. Je répétai l'opération avec mes paupières. Cela me changeait, pensai-je avec approbation, j'étais presque jolie. Pas jolie comme Reinette ou comme les actrices de ses cartes postales mais, aujourd'hui, cela n'avait pas d'importance. Reinette n'était pas là.

À une heure et demie, je me dirigeai vers la rivière et notre lieu habituel de rendez-vous. Du Poste de Guet, j'attendis son arrivée, me préparant presque à ce qu'il ne vînt pas — une chance comme ça ne pouvait arriver qu'à quelqu'un d'autre, pas à quelqu'un comme moi —, le chaud parfum de sève qui se dégageait des feuilles rougissantes tout autour de moi me submergeait. Encore une autre semaine et on ne pourrait plus utiliser le Poste de Guet pendant six mois, la cabane serait aussi visible qu'une maison sur une colline, mais, ce jour-là, le feuillage était toujours assez dense pour me dérober aux regards. J'étais chatouillée de délicieuses vagues qui déferlaient sur mon corps comme si quelqu'un avait égrené de légères gammes au xylophone juste au-dessus de mon pelvis. J'avais la tête incroyablement légère. Aujourd'hui, tout est possible, pensai-je étourdiment. Tout.

Vingt minutes plus tard, je perçus le bruit d'une moto sur la route. Je bondis de l'arbre et je me dirigeai aussi vite que possible du côté de la rivière. L'impression de vertige avait augmenté maintenant et je me sentais étrangement désorientée, le sol sur lequel j'avançais était à peine réel. Un sentiment de puissance, aussi indicible que ma joie, me submergeait. Aujourd'hui, Tomas était mon secret à moi, ma possession. Ce que nous nous dirions serait à nous seuls. Ce que je lui dirais…

Il s'arrêta sur la berge, jeta un coup d'œil derrière lui pour s'assurer qu'on ne l'avait pas vu, puis poussa la moto dans les tamaris près du long banc de sable. Je l'observai, bizarrement hésitante à révéler ma présence maintenant que le moment était venu, brusquement intimidée par notre solitude à deux, notre nouvelle intimité. J'attendis qu'il eût ôté sa jaquette et l'eût cachée dans la broussaille. Il jeta un coup d'œil autour de lui. Il portait un paquet attaché par une ficelle et avait une cigarette au coin de la bouche.

« Les autres ne sont pas là. » J'essayai de prendre une voix adulte à l'unisson de son regard. Soudain consciente du maquillage de ma bouche et de mes paupières, je me demandai s'il ferait une remarque. S'il se mettait à rire, me dis-je férocement, s'il osait rire… Mais Tomas sourit simplement. « Bien », dit-il d'un ton détaché. « Toi et moi, simplement, alors ! »

XIV

Comme je l'ai dit, la journée fut parfaite. Avec un recul de cinquante-cinq ans, il est difficile d'expliquer la joie frémissante de ces quelques heures. Quand on a neuf ans, nos émotions sont tellement à fleur de peau qu'un simple mot suffit à nous blesser. Moi j'étais plus sensible que la plupart et je m'attendais presque à ce qu'il gâchât tout. Je ne m'étais jamais demandé si j'étais amoureuse de lui. À ce moment précis, cela n'avait aucune importance. D'ailleurs, exprimer cette joie douloureuse et désespérée avec des mots galvaudés dans les films favoris de Reinette était quelque chose d'impossible. Pourtant, c'était bien de l'amour. La confusion qui régnait dans mon esprit, ma solitude, les bizarreries de ma mère, le fait d'être séparée de ma sœur et de mon frère avaient provoqué chez moi une espèce de faim, avaient créé en moi comme une bouche insatiable qui s'ouvrait d'instinct pour happer chaque miette de gentillesse, même lorsque celle-ci m'était montrée par un Allemand, par cet aimable maître chanteur dont le seul intérêt était de bien graisser les filières d'où provenaient ses informations.

Je me persuade maintenant que cela seul comptait pour lui et pourtant quelque chose en moi le nie. Non, cela n'était pas tout. Il y avait quelque chose d'autre aussi, d'intangible. Il trouvait plaisir à me retrouver, à me parler. Pourquoi serait-il resté si longtemps sans cela ? J'ai retenu chaque mot, chaque intonation, chaque geste. Il me parla de l'endroit où il habitait en Allemagne, de *Bierwurst* et de *Schnitzel*, de la Forêt-Noire et des vieilles rues de Hambourg, de la Rhénanie, de *Feuerzangenbowle* où l'on met une orange piquée de clous de girofle avec une bougie allumée dans un bol de punch chaud, de *Keks* et de *Strudel*, de *Backenoff* et de *Frikadelle* à la moutarde et des pommiers du jardin de son grand-père, avant la guerre, et moi, je lui parlai de ma mère, de ses pilules, de ses bizarreries, du sachet de peau d'orange, des balances à écrevisses, de la pendule au cadran fendu et de comment, le moment venu, je ferais le vœu de ne jamais voir finir cette journée-là.

Il me contempla alors et nous échangeâmes un regard étrangement adulte — une variante du jeu de Cassis qui consistait à forcer l'autre à baisser les yeux. Cette fois-ci, ce fut moi qui détournai la première le regard.

« Je m'excuse », murmurai-je.

« Aucune raison », dit-il et, dans un certain sens, c'était la vérité. Nous ramassâmes d'autres champignons et du thym sauvage — tellement plus odorant que la variété que l'on cultive, avec ses petites fleurs violettes — et quelques fraises des bois tardives, trouvées derrière une souche. Comme il franchissait un amoncellement de troncs de bouleaux tombés, ma main effleura son dos brièvement, sous prétexte de reprendre mon équilibre. Pendant des heures après ça, je gardai sur ma paume la chaleur de sa peau comme la brûlure d'un fer rouge. Puis, nous nous assîmes au bord de la rivière pour contempler le disque rouge du soleil disparaître derrière les arbres. Pendant un instant, je fus certaine d'avoir vu quelque chose de noir qui se détachait dans l'eau sombre, une forme à peine visible à la pointe d'un grand V de vaguelettes minuscules qui ridaient la surface — une gueule, un œil, une courbure luisante qui se retournait, une double rangée de dents hérissée de vieux hameçons —, quelque chose de terrifiant, d'énorme, qui disparut à la seconde même où j'allais l'appeler par son nom, ne laissant qu'un sillage là où il aurait pu être et un bouillonnement d'eau trouble.

D'un bond, je fus sur mes pieds, le cœur battant à se rompre. « Tomas ! Tu as vu ça ? »

Tomas me regarda d'un air nonchalant, un mégot entre les dents. « Un bout de tronc d'arbre », dit-il, laconique. « Un tronc apporté par le courant. On en voit tout le temps. »

« Non, ça n'était pas ça ! » Ma voix aiguë tremblait d'émotion. « Je l'ai bien vu, Tomas ! C'était lui, c'était bien lui, Génitrix. Gén… » M'élançant à toute vitesse, soudain, je me mis à courir vers le Poste de Guet pour chercher ma canne à pêche. Tomas fit entendre un petit rire.

« Tu n'arriveras jamais à temps », dit-il. « Même si cela était le vieux brochet et, crois-moi bien, *Backfisch,* aucun brochet n'a jamais atteint cette taille-là. »

« C'était Génitrix », dis-je d'un air buté. « C'était lui, vraiment ! Trois mètres de long, c'est Paul qui dit ça, et noir comme du jais. Ça ne pouvait pas avoir été autre chose. Oui, c'était bien lui. »

Tomas sourit.

Pendant une seconde ou deux, je fixai mon regard sur celui que me lançaient ses yeux clairs et étincelants, puis confuse, je baissai les miens.

« C'était lui », répétai-je tout bas. « C'était lui, je le sais bien ! »

Je me suis bien souvent posé des questions à propos de cet incident. Peut-être Tomas avait-il raison et ce n'était après tout qu'un morceau de tronc d'arbre flottant entre deux eaux. Il est vrai d'ailleurs que, lorsque je finis par le prendre, Génitrix n'atteignait pas du tout les trois mètres — bien qu'il fût le plus gros de tous les brochets, à notre connaissance. Les brochets n'atteignent jamais cette longueur-là, me répétais-je et ce que j'avais vu — ou ce que j'avais cru voir — dans la rivière, ce jour-là, était facilement aussi grand que l'un des crocodiles avec lesquels Johnny Weissmuller luttait tous les samedis matin au Majestic.

Mais les adultes raisonnent comme ça ! À cette époque-là, la logique et le réalisme ne dressaient pas leurs barrières entre nous et ce que nous croyions. Ce que nous avions vu était ce que nous avions vu et, même si cela amusait les adultes, qui aurait pu affirmer où se cachait la vérité ?

Au fond de moi, je sais que j'ai vu un monstre ce jour-là, quelque chose d'aussi vieux et d'aussi perfide que la rivière elle-même, quelque chose que personne ne pourrait jamais attraper.

Jeannette Gaudin en fut victime. Tomas Leibniz aussi. Et je lui ai échappé de justesse moi-même.

QUATRIÈME PARTIE

LA MAUVAISE RÉPUTATION

I

« *Essuyer les anchois puis les vider, en frotter l'intérieur avec du gros sel. Les emplir de sel et de* salicorne. *Les placer dans le baril la tête en haut et continuer à recouvrir de sel après chaque couche d'anchois.*

» *Encore une autre affectation ! Le baril ouvert, ils seraient là, dressés sur leur queue, vous fixant silencieusement de leurs pauvres petits yeux de poisson crevé. Prélever ce qui vous est nécessaire pour votre cuisine de la journée. Remettre le reste à place sans oublier d'y rajouter sel et salicorne. Dans l'obscurité de la cave, ils avaient l'air désespérés comme des enfants qui se noient dans un puits.*

» *Faire rapidement disparaître cette pensée de votre esprit, comme d'un coup de ciseau vous faites disparaître la tête fanée d'une fleur.* »

Cette écriture régulière et penchée, à l'encre bleue, c'est l'écriture de ma mère. Dessous, elle a ajouté quelque chose d'une main moins appliquée mais c'est du Bilini enverlini, une sorte de gribouillis fait au crayon rouge gras, comme du rouge à lèvres. « *Sulpeni ined selulipni.* » Plus de pilules.

Elle les avait depuis le début de la guerre, elle les avait prises d'abord prudemment une par mois, peut-être moins, puis, à mesure que s'écoulait cet été étrange où, à longueur de temps, elle décelait une odeur d'orange, elle les avait prises sans se soucier des conséquences.

« *Y. fait de son mieux pour aider* », écrivait-elle d'une main tremblante. « *Cela nous apporte à tous les deux un peu de soulagement. Il se procure les pilules à la Rép par l'intermédiaire d'un homme que Hourias connaît là-bas. D'autres façons de se soulager aussi, je le devine, mais je suis assez maligne pour ne pas poser de questions. Il n'est pas fait de bois après tout. Pas comme moi. Je fais des efforts pour me dire que cela m'est égal. En vain. Enfin, il est discret. Je devrais lui en être reconnaissante. Il prend soin de moi comme il peut, mais cela ne sert à rien. Nous sommes séparés. Lui, vit en pleine lumière. L'idée de mes souffrances le remplit de consternation. J'en suis consciente. Pourtant je le déteste quand même d'être ce qu'il est.* »

Puis, plus tard, après la mort de mon père :

« *Plus de pilules. L'Allemand dit pouvoir s'en procurer, mais il ne veut pas. Je suis comme folle. Je pourrais vendre mes enfants pour une seule nuit de sommeil.* »

Il y avait une date pour cela, c'était rare. C'est comme ça que j'ai su. Elle cachait jalousement ses pilules dans le flacon tout au fond d'un tiroir, dans sa chambre. Parfois, elle le prenait et le retournait… C'était un flacon de verre brun et l'étiquette révélait encore quelques mots, à peine lisibles, en allemand.

« *Plus de pilules.* »

C'était le soir du bal, la nuit de la dernière orange.

II

« Tiens, *Backfisch*, attrape, j'ai failli oublier. » Il la lança nonchalamment en se retournant, comme un gamin lance une balle, pour voir si je l'attraperais. C'était bien de lui de faire semblant d'avoir oublié, de me taquiner, de risquer de me faire perdre la récompense dans l'eau trouble de la rivière si j'étais trop lente ou trop maladroite. « Ta favorite ! »

Je l'attrapai sans mal, de la main gauche et souris. « Dis aux autres de passer ce soir à La Mauvaise Réputation. » Il me fit un clin d'œil espiègle et ses prunelles luisantes comme celles d'un chat s'illuminèrent d'un éclair émeraude. « On va peut-être s'amuser ! »

Naturellement, Maman ne nous avait jamais permis de sortir le soir. Même s'il était quasi impossible de faire respecter le couvre-feu dans les villages écartés comme le nôtre, d'autres dangers existaient. À la faveur de la nuit se cachaient plus d'activités clandestines que nous ne pouvions deviner. À ce moment-là, un certain nombre d'Allemands qui n'étaient pas de service avaient pris l'habitude de s'arrêter au café prendre un verre. Ils aimaient, dit-on, sortir d'Angers pour échapper à la surveillance des SS. Tomas avait fait allusion à cela au cours de nos rendez-vous. J'entendais parfois au loin, sur la route, le bruit des motos et je pensais à lui, en route pour la caserne. Je l'imaginais très clairement, les cheveux rabattus en arrière par la vitesse, le visage baigné de lumière, il suivait la courbe généreuse de la Loire qui s'étirait blanche et froide au clair de lune. Bien entendu, les motocyclistes auraient pu être n'importe qui mais, moi, j'étais toujours sûre qu'il s'agissait de Tomas.

Ce jour-là, cependant, c'était différent. Les moments secrets passés ensemble m'avaient peut-être enhardie car tout semblait possible. Il jeta sa jaquette d'uniforme sur ses épaules et me fit un signe nonchalant de la main. En démarrant, il souleva un nuage de poussière jaune et, soudain, un énorme soupir gonfla douloureusement mon cœur. Une impression de perte irrémédiable me glaça comme une douche froide. Je courus derrière lui, la bouche pleine de la poussière de son sillage. J'agitais les bras longtemps après que sa moto eut disparu sur la route d'Angers. Alors des larmes commencèrent lentement à tracer leurs lents sillons roses dans la boue qui couvrait d'un masque mon visage.

Ce n'était pas assez.

J'avais eu ma journée, mon unique, ma parfaite journée mais déjà mon cœur débordait de colère et de ressentiment. Un coup d'œil au soleil. Quatre heures s'étaient écoulées. Un plus long moment qu'il m'eût été possible de même l'imaginer, tout un après-midi, et pourtant, ce n'était pas assez. J'en voulais davantage, bien davantage. Je me mordis les lèvres de désespoir à la découverte de ce nouveau désir en moi, au souvenir de cet éphémère contact dont ma main ressentait encore la brûlure. Je portai plusieurs fois mes lèvres à la paume de ma main et les posai à l'endroit où sa peau m'avait brûlée. Je me répétai ses paroles comme si elles avaient été de la poésie. Je revécus chacun de ces moments précieux, chaque fois de plus en plus incapable de croire qu'ils eussent vraiment existé, comme, par les matins d'hiver, j'essaie de me souvenir de l'été. Mais quels que soient les efforts, ce besoin-là ne peut jamais être satisfait. J'aurais voulu le revoir, immédiatement, tout de suite. J'entretenais des rêves fous d'évasion à deux, de vie en sauvages dans la forêt, loin des gens, d'une cabane dans les arbres que j'aurais bâtie pour lui, de survie, grâce à la cueillette de champignons, de fraises sauvages et de châtaignes, jusqu'à la fin de la guerre.

Ils me découvrirent au Poste de Guet, l'orange dans une main, allongée sur le dos, le regard perdu dans le feuillage d'automne au-dessus de moi.

« J'l'avais b... ien dit qu'elle s... serait là », dit Paul — il bégayait toujours beaucoup dès que Reine était là. « J'l'avais v... ue p... artir dans les b... ois quand j'étais à la pêche. » Il avait l'air tout intimidé, tout gauche à côté de Cassis, conscient de son bleu de travail tout taché — découpé dans un bleu qui avait appartenu à son oncle — et de ses pieds nus dans ses sabots. Il avait son vieux chien, Malabar, avec lui, au bout d'une ficelle verte de jardinier. Cassis et Reine portaient leurs vêtements d'école et elle avait mis un ruban de soie jaune pour attacher ses cheveux. Je me posais souvent la question : pourquoi Paul était-il si mal vêtu alors que sa mère était couturière ?

« Tu n'es pas malade ? » demanda Cassis dont le timbre aigu indiquait l'inquiétude. « Quand tu n'es pas rentrée à la maison, j'ai pensé que... » Il jeta un bref regard sombre dans la direction de Paul et un autre, d'avertissement, vers moi. « *Tu sais de qui je parle* n'est pas venu, n'est-ce pas ? » murmura-t-il, regrettant visiblement la présence de Paul.

Je fis si de la tête et Cassis eut un geste de mécontentement. « Qu'est-ce que je t'avais dit ? » demanda-t-il d'une voix exaspérée. « Qu'est-ce que je t'avais dit ? De ne jamais rester seule avec lui ! » Il lança un autre coup d'œil à Paul. « De toute façon, il vaudrait mieux rentrer maintenant », dit-il d'une voix plus forte. « Maman va commencer à s'inquiéter. Elle est en train de faire un pavé. Tu ferais bien de te presser et... »

Mais Paul avait les yeux fixés sur l'orange que je tenais encore.

« T... u en as eu une au... tre », remarqua-t-il de son ton lent et curieux.

Cassis me regarda, l'air dégoûté : « *Pourquoi ne l'as-tu pas cachée, petite imbécile ? Maintenant, nous allons devoir la partager.* »

J'hésitai. Je n'avais pas eu l'intention de partager. J'avais besoin de l'orange pour ce soir-là. Pourtant, je comprenais bien que la curiosité de Paul était en éveil. Il était prêt à parler.

« Je t'en donnerai un bout si tu ne dis rien », dis-je enfin.

« Ç... a vient d'... où ? »

« Je l'ai eue au marché », répondis-je sans hésiter. « Contre du sucre et de la toile de parachute. Maman n'en sait rien. »

Paul fit signe qu'il était d'accord puis regarda Reine d'un air timide. « On p... ourrait la p... artager tout de s... uite entre nous », suggéra-t-il en rougissant. « J'ai un c... outeau ! »

« Donne-le-moi », lui dis-je.

« C'est moi qui vais le faire », dit immédiatement Cassis.

« Non, elle est à moi, laisse-moi le faire », répondis-je.

J'étais en train de calculer rapidement. Bien sûr, je pourrais toujours récupérer quelques morceaux de peau d'orange mais je ne voulais pas éveiller les soupçons de Cassis.

Je leur tournai le dos pour couper l'orange en prenant bien soin de ne pas me blesser. Il aurait été simple comme bonjour de la couper en quatre — on coupe en deux et puis encore en deux — mais j'avais vraiment besoin d'une part supplémentaire, assez substantielle, pour ce que je voulais en faire, mais assez petite pour ne pas être remarquée, quelque chose que je pourrais facilement glisser dans ma poche pour plus tard. En la partageant, je découvris que le cadeau de Tomas était une sanguine de Séville et, pendant une seconde, je fus pétrifiée à la vue du jus cramoisi qui coulait entre mes doigts.

« Tu te dépêches, empotée ! » s'exclama Cassis avec impatience. « Ça te prend combien de temps de couper une orange en quartiers ? »

« Je me dépêche », répliquai-je sèchement. « Mais la peau est difficile à couper. »

« L... aisse-moi t'aider », dit Paul en faisant un geste dans ma direction. Un instant, je fus certaine qu'il l'avait aperçue, cette cinquième part, à peine large d'un centimètre vraiment, avant que je ne la coule dans ma manche et ne l'y fasse disparaître.

« Ça y est », dis-je. « C'est fait, maintenant. »

Les parts n'étaient pas égales. J'avais fait de mon mieux mais un quartier était visiblement plus généreux que les autres et un autre était franchement plus petit. Je pris le plus petit pour moi. Je remarquai que Paul offrit le plus gros à Reine.

Cassis observait tout cela avec mépris. « Je t'avais dit que tu aurais dû me laisser le faire », déclara-t-il. « Ma part

n'est pas un quartier. Tu es trop maladroite, vraiment,
Boise. »

Je suçai ma part de l'orange sans rien dire. Au bout de
quelque temps, Cassis cessa de grommeler et mangea la
sienne. Je vis bien Paul m'observer d'un air étrange mais il
ne dit pas un mot.

Nous jetâmes nos peaux d'orange dans la rivière. Je
réussis à en conserver un bout de la mienne dans ma
bouche mais je jetai le reste, mal à l'aise, sous le regard
soupçonneux de Cassis. Je fus soulagée de le voir enfin se
détendre un peu. Je me demandai ce qu'il pouvait avoir
soupçonné. Je fis passer le bout de peau d'orange de ma
bouche dans ma poche où il rejoignit le cinquième *quartier*, celui qui n'existait pas, et je fus contente de moi.
J'espérais seulement que cela suffirait.

J'appris aux autres comment se nettoyer les mains et
la bouche avec de la menthe et du fenouil et comment se
frotter sous les ongles avec de la boue pour couvrir le
jaune que la peau d'orange y avait laissé, puis nous rentrâmes à travers champs. Maman chantonnait à voix basse
dans la cuisine en préparant le repas du soir.

> « *Faire fondre l'oignon et les échalotes dans l'huile d'olive
> dans laquelle vous avez jeté du romarin, des champignons et
> un petit poireau. Y ajouter une poignée de tomates sèches, du
> basilic et du thym. Couper quatre anchois dans le sens de la
> longueur et les placer dans la casserole. Laisser cuire pendant
> cinq minutes.* »

« Boise, va me chercher des anchois dans le baril. Il
m'en faut quatre gros. »

Je descendis à la cave avec un plat et des pinces de bois
pour éviter que le sel ne fasse craqueler la peau de mes
mains. Je sortis le poisson, puis le sachet de peau d'orange
de son bocal de protection, j'y ajoutai le nouveau morceau d'orange en prenant soin d'en faire couler le jus sur
les vieux morceaux pour en raviver l'odeur et je coupai le
reste tout menu avec mon canif et le mis dans le sachet

que je refermai avec soin. L'odeur était puissante et se propageait rapidement. Je remis le sachet dans le bocal, en essuyai le sel qui le souillait et le glissai dans la poche de mon tablier pour ne pas perdre la plus petite trace de ce précieux parfum. Je posai rapidement les mains sur le poisson salé pour que Maman ne soupçonnât rien.

« *Ajouter une tasse de vin blanc et les pommes de terre à demi cuites, des farineuses. Ajouter les restes — de la couenne de lard, des restes de viande ou de poisson — et une cuillerée à soupe d'huile. Cuire à feu très doux pendant une dizaine de minutes sans mélanger et sans soulever le couvercle.* »

Je l'entendais chanter dans la cuisine. Elle avait une voix monotone, un peu désagréable, qui montait et descendait à intervalles réguliers.

« *Ajouter le millet cru que l'on n'a pas fait tremper —* hum ! hum ! *— et retirer du feu. Laisser couvert pendant —* hum ! hum ! *— dix minutes encore, sans mélanger —* hum ! *jusqu'à ce que le jus ait été absorbé. Le mettre dans un plat peu profond —* hum ! hum ! *— et l'aplatir avec un presse-purée —* hum ! hum ! *— huiler la surface et mettre au four jusqu'à ce qu'il soit bien croustillant.* »

Tout en surveillant ce qui se passait dans la cuisine, je plaçai le sachet de peau d'orange sous les tuyaux chauds pour la dernière fois.

Et j'attendis.

Cette fois-là, j'étais sûre que cela n'allait pas marcher. Maman restait dans la cuisine, elle chantonnait de sa voix maussade et sans timbre. En plus du pavé, il y avait aussi un gâteau tout noir de fruits de la forêt et un grand saladier de laitue et de tomates. C'était presque un repas de fête mais je n'avais aucune idée de la raison de ces célébrations. Maman était comme ça quelquefois, dans ses bons jours, on aurait une fête, dans ses mauvais jours, on se contenterait de galettes froides et d'une mince couche de rillettes.

Aujourd'hui, elle semblait presque venir d'un autre monde avec ses cheveux non plus tirés en un chignon sévère mais tombant en bouclettes folles, le visage rosi par la chaleur du feu et constellé de perles de sueur. Il y avait une sorte de fièvre dans la façon dont elle nous parlait, dans l'élan rapide et silencieux qui lui fit jeter les bras autour de Reine quand elle arriva — quelque chose d'aussi inhabituel que les brefs moments de violence qu'elle avait eus, dans le ton de sa voix aussi, dans la manière dont ses mains bougeaient dans la cuvette, sur la planche à découper, dans le frémissement nerveux de ses doigts.

Plus de pilules.

Un pli profond lui barrait le visage entre les yeux, un autre soulignait sa bouche, elle avait son sourire nerveux, forcé. Quand je lui tendis les anchois, elle me regarda et sourit avec une tendresse étrange, d'une manière qui, il y a un mois, hier même, aurait pu me faire fondre le cœur.

« Boise. »

Je ne pouvais détacher mon esprit de Tomas, assis au bord de la rivière. Je pensais à cette chose que j'avais aperçue, à la monstrueuse splendeur de son corps luisant dans l'eau… *Je voudrais, je voudrais*… qu'il soit là ce soir, à La Mauvaise Réputation, avec sa jaquette négligemment posée sur le dossier de sa chaise. Je m'imaginais plus âgée, soudain aussi séduisante qu'une actrice de cinéma, sophistiquée, tourbillonnant dans une robe de soie, le point de mire de toute l'assemblée. *Je voudrais, je voudrais*… Ah, si seulement j'avais eu ma canne à pêche à ce moment-là !

Ma mère me regardait d'un air étrangement vulnérable et qui me gênait presque.

« Boise », répéta-t-elle. « Ça va ? Tu ne te sens pas malade ? »

Je fis non de la tête. La vague de haine de moi-même qui m'inonda me fut comme un coup de fouet, une sorte de révélation. *Je voudrais, je voudrais*. Je pris un air sombre. *Tomas, à toi, pour toujours.*

« Je vais vérifier mes lignes », dis-je d'une voix éteinte.
« Je ne serai pas longue. »

« Boise ! » Je l'entendis bien me rappeler mais j'ignorai son appel. Je courus à la rivière et vérifiai chacune de
mes nasses deux fois, sûre que cette fois-ci, cette fois-ci,
alors qu'il était si important pour moi de faire ce vœu...

Elles étaient vides. Je rejetai le menu fretin — les
ablettes, les goujons, les petites anguilles plates —, tout, je
lançai tout dans la rivière dans un mouvement de rage
brutale, fulgurante.

« *Où es-tu ?* » hurlai-je d'une voix perçante vers l'onde
silencieuse. « *Où es-tu, sale hypocrite ?* »

À mes pieds coulait la rivière sombre, impénétrable,
cette Loire basanée et moqueuse. *Je voudrais, je voudrais.* Je
ramassai un caillou sur la berge et le lançai aussi loin que
je le pus en me tordant violemment l'épaule.

« *Où es-tu ? Où te caches-tu ?* » Ma voix était perçante et
enrouée en même temps, comme celle de ma mère. L'air
bourdonnait du bruit de ma fureur. « *Allez, sors ! Montre-toi
si tu n'as pas peur ! Froussard !* »

Rien. Rien que la rivière rousse comme un gros serpent paresseux et les bancs de sable à demi submergés qui
se noyaient dans la lumière mourante. J'avais la gorge
douloureuse, cuisante. Des larmes me brûlaient le coin
des yeux comme des piqûres de guêpe.

« Je sais bien que tu m'entends », dis-je d'une voix
presque caressante. Maintenant j'étais soudain celle
qu'on écoutait, me semblait-il, je communiais avec les
arbres et leur palette d'automne, avec l'eau brune et
l'herbe roussie par l'été, brûlée.

« Tu sais bien ce que je veux, dis ? » Ma voix était celle
d'une autre, une voix d'adulte, une voix charmeuse. « Tu
sais bien. »

Je pensais à Jeannette Gaudin, à ce moment-là, et au
serpent d'eau, aux longs corps bruns qui pendaient aux
Pierres Levées et à cette impression que j'avais eue plus
tôt, cet été-là, il y a déjà un million d'années, *à cette convic-*

tion qu'*il* était le mal personnifié, un monstre. Personne ne pouvait faire de pacte avec un monstre.

Je voudrais. Je voudrais.

Je me demandais si Jeannette s'était tenue là où j'étais maintenant, nu-pieds, parcourant du regard la surface de l'eau. Quel vœu avait-elle fait ? Une nouvelle robe ? Une poupée ? Quelque chose d'autre ?

Croix blanche. « *À notre fille bien-aimée.* » Soudain, la mort ne me semblait pas quelque chose d'aussi terrible, être la bien-aimée avec un ange de plâtre au-dessus de la tête et le silence...

Je voudrais. Je voudrais.

« Je te relâcherais, tu sais », murmurai-je d'une voix rusée. « Tu sais que tu peux me croire. »

Pendant une fraction de seconde, je crus voir quelque chose de noir et de soyeux dans l'eau, quelque chose de silencieux qui renvoyait la lumière comme du métal, comme une mine, quelque chose dont on ne voyait que les dents et les hameçons d'acier. Mais cela n'était qu'un effet de mon imagination.

« Je te relâcherais », répétai-je doucement.

S'il avait été là quelques secondes auparavant, il n'y était plus maintenant. Tout près, une grenouille coassa soudain, de façon incongrue. Je commençais à avoir froid. Je me retournai et repartis à travers champs comme j'étais venue, en glanant quelques épis de blé pour expliquer mon retard.

Après un moment, l'odeur du pavé chatouilla mes narines et je pressai le pas.

III

« *Je l'ai perdue. Je suis en train de les perdre tous.* »

C'est écrit là, dans l'album de ma mère, à côté d'une recette de gâteau aux mûres, écrit en lettres minuscules, à

l'encre noire, tout au long de lignes qui montent et des-
cendent et se croisent et se recroisent comme si le code
qu'elle utilisait pour écrire n'était quelquefois pas suffisant pour dissimuler la peur qu'elle nous cachait et
qu'elle se cachait à elle-même.

*« Elle m'a regardée aujourd'hui comme si je n'existais
pas. Je voulais tant la serrer dans mes bras, mais elle a tellement grandi. Son regard me fait peur. R.-C. est la seule à
avoir conservé un peu de tendresse, mais B. ne semble plus
être ma petite fille. J'ai eu le tort de penser que les enfants
étaient comme les arbres. Plus on les taille et meilleurs sont
leurs fruits. Mais ça n'est pas vrai ! Pas vrai du tout ! À la
mort de Y., je les ai forcés à grandir trop vite. Je ne voulais
pas qu'ils restent enfants. À présent, ils sont plus endurcis
que je ne le suis. Ils sont comme des animaux et j'en suis responsable. Je les ai fait devenir ainsi. Ce soir, il y a encore une
odeur d'orange dans la maison mais je suis seule à la sentir.
J'ai mal à la tête. Si seulement elle pouvait poser sa main sur
mon front. Plus de pilules. L'Allemand m'assure qu'il peut
m'en obtenir, mais il ne vient pas. Boise est rentrée tard ce
soir. Elle est ombre et lumière comme moi. »*

On dirait du charabia, mais soudain dans mon esprit,
sa voix est très claire. C'est la voix aiguë et gémissante de
quelqu'un qui s'accroche de toutes ses forces à ce qui lui
reste de raison.

*« L'Allemand m'assure qu'il peut m'en obtenir mais il ne
vient pas. »*

Oh ! Maman, si seulement j'avais su.

IV

Petit à petit, nous réussîmes à lire l'album, Paul et moi, pendant les nuits qui se faisaient plus longues. Moi, je déchiffrais le code et lui écrivait tout, notant les allusions aux sujets traités ailleurs sur de petites fiches et essayant de rétablir la chronologie des événements. Jamais il ne faisait de remarques, pas même lorsque je sautais certaines sections sans lui donner d'explications. Nous arrivions à lire en moyenne deux ou trois pages par soirée, presque la moitié de l'album. À vrai dire c'était plus facile que je ne l'avais imaginé lorsque j'avais essayé de le faire seule, je ne sais pas pourquoi. Il nous arrivait de veiller très tard dans la nuit à nous souvenir du bon vieux temps du Poste de Guet, des rituels aux Pierres Levées, du bon vieux temps avant l'arrivée de Tomas. Une ou deux fois, j'avais été bien prête à tout lui avouer mais je m'étais toujours arrêtée à temps.

Non, Paul ne doit pas savoir.

L'album de ma mère n'était qu'une histoire parmi bien d'autres, une histoire dont une partie lui était connue. Mais l'autre, l'histoire qui se cachait *derrière* l'album... Je levai les yeux vers lui, comme nous étions assis ensemble, avec la bouteille de Cointreau entre nous et la cafetière de cuivre qui chantait sur la cuisinière.

La lumière rouge du feu, derrière lui, faisait flamboyer sa vieille moustache jaunie. Il surprit mon regard dans sa direction — il me semble bien que cela lui arrive de plus en plus souvent ces jours-ci — et il me sourit.

Ce n'était pas tellement le sourire lui-même que le quelque chose qui se cachait *derrière* ce sourire — un regard interrogateur, perplexe, qui faisait battre mon cœur plus rapidement et qui faisait flamber mon visage d'une couleur que la chaleur du feu n'expliquait pas. Si je lui avouais, pensai-je soudain, cette expression disparaîtrait immédiatement de son visage. Je ne pouvais pas lui avouer. Non, jamais.

V

Lorsque j'entrai, les autres étaient déjà passés à table. L'odeur d'orange frappa mes narines. Maman m'accueillit avec une jovialité étrange, forcée, je savais qu'elle n'en pouvait plus. Je l'observai avec attention pendant le repas silencieux.

Ce repas de fête était lourd comme du plomb, mon estomac le refusa. Je jouai un moment avec ce qu'il y avait dans mon assiette puis, lorsque je fus sûre que Maman regardait ailleurs, je le fis glisser dans la poche de mon tablier pour le jeter plus tard. Je n'avais nul besoin de m'inquiéter d'ailleurs car, dans l'état où elle était, elle n'aurait sans doute rien remarqué si je l'avais lancé contre le mur.

« Je sens une odeur d'orange. » Sa voix était crispée de désespoir. « Quelqu'un d'entre vous a-t-il apporté des oranges à la maison ? »

Elle ne reçut aucune réponse. Nous la regardions, impassibles, nous demandant ce qu'elle allait faire.

« Eh bien ? Vous en avez apporté ? » Sa voix se faisait plus forte maintenant. C'était une accusation, une supplication aussi.

Soudain, Reine me lança un coup d'œil, l'air coupable.

« Bien sûr que non. » Je pris un ton morose, dépourvu d'expression. « Qui voudrais-tu qui nous les donne, ces oranges ? »

« Je ne le sais pas. » Le soupçon lui rapetissait les yeux. « Les Allemands, peut-être. Comment puis-je savoir ce que vous faites à longueur de journée ? »

Ce qu'elle venait de dire était si proche de la vérité que j'en sursautai, mais je ne le laissai pas paraître. Je haussai les épaules, très consciente du regard de Reinette sur moi. Je lui décochai un coup d'œil d'avertissement. « *Alors, tu vendrais la mèche ?* »

Reinette se remit à manger son gâteau et je continuai à observer ma mère, à lui faire détourner les yeux. Elle était meilleure que Cassis à ce jeu-là, son regard était sans expression, vide et noir comme la baie du prunellier. Elle se leva soudain brusquement, renversant presque son assiette et tirant à moitié la nappe dans son élan.

« Qu'est-ce que tu regardes comme ça ? » me cria-t-elle, élevant la main comme si elle allait poignarder quelqu'un. « Qu'est-ce que tu regardes, nom d'un chien ? Qu'est-ce qu'il y a bien à voir ? »

Je haussai de nouveau les épaules. « Rien. »

« Tu mens ! » Elle disait cela d'une petite voix d'oiseau pointue et précise comme le bec d'un pic-vert. « Tu es toujours en train de me regarder. Tu regardes quoi exactement ? Tu penses à quoi, sale petite teigne ? »

Je reniflai sur elle l'odeur du désespoir et de la peur. Un sentiment de victoire gonfla mon cœur. Elle baissa les yeux. Ça y est, j'ai réussi, pensai-je. J'ai gagné.

Elle savait cela aussi. Elle me regarda encore quelques secondes, mais, pour elle, la bataille était perdue. J'eus un petit sourire qu'elle seule put voir. Sa main remonta vers sa tempe en ce geste d'impuissance qui lui était habituel. « J'ai mal à la tête », dit-elle avec difficulté. « Je vais m'allonger. »

« Bonne idée », répondis-je d'une voix morne.

« N'oubliez pas de faire la vaisselle », ajouta-t-elle, mais c'était simplement pour dire quelque chose. Elle savait qu'elle avait perdu. « Ne ramassez pas les assiettes encore mouillées. Ne les laissez pas… » Puis elle s'arrêta court, les yeux fixes, silencieuse, pendant une trentaine de secondes, comme pétrifiée en plein mouvement, la bouche à demi ouverte. La phrase resta inachevée pendant tout ce temps-là ; nous étions mal à l'aise.

« … Sur l'égouttoir, toute la nuit », dit-elle enfin, et elle disparut en trébuchant dans le couloir, s'arrêtant au passage dans le cabinet de toilette pour bien s'assurer qu'il n'y avait plus de pilules.

Cassis, Reinette et moi, nous nous regardâmes.

« Tomas nous a donné rendez-vous ce soir à La Mauvaise Réputation », les informai-je. « Il a dit qu'on allait peut-être bien s'amuser. »

Cassis me regarda longuement. « Comment as-tu réussi à faire ça ? » demanda-t-il.

« À faire quoi ? » demandai-je, en faisant écho à sa voix. « Tu sais très bien. » Il parlait d'une voix basse, pressante, presque affolée. À cette minute-là, il semblait avoir perdu toute autorité. Le chef, c'était moi maintenant, celle sur qui les autres devaient compter, celle à qui ils demanderaient conseil. Le plus bizarre était que, bien que j'en eusse immédiatement conscience, je n'en tirais presque aucun plaisir. J'avais autre chose en tête.

Je ne répondis pas à sa question. « On va attendre qu'elle soit endormie », décidai-je. « Une heure ou deux, au plus, et nous partirons à travers champs. Personne ne nous remarquera. Nous pourrons rester cachés dans la venelle pour guetter son arrivée. »

Les yeux de Reinette s'allumèrent mais Cassis gardait l'air sceptique. « Pourquoi y aller ? » demanda-t-il enfin. « Qu'est-ce qu'on va faire quand nous serons arrivés là ? On n'a rien à dire et il nous a déjà laissé les romans filmés… »

Je lui jetai un regard courroucé. « Les magazines », grondai-je. « Tu ne penses jamais qu'à ça ! »

Cassis prit son air maussade. « Il a dit qu'il se passerait peut-être quelque chose d'intéressant », déclarai-je. « Tu n'es pas curieux de savoir quoi ? »

« Non, pas vraiment ! C'est peut-être dangereux. Tu sais que Maman… »

« Tu as la trouille, c'est tout ! » observai-je cruellement.

« Non ! » Pourtant, il avait peur et cela se lisait dans ses yeux.

« Tu as les foies ! »

« Non ! Je ne vois simplement pas la raison de… »

« Je parie que tu ne viendras pas ! »

Il ne répondit rien à cela mais jeta un regard rapide et suppliant vers Reine. Je commençai à le regarder droit dans les yeux. Au bout d'une seconde ou deux, il détourna les siens.

« Des trucs de mômes, ça ! » grommela-t-il avec une indifférence moqueuse.

« *Je parie que tu ne viendras pas.* »

Il eut alors un geste exaspéré d'impuissance et de défaite. « Bon, d'accord, mais je te dis que ce sera du temps perdu, complètement perdu. »

J'éclatai d'un rire de triomphe.

VI

Le café La Mauvaise Réputation — la Rép comme l'appellent les habitués —, avec son plancher nu, son zinc avec le vieux piano à côté — de nos jours il manque bien sûr la moitié des touches et un pot de géranium trône là où se trouvait le mécanisme autrefois —, une rangée de bouteilles — rien pour satisfaire le goût de l'esthétique en ce temps-là —, des verres pendus sous le bar et tout autour. L'enseigne a été remplacée par un truc bleu au néon, il y a des machines à sous aussi et un juke-box mais, dans ce temps-là, il n'y avait rien que le piano et quelques tables que l'on pouvait repousser contre le mur si l'envie prenait à quelqu'un de danser.

Raphaël savait jouer quand il le voulait et parfois quelqu'un — l'une des femmes, Colette Gaudin ou Agnès Petit — acceptait de chanter. À cette époque-là, personne n'avait de tourne-disques et il était défendu d'écouter la radio. Au café, l'ambiance était à la fête, disait-on. Le soir, il nous arrivait d'entendre la musique de l'autre côté des champs si le vent soufflait dans le bon sens. C'est là que Julien Le Coz perdit aux cartes son pâturage du sud — le bruit courait qu'il avait aussi voulu offrir sa femme comme enjeu mais que personne, cette fois-là, n'avait

voulu relever le pari —, c'était l'endroit où les ivrognes du
coin se retrouvaient chez eux. Ils s'asseyaient à la terrasse
pour fumer ou jouaient à la pétanque devant les marches
de l'entrée. On y voyait souvent le père de Paul — notre
mère désapprouvait tout à fait cela —, on ne le voyait
jamais ivre mais il ne semblait jamais sobre non plus, il
souriait, d'un air absent, aux gens qui passaient en
découvrant son gros râtelier de dents jaunes. Nous ne fré-
quentions pas le café. Nous étions très attachés à notre
territoire. Nous considérions certains endroits comme
notre propriété privée alors que d'autres appartenaient à
tout le village, aux adultes, des endroits mystérieux ou qui
nous étaient totalement indifférents comme l'église, la
poste où Michelle Henriot triait le courrier et bavardait au
guichet avec les clients, l'école maternelle où nous étions
allés tout petits et dont les portes et les fenêtres étaient
maintenant condamnées.

La Mauvaise Réputation.

Nous n'y allions jamais et cela, en partie, parce que
notre mère nous l'avait interdit. Pour elle qui détestait
tout particulièrement l'ivresse, la saleté, les mauvaises
mœurs, l'endroit représentait tout ce qu'elle haïssait.
Bien qu'elle n'allât pas à l'église, elle avait des idées très
puritaines. Elle croyait en la valeur du travail, de la pro-
preté de la maison et de la politesse d'enfants bien élevés. Quand elle était obligée de passer devant le café,
elle le faisait la tête baissée, un fichu noué sur sa maigre
poitrine, la bouche barrée par un pli de désapprobation
dès qu'elle entendait les flonflons de musique et les
rires qui venaient de l'intérieur. Étrange, n'est-ce pas,
qu'une femme comme elle, ayant le sens de l'ordre et
de la discipline, se fût laissée aller jusqu'à devenir la
proie de drogues.

« *Comme la pendule* », écrit-elle dans son album,
« *j'ai deux visages. Ombre et Lumière. Quand la lune se lève,
je deviens une autre femme.* »

Elle allait dans sa chambre pour ne pas nous laisser voir le changement qui s'opérait en elle.

Ce fut un véritable choc lorsqu'à la lecture des passages secrets de son album, je compris qu'elle allait régulièrement à La Mauvaise Réputation. Une fois par semaine, plus quelquefois, elle y entrait, à la nuit tombée, en secret, haïssant chaque minute qu'elle y passait, haïssant sa faiblesse et son besoin. Elle ne buvait pas. Non. Pourquoi l'aurait-elle fait alors que des douzaines de bouteilles de cidre, de prunelle ou même de blanche, de sa Bretagne natale, l'attendaient dans la cave ? L'ivresse, nous déclara-t-elle au cours d'un de ses rares moments de confidence, est un crime commis contre l'arbre, contre le fruit, contre le vin lui-même. C'est un crime de lèse-société, c'est un abus de confiance, comme le viol est un abus du désir. Elle avait rougi alors et s'était détournée, l'air rébarbatif — « Reine-Claude, l'huile et le basilic, allez, vite ! » — mais cette pensée a peu à peu pris racine dans mon esprit et y est restée. La vigne est cultivée avec amour du bourgeon jusqu'au fruit. Son jus est distillé, puis soumis à tout le processus de fermentation et de manipulation qui fait de lui ce qu'il est : le vin. Ce vin-là mérite sûrement beaucoup mieux que d'être ingurgité à l'excès par quelque imbécile dont la tête est pleine de stupidités. Ce vin-là mérite notre vénération. Il doit être bu dans la joie et la générosité.

Oh, pour ça, ma mère comprenait le vin ! Elle comprenait le sucrage, la fermentation, le bouillonnement et la maturation dans la bouteille, puis la coloration et la lente transformation qu'il subit et enfin la glorieuse naissance d'un nouveau cru, avec son merveilleux bouquet d'arômes, un miracle comme les fleurs de papier que le prestidigitateur fait sortir de son chapeau. Si seulement elle avait, pour nous élever, pris le temps, si elle avait eu la patience ! Mais un enfant n'est pas un arbre fruitier. Elle avait compris cela trop tard. Il n'y a pas de recette magique pour faire passer l'enfant de la prime jeunesse à une vie d'adulte heureuse et sans problème. Elle aurait dû savoir ça.

Bien sûr, on vend toujours de la drogue à La Mauvaise Réputation. Même moi, je sais cela. Je ne suis pas si vieille que je ne sache reconnaître l'odeur à la fois âcre et parfumée, l'odeur exaltante du haschich, parmi des effluves de bière et de friture. Dieu sait combien de fois je l'ai sentie monter du snack-bar de l'autre côté de la route. J'ai du nez, même si cet imbécile de Ramondin n'en a pas, lui. L'air en était jaune certains soirs au retour des types avec leurs motos. De nos jours, on parle de drogues de relaxation et on leur donne des noms à la mode. Mais aux Laveuses, à cette époque-là, il n'y avait vraiment rien de ce genre. C'était dix ans avant les caves de Saint-Germain-des-Prés et leurs groupes de jazz. D'ailleurs, même pendant les années soixante, elles ne nous ont vraiment jamais atteints. Non, ma mère allait à La Mauvaise Réputation par besoin, par simple besoin, parce que c'était le centre d'approvisionnement, le centre de commerce du marché noir — tissu, chaussures et des articles moins innocents comme des poignards, des armes et des munitions. On trouvait de tout à La Mauvaise Réputation, des cigarettes et du cognac, des photos de femmes nues, des bas nylon, des dessous de dentelle pour Colette et Agnès dont les cheveux flottaient sur les épaules et qui se maquillaient de rouge les pommettes et ressemblaient à des poupées hollandaises avec une tache cramoisie sur chaque joue et une petite bouche en forme de rose rouge à la Lillian Gish.

Complètement à l'arrière, les sociétés secrètes, les communistes, les mécontents, les ambitieux, les héros aussi — il y en avait — faisaient leurs plans. Au bar, les grandes gueules discutaient, se passaient de petits paquets, chuchotaient à voix basse et trinquaient au succès de leurs futures entreprises. Dans les bois, certains se barbouillaient le visage de suie et allaient à bicyclette à Angers, bravant le couvre-feu pour se rendre à des réunions. Parfois — très rarement — le bruit de coups de feu nous parvenait de l'autre côté de la rivière.

Maman avait vraiment dû détester cet endroit.

Mais c'était là qu'elle se procurait ses pilules. Elle a tout noté dans son album — pilules pour ses migraines, morphine qu'on lui avait donnée à l'hôpital. Au début, trois par jour, puis six, dix, douze, vingt. Les gens qui les lui fournissaient étaient de toutes sortes. D'abord, c'était Philippe Hourias. Julien Le Coz connaissait un type, un travailleur bénévole dans une organisation de charité. Agnès Petit avait un cousin, un copain d'un ami à Paris. Guilherm Ramondin, celui avec la jambe de bois, acceptait de troquer une partie de ses propres médicaments pour du vin ou de l'argent. De minuscules paquets — quelques cachets dans un bout de papier fermé en tire-bouchon, une ampoule et une seringue, une petite quantité de pilules —, n'importe quoi qui contînt de la morphine. Bien sûr, il n'était pas question d'en demander au docteur. Et puis, le docteur le plus proche habitait à Angers et toutes les réserves de morphine étaient gardées pour le traitement de nos blessés de guerre. Quand ses réserves à elle eurent été épuisées, elle fit des recherches, vendit certaines choses, fit des échanges. Elle en garda la liste dans son album.

« *Le 2 mars 1942. Guilherm Ramondin, 4 cachets de morphine contre une douzaine d'œufs.*

» *Le 16 mars 1942. Françoise Petit, 3 cachets de morphine contre une bouteille de calvados.* »

Elle vendit ses bijoux à Angers — le collier de perles qu'elle portait sur sa photo de mariage, ses bagues, les boucles d'oreilles de brillants que sa mère lui avait laissées. Elle était perspicace à sa façon, elle l'était autant que Tomas, mais elle était honnête en affaires. Elle réussit à se débrouiller avec un peu d'ingéniosité.

Puis les Allemands arrivèrent.

Un ou deux à la fois d'abord, certains en uniforme, d'autres en civil. Quand ils entraient, le silence se faisait dans la salle mais leurs amusements, leurs rires et les tournées qu'ils payaient compensaient bien. À l'heure de la fermeture, ils avaient du mal à marcher droit et, avec un sourire vers Colette ou Agnès, ils jetaient alors négligemment une poignée de pièces sur le comptoir. Quelquefois, ils amenaient des femmes avec eux. Nous ne les reconnaissions jamais ces filles de la ville au col de fourrure, aux jambes gainées de bas nylon, aux robes diaphanes, ces filles à la chevelure roulée en des coiffures compliquées imitant celles des vedettes de cinéma, tout hérissées d'épingles à cheveux, ces filles aux sourcils épilés puis dessinés au crayon noir, aux lèvres luisantes, d'un incarnat foncé, qui révélaient des dents étincelantes de blancheur. Leurs longues mains se drapaient mollement autour des verres de vin et leurs doigts effilés s'y accrochaient languissamment. Elles venaient le soir seulement, sur le siège arrière des motos des Allemands, poussant des cris aigus de plaisir en roulant à toute vitesse dans la nuit, chevelure au vent. Quatre filles, quatre Allemands. De temps à autre, les filles changeaient mais les Allemands étaient toujours les mêmes.

À leur propos, elle écrit dans son album, la première fois qu'elle les a vus :

« *Ces salauds de Boches et leurs putains. Ils m'ont vue avec mon bleu de travail et ils ont déguisé leur sourire derrière leur main. J'aurais aimé les descendre. À leur façon de me regarder, je me suis sentie vieille et laide. Un seul a des yeux aimables. La fille avec laquelle il était l'ennuyait terriblement, ça se voyait. Une fille facile et bête qui avait souligné les coutures de ses bas au crayon noir gras. Elle me faisait presque pitié mais, lui, m'a fait un sourire. J'ai presque dû me mordre la langue pour ne pas lui sourire moi aussi.* »

Il est bien évident que je n'ai aucun moyen de savoir si c'était Tomas dont il s'agissait. Cela aurait pu être n'importe qui dont elle parlait dans ces quelques lignes de griffonnage. Aucune description, rien qui me suggérât que cela eût pu être lui et pourtant j'en suis convaincue. Tomas était le seul qui aurait pu avoir cet effet sur elle. Tomas était le seul à l'avoir sur moi.

Tout est dans l'album. Vous pouvez le lire si cela vous chante, si vous savez où chercher. Il n'y a pas de chronologie des événements et, à part lorsqu'il s'agit des détails de ses transactions clandestines, il n'y a guère de dates. Mais, à sa manière, Maman était méticuleuse. Elle a décrit la Rép comme elle était en ce temps-là de façon si lucide qu'en lisant cela, des années plus tard, ma gorge se serrait — le bruit, la musique, la fumée, la bière, les voix qui s'élevaient pour couvrir les rires ou les grivoiseries des ivrognes. Je ne suis plus surprise qu'elle ne nous ait pas permis d'y aller. Elle avait trop honte de la fréquenter elle-même, trop peur de ce que nous pourrions apprendre des habitués.

Le soir où nous y allâmes en nous cachant, nous fûmes déçus. Nous avions imaginé un genre de repaire secret de tous les vices des adultes. Je m'étais attendue à voir des danseuses nues, avec des rubis enchâssés dans le nombril et les cheveux dénoués jusqu'à la taille. Cassis, tout en feignant l'indifférence, s'était figuré y trouver des membres de la Résistance, des guérilleros, vêtus de noir, au regard inflexible, derrière leur camouflage de nuit. Reinette s'était imaginée là maquillée, pommadée, une étole de renard jetée sur ses épaules, en train de siroter un Martini. Mais, ce soir-là, comme nous les épiions à travers les vitres sales, il n'y avait rien d'intéressant, semblait-il — quelques vieux assis aux tables, un jeu de trictrac, des cartes pour la belote, le vieux piano et Agnès, avec son corsage de soie de parachute ouvert jusqu'au troisième bouton, qui s'y accoudait en chantant. Il était encore tôt. Tomas n'était pas encore arrivé.

« *Le 9 mai, un soldat allemand (de Bavière). 12 cachets de morphine (haute dose) contre un poulet, un kilo de sucre et une flèche de lard.*
» *Le 25 mai, un soldat allemand (au cou de taureau). 16 cachets de morphine (haute dose) contre une bouteille de calva, un sac de farine, un paquet de café et 6 bocaux de conserves.* »

Et puis une dernière inscription dont la date est volontairement vague :

« *Septembre, T/L, flacon, 30 cachets de morphine (haute dose).* »

C'est la première fois qu'elle oublie de noter ce qu'elle a dû donner. Peut-être est-ce simplement par distraction ? L'écriture y est à peine lisible, griffonnée à la va-vite. Peut-être, cette fois-là, a-t-elle dû donner plus qu'elle ne veut l'avouer. Qu'a-t-elle donné vraiment pour cette paix-là ? Des informations ? Autre chose, peut-être ?

Nous attendîmes dans ce qui, plus tard, est devenu un parking. C'était, à ce moment-là, une sorte de dépotoir général, on y mettait les poubelles, on y déposait les livraisons — des tonneaux de bière et quelquefois des marchandises moins licites. À l'arrière du bâtiment, un mur courait sur la moitié de la longueur, puis disparaissait dans un enchevêtrement de sureaux et de ronces. La porte de derrière du café restait ouverte — même en octobre, il y faisait étouffant — et un éventail de lumière jaune éclairait l'espace entre l'estaminet et le bout du terrain vague. Assis sur le mur, prêts à disparaître de l'autre côté si quelqu'un s'approchait trop, nous attendîmes.

VII

Comme je l'ai dit, l'endroit n'a pas beaucoup changé. Quelques lumières, quelques machines à sous, davantage de clients, mais toujours la même Mauvaise Réputation, les mêmes gens avec des styles de coiffures différents, les mêmes visages. En y entrant, comme ça, aujourd'hui, vous pourriez presque vous y imaginer autrefois avec les vieux imbéciles, les jeunes gens avec leurs copines à la traîne, l'odeur de bière, de parfum et de cigarettes qui envahit tout.

J'y suis allée moi-même, vous savez, quand le snack-bar est arrivé. Paul et moi nous nous cachâmes dans le parking de la même façon que je m'y étais cachée avec Cassis et Reine le soir du bal. Bien sûr en ce temps-là, il n'y avait pas de voitures. Il faisait froid aussi et il pleuvait. Les sureaux et les ronces ont disparu. Maintenant, il y a de l'asphalte et un nouveau mur derrière lequel vont se cacher les amoureux — ou les ivrognes quand ils ont envie de pisser ! Nous guettions Dessanges, notre Luc, avec sa jolie petite gueule, mais comme j'attendais là, dans l'obscurité, et que le reflet de la nouvelle enseigne au néon clignotait sur le goudron mouillé, j'aurais pu avoir neuf ans de nouveau et Tomas aurait pu être dans la salle du fond, une fille à chaque bras — le temps peut nous jouer d'étranges tours. Sur le parking, il y avait une double rangée de motos toutes luisantes de pluie.

Il était onze heures. Je me sentis soudain complètement sotte, appuyée au nouveau mur de béton comme une stupide petite gamine qui espionne les adultes, j'étais la plus vieille petite fille de neuf ans qui fût, avec Paul à mes côtés, suivi de son vieux chien au bout de l'inévitable ficelle verte de jardinier. Deux vieux stupides et vaincus qui, dans l'obscurité, surveillaient un bar. Et pourquoi ? Des flonflons de musique que je ne pouvais identifier s'échappaient du juke-box. De nos jours, même les instruments nous sont étrangers, ces machines électroniques qui n'ont besoin ni de bouche ni de doigts humains. Un rire de fille, strident, désagréable. Pendant un instant, la porte s'ouvrit et nous aperçûmes très clairement Luc, une fille à chaque bras. Il portait une veste de cuir qui avait bien coûté deux mille francs, plus peut-être, dans une boutique parisienne. Les filles, aux lèvres cramoisies, étaient très jeunes et leurs robes aux bretelles étroites montraient la peau soyeuse de leurs épaules. Soudain, je fus secouée d'un grand frisson désespéré.

« Regarde-nous donc ! » J'étais consciente de mes cheveux trempés, de mes doigts raides comme des allumettes. « James Bond et Mata-Hari… Allons, rentrons ! »

Paul me regarda de son air pensif — les autres avaient pu ne pas voir l'intelligence dans son regard mais je la voyais, moi. Sans rien dire, il prit ma main entre les siennes. Que leur chaleur était réconfortante. Je sentais les petites callosités de ses paumes.

« N'abandonne pas », dit-il.

Avec un haussement d'épaules, je lui répondis : « On ne fait rien de bon, ici, à part nous rendre ridicules. Accepte le fait, Paul, on ne va jamais avoir Dessanges à son jeu, alors, on ferait mieux de se mettre ça tout de suite dans la tête et de l'accepter au lieu de s'entêter bêtement. Je veux dire… »

« Non, ça n'est pas vrai. » Sa voix était traînante, presque amusée. « Tu n'abandonnes jamais, Framboise. C'est une chose que tu n'as jamais faite ! »

Patience. Sa patience à lui, sa douce patience, était assez persévérante pour lui permettre d'attendre une vie entière.

« Ça, c'était autrefois », répondis-je, sans lever les yeux vers lui.

« Tu n'as pas tellement changé, Framboise. »

Et c'est peut-être vrai. Il y a encore en moi quelque chose d'inflexible, ce qui n'est pas automatiquement une bonne chose. Je me rends compte encore de temps en temps de ce quelque chose de froid et de dur comme une pierre dans un poing fermé. Je l'ai toujours eu, même autrefois, ce quelque chose de cruel et d'obstiné qui me faisait m'accrocher à ce que je voulais juste assez long-temps pour l'obtenir. Comme si Génitrix m'avait péné-trée, ce jour-là, pour me happer le cœur et s'était lui-même fait avaler par cette bouche intérieure qui était la mienne. Un poisson fossile à l'intérieur d'un poing de pierre — j'en ai vu l'image un jour, dans l'un des livres de Ricot sur les dinosaures, en train de se dévorer lui-même dans un geste de dépit stupide.

« Je devrais peut-être changer », murmurai-je. « Oui, peut-être. »

À ce moment-là, je pense, j'étais sincère aussi. J'étais fatiguée, vous comprenez, fatiguée au-delà de tout ce que l'on peut imaginer. Deux mois de ça et nous avions tout essayé, Dieu le sait, oui, tout. Nous avions observé Luc, nous avions essayé de lui faire entendre raison, nous avions fait des plans de pure fiction — une bombe sous sa caravane, un tueur professionnel venu de Paris, la balle perdue d'un chasseur embusqué au Poste de Guet. Sans aucun doute, j'aurais pu le tuer. La colère me minait mais la peur me tenait éveillée toute la nuit alors, pendant la journée, je n'y voyais plus clair, j'avais la tête douloureuse. C'était plus que la simple crainte que l'on ne découvrît mon identité ; après tout, j'étais la fille de Mirabelle Darti-gen. J'avais son caractère. J'attachais beaucoup de valeur au restaurant, et même si les Dessanges me forçaient à fer-mer, même si plus personne aux Laveuses ne voulait m'adresser la parole après, je savais que je pourrais me battre jusqu'au bout. Non, ma réelle peur — que je n'avais pas révélée à Paul et que je refusais presque de reconnaître moi-même — était quelque chose de bien plus sombre et de plus complexe qui rôdait dans les pro-fondeurs de mon esprit, comme Génitrix dans son lit de vase, et pour lequel je priais qu'aucun appât ne réussît jamais à le tenter, à le faire sortir.

Je reçus deux autres lettres, l'une de Yannick et, sur l'autre enveloppe, je reconnus l'écriture de Laure. Je lus la première avec un malaise grandissant. Yannick, tour à tour, se lamentait et cajolait. Il était passé par une mau-

vaise période. Laure ne le comprenait pas, disait-il. Elle se
servait constamment du fait qu'il dépendait financièrement d'elle comme d'une arme contre lui. Ils avaient
essayé d'avoir un bébé pendant trois ans sans succès et
elle le rendait responsable de la situation aussi. Elle avait
même parlé de divorce.

D'après lui, si j'acceptais de leur prêter l'album de ma
mère, les choses changeraient. Laure avait besoin de quelque chose qui occupât son esprit, d'un nouveau projet. Sa
carrière avait besoin d'un coup de pouce. Yannick savait
bien que je n'aurais pas le cœur de refuser.

Je brûlai, sans la lire, la deuxième lettre. Je ne sais pas
si le souvenir des brefs messages froids et purement infor-
matifs que Noisette m'envoyait du Canada en était la raison, mais les confidences de mon neveu me parurent
pitoyables, gênantes même. Je ne voulus pas en savoir
davantage. Aucunement ébranlés, Paul et moi, nous nous
préparâmes pour le siège final.

Cela devait être notre dernière chance. Je ne suis pas
exactement sûre de ce à quoi nous nous attendions, seul
notre entêtement pur nous poussait à continuer la lutte.

Peut-être avais-je encore besoin de gagner, comme je
l'avais eu le dernier été aux Laveuses. Peut-être était-ce la
déraisonnable ténacité de ma mère en moi qui refusait la
défaite. Je me disais que si j'abandonnais maintenant, elle
se serait sacrifiée pour rien, que je devais me battre pour
elle et pour moi, et je pensais que même ma mère aurait
été fière de moi.

Jamais je n'aurais pensé que Paul se serait montré un
pareil soutien. C'est lui qui avait eu l'idée d'observer le
café comme cela avait été lui qui avait remarqué le
numéro des Dessanges à l'arrière du snack-bar. J'en étais
venue à beaucoup compter sur lui pendant ces mois-ci et
à faire confiance à son jugement. Nous étions souvent de
garde ensemble, les pieds protégés par une couverture au
fur et à mesure que les nuits devenaient plus froides, une
cafetière et deux verres de Cointreau posés entre nous.
De mille petites manières il m'était devenu indispensable.

Il pelait les légumes pour le repas du soir, apportait le bois pour le feu et nettoyait le poisson. Alors que les clients se faisaient rares à Crêpe Framboise — j'avais complètement cessé d'ouvrir en semaine et, même au week-end, la proximité du snack-bar décourageait les clients les plus fidèles — il gardait l'œil dans le restaurant, faisait la vaisselle et passait le plancher au balai o'Cédar. Et tout ça, presque toujours, sans parler, dans ce silence si reposant de la longue intimité, dans le simple silence de l'amitié.

« Ne change pas », finit-il par dire.

Déjà, je m'étais retournée pour partir mais il garda ma main dans la sienne et je ne pouvais pas la dégager. Je voyais les perles de pluie scintiller sur son béret et aux coins de sa moustache.

« Je pense que j'ai peut-être trouvé quelque chose », dit Paul.

« Quoi ? » La fatigue rendait ma voix rauque. Je ne pensais qu'à une chose : m'allonger et dormir.

« Pour l'amour de Dieu, réponds donc, quoi ? »

« Ce n'est peut-être rien », répondit-il prudemment, avec cette lenteur qui me donnait envie de hurler d'impatience. « Attends ici, je veux seulement, tu sais, vérifier quelque chose. »

« Quoi, ici ? » demandai-je d'une voix presque stridente. « Paul, écoute un peu, attends… »

Mais déjà il était parti, se déplaçant avec le silence et la vitesse d'un braconnier vers la porte du bar. Encore une seconde et il avait disparu.

« Paul », sifflai-je d'un ton furieux. « Paul ! Si tu crois que je vais t'attendre ici, sûrement pas. Tu peux aller te faire foutre, Paul ! »

Mais j'attendis, bien sûr. Et pendant que la pluie imprégnait le col de mon manteau d'automne le plus propre et me trempait les cheveux en égrenant son chapelet glacé entre mes seins, j'eus tout le temps de me rendre compte que, non, après tout, je n'avais pas tellement changé.

VIII

Cassis, Reinette et moi, attendions déjà depuis plus d'une heure lorsqu'ils arrivèrent enfin. Dès qu'il s'était caché devant la Rép, Cassis avait abandonné tout effort pour paraître indifférent. Il regardait avec un intense intérêt par les fentes du portail, nous repoussant quand nous essayions à notre tour de voir quelque chose. Moi, ça ne m'intéressait qu'à moitié. Jusqu'à l'arrivée de Tomas, il ne pouvait pas y avoir grand-chose de passionnant à observer, après tout. Mais Reine, elle, insistait.

« Je veux voir, moi », gémissait-elle. « Cassis, tu es égoïste, je veux *voir* aussi. »

« Il n'y a rien à voir », lui dis-je en perdant patience. « Rien que des vieux croulants assis à des tables et ces deux cocottes aux lèvres peintes en rouge. » Je ne les avais pourtant aperçues qu'un bref instant mais comme je m'en souviens ! Colette avait un cache-cœur vert trop étroit qui découvrait ses seins offerts, gonflés comme des obus. Je me souviens encore de la place de tous les clients. Martin et Jean-Marie Dupré jouaient aux cartes avec Philippe Hourias, l'escroquant comme d'habitude à ce qu'il semblait. Henri Lemaître était assis au zinc devant un demi qu'il faisait durer, il couvait des yeux les filles ; François Ramondin et Arthur Le Coz, le cousin de Julien, discutaient dans un coin une affaire secrète avec Julien Lanicen et Auguste Truriand. Le vieux Gustave Beauchamp, lui, était tout seul, près de la fenêtre, le béret tiré sur ses oreilles poilues, une vieille pipe toute culottée entre les dents. Je les vois encore tous. Avec un petit effort, je vois même la casquette de drap de Philippe, posée sur le bar à côté de lui, je sens encore l'odeur du tabac — à ce moment-là, le tabac, qui était précieux, était mélangé à des feuilles de pissenlit et empestait comme la fumée de bois vert —, je respire encore le mélange de chicorée et de café. Dans la lumière dorée de mes souvenirs, tout est figé comme dans un tableau dominé par le rouge ardent de l'incendie. Oui, je m'en souviens. Si seulement j'avais oublié !

Quand ils arrivèrent enfin, nous étions déjà ankylosés d'être restés accroupis contre le mur et de mauvaise humeur. Reinette était au bord des larmes. Cassis avait passé son temps à regarder par le portail. Nous avions trouvé un coin, sous l'une des fenêtres encrassées embuées de condensation, d'où nous pouvions juste apercevoir des silhouettes qui se déplaçaient dans l'atmosphère enfumée de la salle mal éclairée. Ce fut moi qui les entendis la première, le vrombissement lointain des motos qui arrivaient d'Angers puis leur pétarade quand elles s'engagèrent sur le chemin de terre battue avec une série de petites explosions étouffées. Il y en avait quatre. Je suppose que nous aurions dû nous attendre à voir les filles. Si nous avions lu l'album de Maman, nous aurions certainement su mais, malgré les apparences, nous étions profondément innocents encore. La réalité nous choqua un peu. Sans doute parce que, à leur entrée dans le bar, nous fûmes à même de constater que c'étaient des femmes très ordinaires, ni particulièrement jolies, ni particulièrement jeunes, en twin-sets étroits, avec des colliers de fausses perles. L'une avait à la main des chaussures pointues à hauts talons, l'autre fouillait dans son sac à la recherche d'un poudrier. Je m'étais attendue à voir des pin-up. Ce n'étaient que de simples femmes, comme ma mère, des femmes au visage anguleux, aux cheveux tirés en arrière et maintenus par des épingles, le dos outrageusement cambré par le port de ces chaussures qui étaient pour elles un supplice. Trois femmes, comme on en voit tous les jours.

Reinette les observait bouche bée.

« T'as vu ses chaussures ! » Le visage écrasé contre la vitre sale, elle était rose de plaisir et d'admiration. Je compris bien qu'elle et moi voyions les choses différemment. Ma sœur voyait encore les preuves de la vie de rêve des vedettes de cinéma dans leurs bas nylon, leurs cols de fourrure, leurs sacs en crocodile, leurs plumes d'autruche,

leurs boucles d'oreilles diamantées et leurs coiffures compliquées. Pendant les cinq minutes qui suivirent, elle ne
cessa de chuchoter sur différents tons d'extase :
« Regarde son chapeau !... Oh !... et sa robe, ma
chère !... Ohh ! »

Cassis et moi ne faisions aucunement attention à elle.
Mon frère, lui, essayait de deviner le contenu des boîtes
qu'ils avaient apportées sur le porte-bagages de la quatrième moto. Moi, je contemplais Tomas.

Il se tenait un peu à l'écart des autres, le coude appuyé
contre le bar. Je le vis dire quelque chose à Raphaël qui se
mit à tirer des chopes de bière. Heinemann, Schwartz et
Hauer s'installèrent à une table libre près de la fenêtre,
avec les femmes. Je remarquai l'air de dégoût du vieux
Gustave qui, soudain, s'en alla à l'autre bout de la salle en
emportant son verre. Les autres consommateurs se com-
portèrent comme s'ils étaient tout à fait habitués à de
telles visites, allant même jusqu'à adresser un signe de tête
aux Allemands quand ils traversèrent la salle et Henri faisait déjà de l'œil aux trois femmes avant même qu'elles ne
se fussent assises. J'eus une soudaine et absurde sensation
de triomphe quand je remarquai que Tomas n'avait pas
d'escorte. Il resta un moment au bar à parler avec
Raphaël. J'eus l'occasion d'observer l'expression de son
visage, ses gestes nonchalants, sa casquette repoussée
désinvoltement en arrière et sa jaquette d'uniforme
ouverte sur sa chemise. Raphaël n'était pas bavard, il avait
l'air poli, impénétrable. Tomas paraissait deviner son hostilité mais en semblait plus amusé que fâché. Il leva son
verre d'un air légèrement moqueur et but à la santé de
Raphaël. Agnès se mit à jouer au piano une sorte de valse.
Le piano couinait dans les hautes notes là où l'une des
touches avait été abîmée.

Cassis commençait à s'ennuyer.

Reinette et moi, par contre, étions fascinées. Elle, par
les lumières, les bijoux, la fumée qui montait d'un élégant
porte-cigarette laqué tenu par des doigts aux ongles vernis
et moi... par Tomas, bien sûr. Cela m'importait peu que

rien n'arrivât. J'aurais éprouvé un plaisir semblable à le contempler, seul, endormi. Le regarder ainsi, en secret, présentait pour moi un certain charme. En posant mes mains contre le carreau embué je pouvais faire comme un cadre à son visage. Je pouvais y poser les lèvres, imaginer sa peau contre la mienne. Les trois autres Allemands avaient bu bien davantage. Le gros Schwartz avait une femme sur les genoux. Il lui remontait la jupe de plus en plus haut, tellement haut que j'apercevais de temps en temps la bande brune de son bas et la jarretière rose qui le retenait. Je remarquai aussi qu'Henri s'était rapproché du groupe et qu'il lorgnait les femmes qui éclataient de rires stridents à chaque plaisanterie. Les joueurs de cartes avaient interrompu leur partie et observaient la scène. Jean-Marie, celui qui avait le plus gagné au jeu, traversa la salle nonchalamment en direction de Tomas. Il fit glisser des pièces sur le zinc dépoli et Raphaël apporta d'autres consommations. Tomas jeta un rapide coup d'œil derrière lui vers le groupe des consommateurs et sourit. La conversation qui suivit fut brève et dut passer inaperçue de toute personne qui ne s'intéressait pas tout spécialement à Tomas. Je crois être la seule à avoir été témoin de l'opération : un sourire, un chuchotement, un bout de papier poussé sur le comptoir et qui disparut immédiatement dans la poche de la jaquette de Tomas. Cela ne me surprit pas. Tomas faisait des affaires avec tout le monde. Il avait le don pour ça. Une heure encore passa, nous restions là à regarder et à attendre. Cassis, je crois, s'assoupit. Pendant quelque temps, Tomas accompagna au piano Agnès qui chantait. Je fus heureuse de constater qu'il ne s'intéressait que distraitement aux femmes qui le flattaient et le caressaient. J'étais fière de lui, pour ça, il était plus sélectif que les autres.

À cette heure-là, tout le monde avait déjà beaucoup bu. Raphaël sortit une bouteille de fine et ils la burent telle quelle dans les tasses à café qu'ils avaient vidées. Une partie de cartes commença entre Hauer et les frères Dupré ; Philippe et Colette les regardaient, le perdant devait payer la tournée. J'entendis leurs éclats de rire à travers la vitre lorsque Hauer perdit la partie encore une fois, sans rancune. Il avait déjà payé les consommations. L'une des femmes de la ville se tordit la cheville et tomba. Elle resta assise par terre, prise de fou rire, les cheveux retombant sur son visage. Seul Gustave Beauchamp restait à l'écart. Il refusa la fine que lui proposait Philippe et se tint aussi loin que possible du groupe des Allemands. Une fois, il croisa le regard de Hauer et murmura quelque chose dans sa barbe. Hauer ne saisit pas et continua à le regarder froidement un instant avant de se remettre à la partie. Quelques minutes plus tard, la même scène se reproduisit. Cette fois, Hauer, le seul à part Tomas qui comprît le français, se leva et porta la main à sa ceinture là où il gardait son revolver. Le vieil homme lui décochait des regards sombres, la pipe coincée entre les dents comme le canon d'un vieux char.

Pendant un moment, la tension qui régnait entre les deux hommes figea tous les autres. Raphaël fit un geste vers Tomas qui regardait la scène d'un air serein, presque amusé. Un accord silencieux passa entre eux. Je crus un instant que, juste pour voir ce qui se passerait, il n'allait peut-être pas intervenir. Le vieillard et l'Allemand se défiaient. Hauer avait bien deux têtes de plus que Gustave, ses yeux bleus étaient injectés de sang et les veines de son front faisaient comme des vers de vase sur sa peau basanée. Tomas jeta un coup d'œil vers Raphaël et sourit. « *Qu'en penses-tu ?* » disait le sourire. « *Dommage de devoir s'en mêler au moment précis où ça devient intéressant ! Tu ne penses pas ?* »

Alors, il s'avança d'un pas, comme par hasard, vers son ami, pendant que Raphaël écartait le vieillard hors de tout danger. Je ne sais pas ce que Tomas dit à Hauer mais, ce soir-là, je crois qu'il sauva la vie du vieux Gustave. Il passa son bras autour des épaules de Hauer et, de l'autre, il fit un geste vague dans la direction des boîtes qu'ils avaient apportées sur le porte-bagages de la quatrième moto, ces boîtes noires qui avaient tant intrigué

Cassis et qui se trouvaient maintenant appuyées au piano en attendant que quelqu'un les ouvrît.

Hauer, un instant, dévisagea Tomas d'un air menaçant. Ses yeux n'étaient plus que des fentes étroites dans l'épaisseur des joues, des incisions dans une couenne de lard. Tomas lui dit autre chose alors et Hauer se détendit et partit d'un grand éclat de rire de troll qui couvrit le vacarme qui avait repris dans la salle. L'incident était clos. Gustave s'en alla d'un pas traînant dans un coin vider son verre et tout le monde s'approcha du piano contre lequel les boîtes attendaient.

D'abord, je ne vis rien qu'une mêlée de silhouettes. Puis, je perçus un son, quelque chose de plus clair, de plus musical que ce qui venait du piano. Lorsque Hauer se retourna vers la fenêtre, il avait une trompette à la main, Schwartz avait une batterie et Heinemann tenait un instrument que je ne reconnus pas — quelque temps après, j'appris qu'il s'agissait d'une clarinette mais je n'en avais jamais vu auparavant. Les filles s'écartèrent pour permettre à Agnès d'atteindre le piano, puis Tomas passa de nouveau dans mon champ visuel, le saxophone en bandoulière sur l'épaule comme une arme primitive. Pendant une seconde, je crus que c'était vraiment une arme.

À mes côtés, Reinette prit une longue aspiration d'admiration craintive. Cassis avait tout à fait oublié son ennui, il se pencha en avant et m'écarta violemment. C'est lui qui identifia pour nous les instruments. À la maison, nous n'avions pas de tourne-disque mais Cassis était assez âgé pour se rappeler la musique que nous entendions autrefois à la radio, avant que ces choses-là ne fussent interdites, et il avait vu des photos de l'orchestre de Glenn Miller dans les magazines qu'il aimait tant.

« Ça, c'est une clarinette. » Il parlait d'une voix très jeune tout à coup, comme sa sœur l'avait fait dans son admiration pour les chaussures des élégantes de la ville. « Et Tomas, lui, il a un saxophone. Où ont-ils bien pu dénicher ça ? Ils ont dû les réquisitionner. On peut toujours faire confiance à Tomas pour ces choses-là… Oh ! j'espère bien qu'ils vont se mettre à jouer ! »

Je ne sais pas s'ils étaient vraiment bons musiciens. Je n'avais aucun moyen d'établir de comparaison. Pourtant, nous étions tellement pleins d'excitation et d'émerveillement que n'importe quoi aurait pu nous enchanter. Je me rends compte que cela semble un peu ridicule de nos jours mais, à cette époque-là, nous entendions si rarement de musique — le piano, à La Mauvaise Réputation, l'orgue, à l'église, pour ceux qui y allaient —, le violon de Denis Gaudin le 14 juillet et au carnaval du mardi gras quand nous dansions dans la rue. Quand la guerre commença, bien sûr, ça ne se faisait plus beaucoup mais cela continua encore un peu, au moins jusqu'au moment où le violon fut réquisitionné comme tout le reste. Mais soudain, les sons s'envolèrent dans la salle, étranges, merveilleux, aussi différents de ceux qui s'élevaient du vieux piano que des aboiements de chien peuvent l'être des envolées d'opéra. Nous nous rapprochâmes de la fenêtre pour ne pas en louper une seule note. Au départ, ils ne produisaient que de curieux petits vagissements plaintifs — ils devaient accorder leurs instruments, mais nous ne le savions pas — puis ils entonnèrent une mélodie entraînante et contrastée que nous ne reconnûmes pas mais qui, je crois, devait être une sorte de jazz. La batterie marquait un léger tempo pendant que la clarinette roucoulait d'une voix de gorge profonde et grave. Le saxophone de Tomas égrenait une guirlande de notes brillantes, claires comme des lumières sur un arbre de Noël, puis, laissant échapper de doux gémissements, il poursuivait à mi-voix une âpre conversation, s'élevant et retombant au-dessus de l'ensemble discordant, comme une voix d'homme miraculeusement embellie pour exprimer la gamme entière des réactions humaines, la tendresse et l'impétuosité, la câlinerie et le désespoir.

Bien sûr, le souvenir reste quelque chose de si subjectif. C'est pour cela peut-être que mes larmes débordent à la seule pensée de cette musique-là, cette musique de fin du monde. Selon toute vraisemblance, cela ne ressemblait en rien à ce qui est fixé dans mon esprit — un groupe d'Allemands éméchés qui martelaient quelques mesures de blues sur des instruments qu'ils avaient volés — mais, pour moi, c'était de la magie. Cela avait dû avoir un certain effet sur les autres aussi car, en quelques minutes, ils dansaient, certains seuls, d'autres avec un partenaire, les femmes de la ville dans les bras des frères Dupré — les joueurs de cartes — et Philippe et Colette se trémoussaient joue à joue. C'était une façon de danser que nous n'avions encore jamais observée. En décrivant une sorte de mouvement giratoire, ils rebondissaient les uns contre les autres, perdant l'équilibre et repoussant les tables de leurs croupes qu'ils faisaient virevolter. Les éclats de rire fusaient au-dessus du vacarme des instruments. Raphaël, lui-même, marquait la mesure avec ses pieds, et en oubliait de garder son air impénétrable. Je ne sais pas combien de temps cela dura, peut-être une heure, peut-être quelques minutes. Je sais que nous en fîmes autant, nous trémoussant et tournoyant avec entrain devant la fenêtre comme de petits démons. C'était du *hot* et nous flambions sous la chaleur comme des crêpes dans l'alcool, dans une âcre odeur de sueur, et nous poussions des hurlements de Peaux-Rouges, sachant très bien que les bacchanales de l'intérieur nous permettaient de faire autant de bruit que nous le voulions sans pour cela révéler notre présence. Par bonheur, j'avais tout le temps les yeux rivés sur la fenêtre, et ce fut moi qui remarquai le vieux Gustave quitter la salle. Immédiatement, je prévins les autres et nous plongeâmes à l'abri du mur juste à temps pour l'apercevoir, silhouette sombre et voûtée, sortir en titubant dans la nuit qui fraîchissait de plus en plus. Le fourneau de sa pipe lui mettait comme une rose rouge au milieu de la figure. Il était ivre mais pas au point de ne pouvoir marcher. À vrai dire, je crois qu'il nous avait entendus car il s'arrêta au bout du mur et jeta des regards inquiets vers le coin obscur à l'arrière du bâtiment, en s'appuyant d'une main à l'angle du porche pour ne pas tomber.

« Y a-t-i' quelqu'un ? » demanda-t-il d'un ton grognon. « Y a-t-i' quelqu'un ici ? »

Derrière le mur, nous restions silencieux, nous efforçant de ne pas rire.

« Y a quelqu'un ? » répéta le vieux puis, apparemment satisfait, il marmonna quelque chose d'à peine audible et se remit à avancer. Il s'arrêta au niveau du mur, éteignit sa pipe en la tapotant contre les pierres. Le vent fit lentement pleuvoir les étincelles de notre côté du mur et j'appliquai ma main sur la bouche de Reinette pour l'empêcher de hurler. Pendant un instant, ce fut le silence. Nous attendions en retenant notre souffle. Puis, nous entendîmes un généreux, glorieux jaillissement d'urine qui rebondissait contre le mur et cela dura si longtemps qu'il nous sembla qu'il n'allait jamais finir. À la façon des vieux, il poussait en se soulageant de petits soupirs de satisfaction. Je souriais dans les ténèbres. Pas étonnant qu'il eût voulu s'assurer qu'il n'y avait pas de témoin. Cassis me poussa furieusement du coude et posa la main sur sa bouche. Reine prit l'air dégoûtée. Nous entendîmes le vieux rattacher sa ceinture et s'éloigner de son pas traînant en direction du café. Puis, plus rien. Nous attendîmes quelques minutes encore.

« Où est-il ? » chuchota enfin Cassis. « Il n'est pas parti. On l'aurait entendu. »

Je haussai les épaules. Dans le mince rayon de lune, le visage de Cassis m'apparut, luisant de sueur et d'inquiétude. Je fis un geste pour lui indiquer le mur. « Jette un coup d'œil », articulai-je sans parler. « Il est peut-être tombé dans les pommes ou quelque chose comme ça. »

Cassis secoua la tête en signe de dénégation. « Il nous a peut-être repérés », dit-il d'un air sombre. « Il attend peut-être que l'un de nous montre la tête, et vlan ! »

Je haussai de nouveau les épaules et jetai un coup d'œil prudent par-dessus le mur. Non, le vieux Gustave ne s'était pas évanoui, il était là appuyé sur sa canne, il nous tournait le dos et observait le café. Il était parfaitement silencieux.

« Alors ? » questionna Cassis lorsque je m'accroupis de nouveau derrière le mur.

Je lui expliquai ce que j'avais vu.

« Qu'est-ce qu'il peut bien *faire* ? » murmura Cassis, pâle d'exaspération.

Je secouai la tête pour indiquer que je ne savais pas.

« Qu'il aille se faire foutre, le vieil imbécile. Il nous forcera à poireauter ici toute la nuit. »

Je mis un doigt sur ma bouche. « Chut ! Voilà quelqu'un. »

Le vieux Gustave avait dû les entendre aussi car, au moment où nous battions en retraite, à l'abri, derrière le mur, dans l'enchevêtrement de ronces, nous l'entendîmes se rapprocher, pas aussi silencieusement que nous. S'il avait fait quelques mètres de plus vers la gauche, il aurait atterri en plein sur nous. En l'occurrence, il tomba dans les ronces, s'y empêtra en jurant et en battant l'air de sa canne. Nous étions dans une sorte de tunnel de ronces et de grateron. À notre âge et avec notre agilité, il nous semblait possible de ramper le long de ce tunnel jusqu'à la route. Ainsi, nous pourrions éviter de repasser par-dessus le mur et nous esquiver sous le couvert de l'obscurité sans être vus.

J'étais presque décidée à tenter le coup lorsque j'entendis un bruit de voix qui venait de l'autre côté du mur. L'une des voix était celle d'une femme. L'autre parlait allemand et je reconnus celle de Schwartz. J'entendais toujours la musique qui s'échappait du bar. J'en conclus que Schwartz et la femme qui l'escortait en étaient sortis inaperçus. De l'endroit où j'étais, au milieu des broussailles, j'apercevais leurs silhouettes floues se dessiner contre le mur. Je fis signe à Reinette et à Cassis de ne pas bouger. Je distinguais aussi Gustave, à quelque distance de nous, inconscient de notre présence, qui se blottissait contre les briques à l'autre bout, et les observait par une fissure dans la maçonnerie. J'entendis le rire aigu de la

femme, un rire un peu appréhensif, puis la voix gras-
seyante de Schwartz qui disait quelque chose en allemand.
Il était plus petit qu'elle, une sorte de troll hideux à côté
de la silhouette élancée de la femme, une sorte de carni-
vore étrange qui lui dévorait le cou avec tous les
mâchonnements et les bruits de langue de celui qui a hâte
de finir son ragoût. Quand ils sortirent de l'obscurité que
l'arrière du porche leur offrait, ils apparurent dans la
lumière crue de la lune. Je vis les grosses mains de
Schwartz tripoter maladroitement le corsage de la femme
— « *Liebchen, Liebling* » — dont j'entendis le rire suraigu
« *hi hi hi hi* », lorsqu'elle enfouit ses seins dans les mains
gourmandes du faune. Mais, ils n'étaient plus seuls. Une
troisième silhouette sortit de l'ombre du porche, l'Allemand ne parut pas surpris de son arrivée car il fit un signe
de tête à l'adresse du nouvel arrivé. La femme, elle, ne
s'aperçut de rien et continua à faire ce qu'elle faisait pendant que l'autre homme, silencieux et plein de convoitise,
jouissait du spectacle, les yeux luisants comme ceux d'un
animal aux aguets dans les ténèbres du porche. C'était
Jean-Marie Dupré.

Il ne me vint pas à l'idée que Tomas avait peut-être
arrangé cette rencontre, le spectacle de la femme comme
monnaie d'échange pour autre chose, un service peut-
être, ou un paquet de café au marché noir. Je ne vis aucun
rapport entre le petit accord entre eux au bar et cela ;
d'ailleurs je n'étais même pas sûre de ce que *cela* était car
ce que je voyais était si différent des petites connaissances
que j'avais de ce genre de choses. Cassis, lui, bien
entendu, aurait su mais il était encore accroupi derrière le
mur avec Reinette. Je lui fis des signes désespérés pour
qu'il se rapproche, devinant que, peut-être, c'était le bon
moment pour nous échapper pendant que les trois autres
étaient encore absorbés par ce qui les occupait. Il fit de la
tête un signe d'acquiescement et commença à ramper
dans ma direction à travers les broussailles, laissant Reinette accroupie dans l'ombre du mur où seule, d'où nous

étions, la soie blanche de son corsage nous permettait de l'apercevoir.

« Bon Dieu ! Pourquoi ne me suit-elle pas ? » siffla enfin Cassis. L'Allemand et la femme s'étaient maintenant rapprochés du mur et nous avions des difficultés à voir ce qui se passait. Jean-Marie était tout près d'eux — assez proche pour les observer, pensai-je avec un sentiment de culpabilité et de dégoût en même temps. J'entendais maintenant leur respiration, l'épaisse respiration bestiale de l'Allemand, l'autre lubrique, rauque, dure de l'observateur et, au milieu, les petits cris aigus, étouffés de la femme. Je me félicitai tout à coup de ne pas pouvoir bien distinguer ce qui se passait, d'être trop jeune pour comprendre. Ce qu'ils faisaient me semblait bien trop laid, trop dégoûtant pour qu'on puisse même l'imaginer et pourtant, ils semblaient aimer ça, ils roulaient des yeux au clair de lune et leurs bouches s'ouvraient comme des gueules de poisson. Maintenant l'Allemand cognait la femme contre le mur par séries de petits coups qui résonnaient. J'entendais sa tête et ses fesses rebondir contre le mur de briques, ses glapissements aigus — « Ah ! Ah ! Ah ! » — et les grognements de l'homme — « *Liebchen, ja Liebling, ach ja* ». J'aurais bien voulu me relever et m'enfuir à toutes jambes immédiatement, mon calme avait basculé sous la grande vague de panique qui me submergeait. J'allais presque suivre mon instinct, j'étais déjà à moitié dressée, tournée vers la route, mesurant du regard la distance entre l'endroit où je me tenais et le salut — quand, tout à coup, le bruit cessa. Une voix d'homme, très sonore dans le silence brutal, claqua comme un fouet. « *Wer da ?* »

Alors, Reinette, qui avait rampé sans bruit dans notre direction pendant tout ce temps-là, fut prise de panique. Au lieu de rester immobile, comme nous l'avions fait quand Gustave s'était assuré d'être seul, elle dut croire qu'il l'avait aperçue car elle se redressa et commença à courir, belle à en pâlir dans le rayon de lune qui tombait sur la soie blanche de son corsage et, tordant la cheville, elle s'écroula dans les broussailles en poussant un cri. Alors elle resta là, assise, la cheville entre les mains, gémissante, son visage d'albâtre tourné vers nous, articulant désespérément des mots qui ne sortaient pas de sa gorge.

Cassis s'enfuit rapidement. Jurant entre ses dents, il traversa le fourré dans la direction opposée, les branches de sureau lui fouettaient le visage, les ronces lui arrachaient la peau des mollets. Sans un regard en arrière pour s'assurer que nous suivions, il franchit le mur en s'aidant de la main et disparut le long de la route.

« *Verdammt !* » C'était Schwartz. Je vis son visage rond, tout pâle, apparaître au-dessus du mur et je m'aplatis davantage dans les broussailles. « *Wer war das ?* »

Hauer qui, en sortant par la porte du fond, l'avait rejoint, secoua la tête : « *Weiß nicht. Etwas !* »

Il indiqua du doigt la direction. Trois visages se montrèrent au-dessus du mur. Je ne pouvais rien faire d'autre que me cacher parmi le feuillage sombre et espérer que Reinette ait assez de présence d'esprit pour s'échapper à la première occasion. Au moins, pensai-je avec mépris, moi, je ne m'étais pas lâchement enfuie, comme Cassis. Je me rendis vaguement compte qu'à l'intérieur de la Rép, la musique avait cessé.

« Attendez, il y a encore quelqu'un ici », dit Jean-Marie, en inspectant l'autre côté du mur. La femme le rejoignit, son visage était livide sous la lune. Sa bouche était mauvaise, déformée par la colère, un trou noir dans la blancheur irréelle de la lumière.

« Eh bien, sale petite putain ! » s'exclama-t-elle d'une voix stridente. « Toi ! Lève-toi immédiatement ! Oui, toi, cachée derrière le mur à nous *espionner* ! » Elle s'égosillait d'une voix indignée, un peu coupable, peut-être. Reine se releva lentement, soumise. Une si gentille fille, ma sœur. Toujours prête à obéir aux ordres. Et ça lui a servi à quoi ? Je pouvais l'entendre respirer, percevoir le sifflement de panique dans sa gorge quand elle se retrouva face à face avec eux. Quand elle était tombée, son corsage était sorti de la ceinture de sa jupe, ses cheveux s'étaient défaits et lui couvraient maintenant la figure.

Hauer dit en allemand quelque chose à voix basse à l'oreille de Schwartz qui hissa Reinette et la fit passer de leur côté du mur.

Pendant un moment, elle se laissa hisser sans la moindre protestation. Elle n'avait jamais été rapide à la détente et, de nous trois, elle était, de loin, la plus docile. Son premier instinct était toujours d'obéir, sans attendre, à un ordre qui lui venait d'un adulte.

Puis, elle parut comprendre. Étaient-ce les mains de Schwartz sur son corps ou avait-elle compris ce que Hauer avait murmuré, mais elle commença à se débattre. Trop tard. Hauer la tenait pendant que Schwartz lui arrachait son corsage et le jetait. Je le vis passer par-dessus le mur comme un étendard argenté sous la lune. J'entendis une autre voix — Heinemann, je crois — crier quelque chose en allemand puis ma sœur hurla d'une voix perçante, poussa des exclamations d'horreur, de répulsion, j'entendis des halètements « *Ah ! ah ! ah !* ». Pendant une seconde, j'aperçus son visage au-dessus du mur, ses cheveux dénoués sur ses épaules, ses bras se débattant dans l'obscurité et le visage de Schwartz, cet ivrogne, qui ricanait, tourné vers elle. Puis, elle disparut à ma vue mais les bruits continuèrent, les bruits de ces hommes insatiables et la voix aiguë et triomphante de la femme. « Bien fait pour toi, petite putain, bien fait ! »

Et pendant tout ce temps-là, j'entendais ce ricanement vil, ce *hein-hein-hein* porcin qui passe encore maintenant dans mes rêves comme une fange et cette musique, celle du saxophone, cette musique tellement humaine qui ressemble tant à la voix de Tomas.

Pendant trente secondes peut-être, pas plus, j'hésitai et pourtant cela me parut beaucoup plus long parce que je me mordais les poings pour mieux réfléchir et que j'étais accroupie dans les broussailles. Cassis s'était déjà enfui, lui. Je n'avais que neuf ans. Que pouvais-je faire ? Bien que je n'eusse que vaguement compris ce qui se passait, je ne pouvais pas abandonner Reinette. Je me dressai et ouvris la bouche pour crier — intérieurement je me disais que Tomas était tout près, qu'il mettrait fin à tout ça —, mais quelqu'un déjà passait par-dessus le mur, maladroitement, quelqu'un avec une canne qui s'abattit sur les voyeurs avec plus de fureur que d'efficacité, quelqu'un qui grondait d'une voix caverneuse et indignée : « Sale Boche ! Sale Boche ! »

C'était Gustave Beauchamp.

Je m'accroupis de nouveau dans le fourré. Maintenant, je ne pouvais pratiquement plus rien voir de ce qui se passait mais j'étais consciente de Reinette qui récupérait son corsage et courait le long du mur vers la route en pleurnichant. J'aurais pu la rejoindre alors mais la curiosité et mon ravissement soudain lorsque je reconnus la voix familière qui s'élevait au-dessus de tout le brouhaha « Ça va ! ça va ! » m'en empêchèrent.

Mon cœur fit un bond dans ma poitrine.

J'entendis Tomas se frayer un passage parmi la petite foule — d'autres s'étaient mêlés à la bagarre maintenant et le craquement sourd de la canne du vieux Gustave retentit deux fois encore comme si quelqu'un jouait au football avec un chou. Je perçus la voix rassurante de Tomas en français et en allemand qui les apaisait. « Ça va maintenant. Calmez-vous ! *Verdammt !* Fränzl, calme-toi, tu en as fait assez pour aujourd'hui. » Puis, ce fut la voix furieuse de Hauer et les protestations confuses de Schwartz.

La voix vibrante de rage, Hauer cria à Gustave : « C'est la deuxième fois ce soir que t'essaies de me chercher, *Arschloch* ! »

Tomas cria quelque chose d'inintelligible. Soudain, Gustave poussa une grande clameur coupée net par un bruit qui ressembla au bruit sourd d'un sac de farine sur le sol dallé d'un grenier à blé, un terrible choc contre la pierre puis plus rien, un silence aussi électrisant qu'un jet d'eau glacée.

Il dura trente secondes, plus peut-être ? Personne ne dit un mot. Personne ne bougea.

Alors, la voix de Tomas retentit, nonchalante et joyeuse comme d'habitude : « Ça va ! Retournez donc au bar et finissez vos verres. Il a fini par succomber à Bacchus ! »

Il y eut un malaise, un chuchotement, l'ombre d'une protestation. Une voix de femme, celle de Colette, je crois, insista. « Il a les yeux… »

« C'est l'alcool, c'est tout », dit Tomas d'une voix enjouée et légère. « Pensez donc, un vieillard comme ça ! Il ne sait pas quand il a eu son compte. » Son rire était tout à fait convaincant pourtant, moi, je savais qu'il mentait. « Fränzl, toi, tu restes et tu m'aides à le ramener chez lui. Udi, fais rentrer les autres. »

Dès que les autres furent rentrés, j'entendis le piano de nouveau et une voix de femme se mit à gazouiller nerveusement une chanson populaire. Seuls maintenant, Tomas et Hauer commencèrent à échanger à voix basse quelques mots rapides pour parer au plus pressé.

Hauer : « *Leibniz, was muß…* »

« *Halt's Maul !* » interrompit sèchement Tomas. Se dirigeant vers l'endroit où le vieillard s'était écroulé, il s'agenouilla. Je l'entendis déplacer le corps et s'adresser à lui en français une ou deux fois avec douceur. « Allez, mon vieux, réveillez-vous ! »

Hauer prononça d'un ton furieux en allemand quelques mots rapides que je ne compris pas. Alors, Tomas parla, lentement, distinctement, et ce fut plus l'intonation de ce qu'il disait que les mots eux-mêmes que je compris. D'une voix lente, délibérément indifférente, presque amusée malgré le froid mépris qu'elle contenait, il laissa tomber d'un ton glacé :

« *Sehr gut, Fränzl. Er ist tot.* »

IX

« Plus de pilules. » Elle avait dû être au désespoir, cette terrible nuit-là, avec l'odeur d'oranges qui avait envahi toute la maison et rien auquel elle eût pu se raccrocher.

« J'aurais vendu mes enfants pour une nuit de sommeil. » Puis, sous une recette découpée dans un journal et collée à la page, elle avait griffonné d'une écriture si petite que j'eus besoin d'une loupe pour en déchiffrer les mots :

« *T.L. est revenu. A dit qu'il y avait eu un incident à la Rép. Des soldats s'étaient laissé aller. A dit que Reine-Claude avait peut-être vu quelque chose. A apporté des pilules.* »

Ces pilules, auraient-elles pu être les trente hautes doses de morphine ? Pour acheter son silence ? Ou les pilules étaient-elles pour quelque chose d'entièrement différent ?

X

Paul rentra une demi-heure plus tard. Il avait l'air un peu penaud d'un homme qui s'attend à être grondé. Il puait la bière.

« J'ai bien été obligé d'acheter un bock », expliqua-t-il d'un ton d'excuse. « J'aurais eu l'air bizarre si j'étais resté planté là à les regarder. »

Moi, à ce moment-là, j'étais à moitié trempée et passablement irritée. « Eh bien ? » demandai-je. « Ta grande trouvaille, qu'est-ce que c'est ? »

Paul haussa les épaules et, d'un air méditatif, répondit : « Peut-être rien. Je préfère... attendre d'avoir vérifié quelques petits trucs avant de te donner de l'espoir. »

Je le regardai, alors, droit dans les yeux et déclarai :
« Paul Désiré Hourias. Voilà une éternité que je t'attends
sous la pluie, je suis restée dans la puanteur de ce café à
guetter Dessanges parce que, toi, tu avais cru que nous
pourrions apprendre quelque chose et, *pas une seule fois*, je
ne me suis plainte » — à ce moment-là, il me lança un
petit regard amusé que je choisis de ne pas remarquer —
« et cela fait de moi pratiquement une *sainte* », dis-je
d'une voix sévère. « Mais toi, si tu *oses* me cacher quelque
chose, si tu oses même penser à *faire* ça... » Paul esquissa
un geste paresseux et s'avoua vaincu. « Comment peux-tu
savoir que mon deuxième prénom est Désiré ? »
demanda-t-il.

« Parce que, moi, je sais tout », répliquai-je sans même
sourire.

XI

J'ignore ce qu'ils firent après notre fuite. Deux ou trois
jours plus tard, le cadavre du vieux Gustave fut découvert
dans la Loire, près de Courlé, par un pêcheur. Le corps
était déjà rongé par les poissons. Personne ne fit allusion
à ce qui s'était passé à La Mauvaise Réputation mais les
frères Dupré semblaient encore plus furtifs que jamais et
un silence inhabituel régnait dans le café. Reinette ne
parla pas de ce qui lui était arrivé et je lui laissai penser
que je m'étais sauvée en même temps que Cassis. Elle ne
nous soupçonna pas d'avoir vu quoi que ce soit. Mais elle
avait changé ; elle paraissait froide et presque agressive.
Quand elle ne se sentait pas observée, elle se touchait le
visage et la chevelure sans pouvoir s'en empêcher comme
si elle eût voulu vérifier que tout était bien à sa place. Plusieurs fois, elle s'absenta du collège, se plaignant d'avoir
des maux de ventre.

Chose étonnante, Maman la laissa faire, veilla à son
chevet et lui prépara des boissons chaudes, lui parlant à

mi-voix d'un ton décidé. Elle transporta le petit lit de Reinette dans sa chambre à elle — ce qu'elle n'avait jamais fait ni pour moi ni pour Cassis. Je la vis une fois lui donner deux cachets que Reinette avala à contrecœur, en protestant. Cachée derrière la porte, je saisis des bribes de leur conversation où je crus saisir le mot « malédiction ». Pendant quelques jours, après avoir pris les cachets, Reinette fut assez souffrante mais elle ne tarda pas à s'en remettre et personne ne parla plus jamais de l'incident.

Dans l'album, très peu a trait à cet épisode. Sur une page, ma mère a écrit : « *R.-C. entièrement remise* » sous une fleur de souci pressée et une recette pour la tisane à l'armoise amère. Mais, j'ai toujours soupçonné quelque chose. Les cachets, auraient-ils pu être un abortif quelconque au cas où il y aurait eu une grossesse malencontreuse ? Ces cachets, étaient-ils ceux dont Maman parle dans son journal ? Et les initiales T.L., étaient-elles celles de Tomas Leibniz ?

Cassis avait peut-être deviné quelque chose, à mon avis, mais il était bien trop préoccupé par ses propres affaires pour prêter beaucoup d'attention au problème de Reinette. Au lieu de cela, il apprenait ses leçons, lisait ses magazines, jouait dans les bois avec Paul et, en général, se comportait comme si rien ne s'était passé. Pour lui, peut-être, rien en effet ne s'était passé.

Une fois, j'essayai de lui en parler.

« Quelque chose s'est passé ? Qu'est-ce que tu veux dire que quelque chose s'est passé ? » Nous étions assis au sommet du Poste de Guet, nous mangions des sandwichs à la moutarde et nous lisions *La Machine à remonter le temps*. Cet été-là, c'était devenu mon roman préféré et je ne m'en fatiguais jamais. Cassis me contempla, la bouche pleine, tout en évitant de rencontrer mon regard.

« Je ne suis pas certaine. » Je faisais très attention aux mots que j'employais et je surveillais l'expression de sa figure placide par-dessus la couverture cartonnée du livre. « Je veux dire, je ne suis restée qu'une minute de plus, mais » — c'était difficile de trouver les mots pour ça. Il n'y en avait pas dans mon vocabulaire. « Ils ont failli attraper Reinette », articulai-je d'un ton peu convaincant. « Jean-Marie et les autres. Ils... ils l'ont poussée par terre, au pied du mur. Ils ont déchiré son corsage », lui dis-je.

J'aurais voulu en dire plus si j'avais seulement pu trouver les mots. J'essayai de me rappeler cette impression d'horreur et de culpabilité qui m'avait envahie à ce moment-là, l'idée que j'allais entrevoir un mystère quelconque, quelque chose de laid et de fascinant à la fois, mais d'une manière incompréhensible, tout était devenu flou, floconneux comme ce qui reste d'un mauvais rêve.

« Gustave était là », poursuivis-je d'un ton désespéré.

Cassis commençait à s'irriter. « Et alors ? » s'exclama-t-il d'un ton brusque. « Et alors ? Il était toujours là, ce vieux poivrot. Qu'y a-t-il de nouveau là-dedans ? » Ses yeux continuaient à éviter les miens, fixant la page et courant le long des lignes comme des feuilles mortes balayées par le vent.

« Il y a eu une bagarre, enfin, une sorte de bagarre. » Il fallait à tout prix que je dise au moins cela. Lui, je savais qu'il ne le voulait pas, j'étais consciente de son regard obstinément fixe, se concentrant désespérément sur la page. Je savais qu'il priait pour que je me taise enfin.

Le silence tomba et la lutte continua entre nos deux volontés, une lutte sans paroles, lui se servant de son âge et de son expérience, moi du fardeau de ce que j'avais vu.

« Penses-tu que peut-être... »

Il s'emporta alors, méchamment, les yeux brillants de colère et de terreur. « Pense quoi, bon Dieu ? Que veux-tu que je pense ? » me jeta-t-il comme un crachat. « N'en as-tu pas déjà fait assez, toi, avec tes transactions, tes plans et tes idées de génie ? » Il haletait, il était hors de lui, le visage tout contre le mien. « Ne crois-tu pas que tu en as fait assez comme ça ? »

« Je ne sais pas ce que... » J'étais au bord des larmes.

« Eh bien, réfléchis, mais réfléchis donc ? » hurla-t-il. « Admettons que tu soupçonnes quelque chose. Disons que tu saches vraiment pourquoi est mort le vieux

Gustave. » Il s'arrêta pour observer ma réaction et sa voix ne devint plus qu'un murmure agressif. « Mettons que tu soupçonnes quelqu'un. À qui vas-tu aller raconter ça ? À la police ? À Maman ? À la sacrée bon Dieu de Légion étrangère ? » Horriblement déchirée, mais ne le montrant pas, je le regardai droit dans les yeux, essayant, avec mon insolence habituelle, de lui faire détourner les siens.

« Nous ne pourrions le dire à personne », dit Cassis d'une voix altérée. « À personne ! Ils voudraient savoir comment nous le savons, à qui nous avons parlé. Et si nous disions... » Son regard se détacha un instant du mien : « Si jamais nous disions la moindre chose à qui que ce fût... » Il s'arrêta brutalement et se remit à lire. Sa peur même s'était évanouie pour faire place à une prudente indifférence.

« C'est une bonne chose de n'être que des gosses, n'est-ce pas ? » commenta-t-il d'une voix blanche que je ne lui connaissais pas. « Quand on est gosse, on joue toujours à des trucs. On joue aux détectives, on découvre des choses, des choses comme ça. Tout le monde sait que ce n'est que pure imagination. Tout le monde sait que nous l'avons tout simplement inventé. »

« Mais Gustave », dis-je en le fixant du regard.

« Un vieil homme, tout simplement », dit Cassis imitant sans le savoir la voix de Tomas. « Il est tombé dans la rivière, n'est-ce pas ? Il avait un coup dans l'aile. Ça arrive tout le temps. »

Un frisson me secoua.

« Nous n'avons rien vu », dit Cassis. « Ni toi, ni moi, ni Reinette. Rien ne s'est passé, d'accord ? »

Je secouai la tête. « Mais si, moi, j'ai vu. »

Mais Cassis ne me regardait plus, il s'était réfugié derrière les pages de son livre où Morlocks et Eloi se battaient férocement derrière les solides remparts des romans d'aventure. Par la suite, à chaque tentative de ma part pour reprendre la conversation, il fit semblant de ne pas comprendre ou de penser que c'était une sorte de jeu.

Avec le temps, il finit peut-être même par y croire vraiment.

Les jours passèrent. Je retirai toute trace du sachet de peau d'orange de dessous l'oreiller de ma mère et de ma réserve cachée dans le baril d'anchois et je les enterrai dans le jardin. J'avais l'impression que plus jamais je ne m'en servirais.

« *Réveillée à six heures ce matin* », écrit-elle, « *la première fois depuis des mois. Étrange comme les choses semblent différentes après une nuit blanche, c'est comme si le monde se dérobait petit à petit sous vos pieds, comme si le sol n'était plus tout à fait au même niveau. L'air vous semble chargé de particules lumineuses qui vous piquent les yeux. On dirait qu'une partie de moi n'existe plus mais je peux encore me souvenir de ce qu'elle était. Ils me regardent avec des yeux si graves. Je crois qu'ils ont peur de moi, sauf Boise. Elle n'a peur de rien. Je veux la prévenir que ça ne dure pas.* »

Elle avait entièrement raison. Ça ne dure pas. J'appris cela à la naissance de Noisette — ma Noisette, si rusée, si implacable et tellement semblable à moi. Elle a une fille maintenant que je n'ai vue qu'en photo. Elle s'appelle Pêche. Je me demande souvent comment elles se débrouillent, seules, loin de la maison. Noisette me regardait avec les mêmes yeux, les mêmes yeux si noirs. En y pensant bien, je me rends compte qu'elle ressemble plus à ma mère qu'à moi.

❧

Quelques jours après le bal à la Rép, Raphaël nous rendit visite. Il avait préparé une excuse quelconque — acheter du vin ou quelque chose comme ça — mais nous savions ce qu'il voulait vraiment. Cassis ne l'avoua jamais, bien sûr, mais je le lisais dans le regard de Reine. Il voulait découvrir ce que nous savions. Je crois qu'il était inquiet, plus que les autres, parce qu'il s'agissait de son café à lui après tout et qu'il se sentait responsable. Peut-être devinait-il quelque chose. Peut-être quelqu'un avait-il parlé. En tout cas, il était comme chat sur braise. Lorsque ma mère ouvrit la porte, il jeta un rapide coup d'œil derrière elle à l'intérieur, puis un autre par-dessus son épaule. Depuis le bal, La Mauvaise Réputation n'avait pas fait beaucoup d'affaires. À la poste, j'avais entendu quelqu'un dire — je crois que c'était peut-être Lisbeth Genêt — que le café faisait faillite, que les Allemands y amenaient leurs cocottes et que personne ne voudrait plus y mettre les pieds. Bien que nul n'eût encore fait de rapprochement entre ce qui s'était passé là, cette nuit-là, et la mort de Gustave Beauchamp, personne ne pouvait dire quand cela commencerait. Après tout, c'était un village, et dans un village, personne ne garde de secret bien longtemps.

Il faut bien le dire, Maman ne le reçut pas exactement à bras ouverts. Peut-être était-elle trop consciente de ce que, lui, savait d'elle. Sa maladie l'avait rendue abrupte sans doute, à moins que cela n'eût été son caractère naturel. De toute façon, il ne revint pas. Bien sûr, une semaine plus tard, lui et tous ceux qui étaient à La Réputation le soir du bal étaient morts. Il n'en avait donc peut-être pas eu l'occasion.

Ma mère fit une seule allusion à cette visite :

« Cet imbécile de Raphaël est venu. Trop tard, comme d'habitude. M'a dit qu'il savait où il pourrait me procurer des pilules. Je lui ai dit plus jamais. »

Plus jamais. Juste comme ça. D'une autre femme, je ne l'aurais pas cru possible mais Mirabelle Dartigen n'était pas n'importe quelle femme. Plus jamais, dit-elle. Et elle n'eut rien à ajouter à ça. À ma connaissance, elle ne reprit jamais plus de morphine. Peut-être à cause de ce qui s'était passé plutôt qu'à cause de la force de son caractère. Bien sûr, il n'y eut plus jamais d'oranges non plus. J'en avais perdu complètement l'envie.

CINQUIÈME PARTIE

MOISSON

Je vous ai déjà dit que beaucoup de ce qu'elle écrivait n'était que du mensonge, des paragraphes entiers de mensonges qui s'accrochent à la vérité comme le liseron à une haie. Et la vérité est encore plus difficile à pénétrer à cause du jargon quasi incompréhensible qu'elle emploie. Les lignes se croisent et se recroisent, les mots se divisent et s'inversent et chacun représente un effort de ma volonté luttant contre la sienne quand je dois en déchiffrer le sens exact.

« *Promenade au bord de la rivière aujourd'hui. Vu une femme qui faisait voler un cerf-volant fait de contreplaqué et de bidon d'huile. Aurais jamais cru qu'un truc comme ça puisse voler. Aussi gros qu'un char mais peint de toutes les couleurs avec des rubans attachés à la queue. J'ai cru...* » Certains mots à cet endroit sont couverts d'une tache d'huile d'olive qui a absorbé l'encre violette et l'a rendue plus foncée « *mais d'un bond sur la barre elle s'est élevée dans les airs. L'ai pas reconnue au début, j'ai pourtant cru que c'était peut-être Minette, mais...* » —, une tache encore plus grande couvre la plupart du reste, quelques mots pourtant sont encore visibles. « *Belle* » en est un. Et tout en haut, en travers du paragraphe, elle a écrit d'une écriture normale le mot « *balançoire* ». En dessous, un croquis en pattes de mouche qui pourrait représenter n'importe quoi semble dessiner, en bâtons, une silhouette humaine debout sur une croix gammée.

De toute façon, cela est sans importance. La femme au cerf-volant n'a jamais existé. L'allusion à Minette elle-même n'a aucun sens ; la seule Minette que nous ayons jamais connue était une vieille cousine lointaine de mon père dont les gens parlaient avec indulgence comme d'une excentrique. Elle appelait ses chats « *mes bébés* », on la voyait parfois leur donner le sein en public, le visage parfaitement serein, au-dessus de sa flasque mamelle, objet de tout le scandale.

La seule raison pour laquelle je raconte cela, c'est pour que vous compreniez bien. Il y a toutes sortes d'histoires bizarres dans l'album de Maman, des rencontres avec des gens morts depuis longtemps, des rêves devenus réalité, des impossibilités toutes simples, des jours de pluie devenus des journées ensoleillées, un chien de garde qui n'a jamais existé, des conversations qui n'ont jamais eu lieu et dont certaines étaient plutôt ennuyeuses, le baiser d'un ami que l'on avait depuis longtemps perdu de vue. Parfois, elle entremêlait la vérité et le mensonge de façon si convaincante que je ne suis plus sûre moi-même où l'une commence et où l'autre finit. Plus étrange encore, il semble n'y avoir aucune raison à cela. Peut-être était-ce un aspect de sa maladie ou les phantasmes créés par la drogue. J'ignore si son intention était d'être lue ou non, ou si l'album était destiné à être simplement un aide-mémoire. À certains endroits, on dirait presque un journal, mais pas tout à fait, car les irrégularités de l'ordre chronologique lui enlèvent toute logique et toute utilité. C'est sans doute pour cela qu'il m'a fallu tant de temps pour comprendre ce qui crevait les yeux, la raison de sa conduite et les terribles conséquences de la mienne. Quelquefois les faits sont doublement cachés et des phrases s'infiltrent en minuscules pattes de mouche entre les lignes d'une recette. Peut-être était-ce intentionnel, quelque chose que seules, elle et moi, puissions enfin partager. Un geste d'amour.

« Confitures de tomates vertes. Les couper en morceaux comme les pommes et les peser. Les mettre dans un bol avec 1 kg de sucre par kilo de fruits. Réveillée à trois heures ce

*matin encore, je suis allée chercher mes pilules en oubliant
encore une fois qu'il ne m'en restait plus. Quand le sucre est
fondu — pour l'empêcher de brûler —, ajouter deux verres
d'eau si nécessaire et mélanger avec une cuiller en bois. Je continue à croire que si j'allais chez Raphaël, il pourrait me trouver une autre source d'approvisionnement. Je n'ose pas
retourner voir les Allemands, pas après ce qui s'est passé,
j'aimerais mieux crever. Ajouter ensuite les tomates et cuire à
feu doux en tournant fréquemment. Écumer régulièrement.
Par moments, la mort semble préférable. Je n'aurais plus à
m'inquiéter à propos de mes insomnies. Ha ! ha ! Mais je
pense constamment aux petits. La Belle Yolande est peut-être
atteinte d'agaric miellé. Faudra enlever les racines malades
ou bien toutes le seront bientôt. Faire cuire à petits bouillons
pendant deux heures environ, peut-être moins. Lorsque la
confiture colle à la soucoupe, elle est prête. Je suis tellement
furieuse contre moi-même, contre lui, contre eux, mais surtout
contre moi. Quand cet idiot de Raphaël me l'a dit, j'ai dû me
mordre les lèvres pour ne pas me trahir. Je ne pense pas qu'il
ait remarqué quoi que ce soit. Je lui ai dit que j'étais déjà au
courant, que les filles faisaient toujours des bêtises et que cela
n'avait pas eu de conséquences. Il m'a semblé soulagé. Après
son départ, j'ai pris la grande hache et je me suis mise à couper du bois jusqu'à ce que j'en tombe de fatigue et tout le
temps j'aurais voulu que ce soit son visage. »*

Vous voyez que son histoire n'est pas évidente. Ce
n'est que par la suite que l'on commence à y voir clair. Et,
bien sûr, elle n'a rien dit de sa conversation avec Raphaël.
Je ne peux qu'imaginer son inquiétude à lui et le silence
maussade et impossible à supporter de Maman, le sentiment de culpabilité de Raphaël car c'était dans son café,
après tout, que la chose avait eu lieu. Maman n'était pas
du genre à se laisser prendre par surprise. Sa défense était
de faire semblant d'être au courant, elle dressait ainsi une
barrière entre elle et l'inquiétude de Raphaël dont elle
n'avait que faire. Elle avait dû dire que Reine savait se
défendre. De toute façon, il ne s'était vraiment rien passé.

Reine avait appris à être plus prudente à l'avenir. Il n'y avait plus qu'à se féliciter qu'il ne se fût rien passé de plus grave.

> « T. m'a dit qu'il n'en était pas responsable mais Raphaël m'assure qu'il est resté planté là et n'est pas intervenu. Après tout, il s'agissait de ses camarades. Peut-être avaient-ils payé pour Reine comme ils l'avaient fait pour les filles de la ville que T. avait amenées avec lui. »

Ce qui endormit nos soupçons, c'est qu'elle ne nous parla jamais de l'incident. Peut-être ne savait-elle tout simplement pas comment l'aborder — cette aversion profonde qu'elle avait pour tout ce qui lui rappelait les fonctions du corps humain — ou peut-être pensait-elle que la meilleure chose à faire était de ne pas en parler du tout. Son album pourtant révèle sa fureur grandissante, sa violence cachée, son désir de vengeance.

> « J'aurais voulu l'abattre, le découper en menus morceaux jusqu'à ce qu'il n'en restât plus rien », écrit-elle.

Lorsque je lus cela pour la première fois, je crus fermement qu'elle parlait de Raphaël, maintenant, je n'en suis plus aussi certaine. Le paroxysme de sa haine laisse entrevoir quelque chose de plus fondamental, de plus ténébreux, le gouffre que laisse derrière elle une trahison peut-être, ou une passion frustrée.

> « Ses mains étaient plus douces que je ne l'imaginais », écrit-elle sous une recette pour un gâteau à la compote de pommes. « Il a l'air très jeune et ses yeux ont la couleur de l'océan les jours de tempête. Je pensais que j'aurais détesté ça, que je l'aurais détesté lui, mais il y a quelque chose dans sa tendresse, même chez un Allemand. Je me demande si je suis folle de croire à ses promesses. Je suis tellement plus âgée que lui et pourtant je ne suis pas si vieille que ça. Peut-être ai-je encore le temps ? »

Cela s'arrête là, comme si elle avait honte de sa propre présomption. Je trouve pourtant de petites allusions à cela dans l'album, maintenant que je comprends où chercher : des mots isolés, des phrases mêlées à des recettes de cuisine et à des rappels de menus travaux de jardinage, des références en code qu'elle-même peut-être aurait dû déchiffrer et ce poème :

> *Chatoyante tendresse.*
> *D'un lumineux fruit mûr*
> *La délicate chair.*

Pendant des années, je partis du principe que tout cela n'était que pur phantasme, comme tant des autres choses dont elle parle dans l'album. Non, jamais ma mère n'aurait pu avoir un amant. Il lui manquait cette aptitude à la tendresse. Son système de défense était bien trop efficace, sa sensualité se sublimait dans sa cuisine, dans la préparation d'un moelleux velours de lentilles à l'étuvée, dans la confection de la crème brûlée la plus ardemment voluptueuse. Il ne me venait jamais à l'idée qu'il pût y avoir un grain de vérité dans toute cette histoire, la moins plausible de toutes ses inventions. Quand je me souvenais de son visage, du dessin austère de sa bouche, de ses pommettes anguleuses, de ses cheveux tirés en un chignon serré derrière la nuque, même l'histoire de la femme au cerf-volant me paraissait alors plus facile à prendre au sérieux.

Et pourtant, je finis par y croire. Ce fut Paul peut-être qui commença à me la faire accepter. Ce fut peut-être même le jour où je me surpris à me contempler dans le miroir, avec un foulard rouge sur la tête et les coquettes boucles d'oreilles que Pistache m'avait données pour mon anniversaire et que je n'avais encore jamais portées. J'ai soixante-cinq ans, enfin ! Je devrais quand même bien savoir, ne pas être assez bête pour... Pourtant, dans cette façon qu'il a de me regarder, il y a cet éclat qui fait ronronner mon vieux cœur comme le moteur d'une moissonneuse. Ce n'est pas l'élan éperdu et délirant qui me jetait vers Tomas, pas même cette impression de sursis qu'Hervé m'avait accordée, non, c'était différent, c'était une sorte de sérénité, de paix avec soi-même, cette satisfaction que l'on éprouve lorsqu'une recette a parfaitement réussi — un soufflé merveilleusement levé ou une succulente sauce hollandaise. Cela confirme dans mon esprit que pour l'homme qui l'aime, n'importe quelle femme peut être belle.

J'ai commencé à enduire de crème mes mains et mon visage, le soir, avant de me mettre au lit et l'autre jour j'ai ressorti un vieux tube de rouge à lèvres tout craquelé et durci à force d'avoir été oublié dans un tiroir et je m'en suis mis un peu avant de l'enlever rapidement tellement je me sentais coupable. Qu'est-ce que je suis en train de faire ? Et pourquoi ? À soixante-cinq ans, j'ai sûrement dépassé l'âge où l'on peut décemment penser à ces choses-là. La sévérité de ma raison intérieure ne réussit pourtant pas à me convaincre de cela. Je brosse mes cheveux avec plus de soin que d'habitude et je les attache avec un peigne de nacre en me répétant farouchement qu'il n'y a pas plus folle au monde, qu'une vieille folle.

Et ma mère avait à l'époque presque trente ans de moins que moi !

Je peux maintenant regarder des photos d'elle avec une sorte d'attendrissement. Ce que j'ai ressenti pendant tant d'années, ce mélange d'émotions, la rancœur et la culpabilité, s'est effacé petit à petit et je peux maintenant voir son visage, vraiment le voir. Mirabelle Dartigen, aux traits tendus, aux cheveux si tirés en arrière que l'on en a mal rien qu'à les regarder, de quoi avait-elle peur, cette femme solitaire qui me regarde ? La femme qui a écrit l'album est si différente avec ce vague-à-l'âme exprimé dans le poème, ses rires et ses colères dissimulés derrière son masque, cette femme ensorcelante parfois et parfois, dans ses phantasmes, aussi froidement meurtrière. Je la vois très clairement. Elle va vers la quarantaine. Le temps n'a qu'à peine touché ses cheveux de son frimas gris. Ses

Mais jeudi arriva et s'écoula sans que Tomas ne donnât signe de vie. Cassis le chercha au collège mais ne découvrit aucune trace de lui dans les endroits qu'il avait l'habitude de fréquenter. Chose étrange, Hauer, Schwartz et Heinemann n'étaient pas là non plus. C'était comme s'ils évitaient délibérément tout contact. Le jeudi suivant arriva et s'écoula. Nous faisions semblant de ne rien remarquer, nous ne prononcions même pas son nom entre nous — nous le faisions peut-être dans nos rêves —, nous vaquions à nos occupations quotidiennes sans lui, comme si cela nous eût été égal de le revoir ou non. Je m'épuisais frénétiquement en efforts pour attraper Géni-trix. Dix fois, vingt fois par jour, je vérifiais les nasses que j'avais posées et j'en posais de nouvelles. Je chipais de la nourriture dans la cave pour faire des appâts nouveaux et le tenter. J'allais à la nage jusqu'à la Pierre au Trésor et, assise là pendant des heures, je me perdais dans la con-templation de l'élégante courbe que décrivait ma ligne en plongeant dans l'eau et dans l'écoute de ce que me mur-murait la rivière qui coulait à mes pieds.

Raphaël rendit de nouveau visite à ma mère. Les affai-res ne marchaient pas. On avait écrit « COLLABORATEUR » à la peinture rouge, sur le mur du café. Un soir, on avait lancé des pierres contre les fenêtres que depuis on avait dû protéger avec des planches. J'écoutai derrière la porte pendant qu'il parlait à ma mère à mi-voix, d'un ton pres-sant.

« Ce n'est pas de ma faute, Mirabelle », dit-il. « Vous devez me croire. Je n'étais pas responsable de ça. »

Ma mère murmura entre ses dents quelque chose qui ne l'engageait à rien.

« Mais on ne peut rien refuser aux Allemands », répondit Raphaël. « On doit les traiter comme on traite-rait n'importe quel client. Et ce n'est pas comme si j'étais le seul à faire ça ! »

Ma mère eut un haussement d'épaules. « Vous l'êtes peut-être dans ce village-ci », dit-elle d'un ton d'indiffé-rence.

« Comment pouvez-vous dire cela ? Vous-même en étiez assez heureuse à un certain moment. »

Ma mère s'élança vers lui. Raphaël battit rapidement en retraite et, dans sa hâte, ébranla les assiettes du dressoir. La voix de ma mère était basse mais furieuse. « Imbécile, taisez-vous ! » siffla-t-elle. « C'est bien fini tout ça, entendez-vous ? Fini. Et si jamais je vous soupçonne d'en avoir dit un mot à qui que ce soit… »

Raphaël devint blafard de peur mais il essaya de faire le brave. « Je ne vais pas tolérer que l'on me traite d'imbécile », commença-t-il d'une voix qui tremblait.

« Je vous traiterai d'imbécile et votre mère de putain si ça me chante ! » lança ma mère d'une voix dure et perçante. « Vous êtes un imbécile et un lâche, Raphaël Crespin, et nous le savons bien, vous et moi. » Elle se tenait si près de lui que je pouvais à peine apercevoir le visage de l'homme mais je voyais encore ses mains ouvertes, écartées comme dans une imploration. « Mais que Dieu vous aide si jamais vous ou quelqu'un en parle. Si jamais *mes enfants* apprennent quoi que ce soit à cause de vous » — et dans la petite cuisine, j'entendais sa respiration crisser comme des feuilles mortes — « je vous tue », chuchota-t-elle. Raphaël dut la croire car, lorsqu'il sortit, son visage était blanc comme un linge et ses mains tremblaient tant qu'il dut les enfoncer dans ses poches pour les immobiliser.

« Je tuerais les salauds qui voudraient chercher des noises à mes enfants », cracha ma mère dans sa direction et je le vis tressaillir à ces mots comme s'ils eussent été du venin. « J'tuerais les salauds », répéta ma mère alors que Raphaël atteignait déjà le portail, courant presque, la tête baissée, comme s'il luttait contre une rafale de vent.

Ces paroles-là allaient nous hanter bien des fois…

◎◎

Toute la journée elle fut d'une humeur terrible. Quand il vint demander à Cassis s'il voulait jouer, Paul reçut le fouet cinglant de sa langue. Maman s'était retran-

chée dans un silence menaçant depuis la visite de
Raphaël. Tout à coup elle se lança dans une attaque si
féroce et si imprévisible contre Paul qu'il fut incapable de
faire autre chose que de la regarder fixement en essayant
d'articuler : « Je m'exc... m'exc... m'exc... », sans pouvoir maîtriser son terrible bégaiement.

« Tu ne peux pas parler correctement, petit crétin ! »
hurla ma mère d'une voix méprisante. Pendant une
seconde, je crus apercevoir dans le doux regard de Paul
une lueur presque sauvage. Il se retourna sans un mot et
s'enfuit d'une allure saccadée vers la Loire. Emportée par
le vent de sa course, sa voix retentissait à nos oreilles
comme un étrange ululement aux trilles désespérés.

« Bon débarras ! » hurla ma mère dans sa direction et
elle claqua la porte.

« Tu n'aurais pas dû lui dire cela », déclarai-je d'une
voix glaciale alors qu'elle me tournait le dos. « Ce n'est
pas de sa faute s'il bégaie. »

Ma mère se retourna pour darder vers moi ses yeux
d'agate. « C'est bien de toi de prendre son parti », dit-elle
d'une voix blanche. « Si tu devais choisir entre un nazi et
moi, tu défendrais sûrement le nazi ! »

III

À ce moment-là, les lettres commencèrent à arriver. Il y
en eut trois, gribouillées sur du papier à lignes bleues, que
l'on trouva poussées sous la porte. Je la surpris en train
d'en ramasser une, elle la fourra dans la poche de son
tablier en me criant de retourner dans la cuisine, de prendre du savon pour me laver et de frotter, frotter car j'étais
sale à faire peur. Quelque chose dans sa voix me rappela
le sachet de peau d'orange et je disparus. Pourtant, je
n'oubliai jamais cette lettre et quand, plus tard, je la
découvris, collée dans l'album entre une recette pour le
boudin noir et une coupure d'article de magazine sur la

façon de faire disparaître une tache de cirage, je la reconnus immédiatement.

« ON SAI CE QUE VOUS AVEZ FAIS », lisait-on en lettres minuscules et maladroites, « ON VOUS A OBSERVÉ ET ON SAI SE QUE VOUS FAITE AVEC LES COLLABOR A TEURS. » Elle avait écrit en grosses lettres rouges au-dessous : « TU FERAIS MIEUX D'APPRENDRE L'ORTHOGRAPHE ! AH ! AH ! » Mais cette remarque était écrite en lettres un peu trop grandes, un peu trop rouges, comme si elle faisait un trop gros effort pour paraître ne pas prêter attention au contenu. Il est certain qu'elle ne nous parla jamais de ces messages. En y repensant pourtant, je comprends que ses soudaines sautes d'humeur étaient sans doute liées à leur arrivée secrète. Un autre suggère que leur auteur était au courant de nos rendez-vous avec Tomas.

« ON A VU VOS GOSSES AVEC LUI ALORS SAIT PAS LA PEINE DE LE NIÉ. ON SAI A QUOI VOUS JOUER. VOUS PENSÉ QUE VOUS ÈTE AU-DESSU DE NOUS MAIS VOUS ZÈTE RIEN QU'UNE PUTE BOCHE ET VOS GOSSE I VENDE DES CHOZE AU ALLEMANS. SA VOUS LA COUPE BIEN ÇA. »

N'importe qui aurait pu envoyer ça. Certainement, l'écriture n'était pas celle de quelqu'un qui était allé longtemps à l'école, l'orthographe en était abominable, mais n'importe qui dans le village aurait pu avoir écrit ça. Ma mère commença alors à agir de façon encore plus étrange que jamais, elle s'enfermait dans la maison la plus grande partie de la journée et épiait les passants avec un esprit soupçonneux proche de la paranoïa.

La plus terrible est la troisième missive. J'en déduis que ce fut la dernière, mais, bien sûr, elle aurait pu tout simplement avoir décidé de ne pas garder les suivantes. Pourtant, je crois vraiment que celle-là fut la dernière.

« VOUS NE MÉRITÉ PAS DE VIVR PUTAIN DE NAZI AVEC VOS GOSSE QUI SE CROIX PLU MALIN QUE LES OTRES. JE PARIS QUE VOUS SAVÉ PAS QUIL NOUS DÉNONSS AUX ALLEMANS. DEMANDÉ LEUR D'OU QUE ÇA VIEN TOUS SE QUIS ON ET QUIL GARDE DANS UNE CACHETE DANS LES BWOA.

SAIT D'UN HOMM QUI S'APELE LYBNITS JE PANS. VOUS LE
CONAISSÉ ET NOUS ON VOUS CONAIT AUSSI. »

Cette nuit-là, quelqu'un peignit la lettre C en rouge
sur la porte de devant et « PUTE À BOCHE » sur le côté du
poulailler. Nous recouvrîmes tout ça d'une couche de
peinture avant que cela n'eût le temps d'être lu par
quelqu'un. Le mois d'octobre passa avec une lenteur
d'escargot.

IV

Nous rentrâmes tard ce soir-là de La Mauvaise Réputation. La pluie avait cessé mais il faisait toujours froid —
ou bien les nuits s'étaient rafraîchies ou bien je commençais à y être plus sensible que je ne l'étais autrefois —
, j'étais impatiente de savoir et de très mauvaise humeur.
Plus mon impatience grandissait et moins Paul semblait
prêt à parler. Nous marchions dans un silence menaçant,
échangeant des regards courroucés et envoyant de grands
panaches de vapeur qui montaient en plumes dans la
nuit.

« Cette fille », dit enfin Paul. Sa voix était calme et
pensive, comme s'il s'expliquait à lui-même les choses.

« Elle avait l'air très jeune, n'est-ce pas ? »

Cette remarque qui n'avait apparemment rien à voir
avec l'affaire m'agaça. « Bon Dieu, de quelle fille parles-
tu ? » lui demandai-je sèchement. « Moi, je croyais que
nous cherchions un moyen de nous débarrasser de Dessanges et de son sale bar à frites ! Je ne savais pas que
c'était une simple excuse pour que tu puisses lorgner les
greluches ? »

Paul fit semblant de n'avoir rien entendu. « Celle qui
était assise à côté de lui », continua-t-il d'une voix lente.
« Tu l'auras bien vue entrer. Avec une robe rouge et des
talons hauts. Elle vient assez souvent au snack-bar aussi. »

Je m'en souvenais justement bien. Je revoyais la moue boudeuse de sa bouche écarlate sous la coupe parfaite de ses cheveux noirs. C'était une des filles de la ville qui venaient régulièrement. « Et alors ? »

« C'est la fille de Louis Ramondin. Elle est allée avec sa mère Simone habiter Angers, il y a un an ou deux, après leur divorce. Tu t'en souviens ? » Il fit un signe de tête comme si je lui avais répondu par un oui poli au lieu d'un grognement. « Simone a repris son nom de jeune fille, Truriand. Sa fille devrait avoir quatorze, peut-être quinze ans maintenant. »

« Et alors ? » Je ne comprenais toujours pas en quoi cela pouvait être intéressant. Je sortis la clef de ma poche et la fis entrer dans la serrure.

Paul poursuivit d'une voix tranquille et précise : « Moi, je dirais qu'elle ne peut pas avoir plus de quinze ans », répéta-t-il.

« D'accord, très bien », interrompis-je d'un ton revêche. « Ça me fait drôlement plaisir que toi tu aies trouvé quelque chose pour pimenter ta soirée. C'est bien dommage que tu ne lui aies pas demandé sa pointure aussi, ça t'aurait *vraiment* donné quelque chose pour nourrir tes phantasmes cette nuit ! »

Paul m'adressa un doux sourire paresseux. « Tu es vraiment jalouse », constata-t-il.

« Moi ? Pas du tout », déclarai-je d'un ton très digne. « J'aimerais simplement mieux que tu ailles en saliver de plaisir sur le parquet de quelqu'un d'autre, vieux coureur de jupons ! »

« Eh bien, je pensais… », continua lentement Paul.

« Félicitations ! » interrompis-je.

« Je pensais que, peut-être, Louis — étant flic et tout ça — allait mettre fin à cette affaire entre sa fille, de quinze peut-être bien quatorze ans, avec un homme, un homme marié, comme Luc Dessanges. » Il m'adressa un petit regard de triomphe et d'amusement. « Ce que je veux dire c'est que je sais que les temps ont changé depuis notre jeunesse à tous deux mais les pères et les filles et surtout celles de flics... »

J'eus une sorte de jappement. « *Paul !* »

« ... qui fument de ces cigarettes d'herbe parfumée »,
continua-t-il d'un ton de réflexion, « comme celles qu'ils
fumaient autrefois dans les clubs de jazz. »

Je le contemplai avec une sorte d'admiration étonnée.
« Paul, c'est de la pure *intelligence* ! »

Il haussa les épaules d'un air modeste. « J'ai fait mes
petites recherches », dit-il. « Je pensais bien qu'un jour ou
l'autre j'allais finir par trouver quelque chose. » Il s'interrompit. « C'est pour ça que je suis resté là-bas quelque
temps », ajouta-t-il. « Je n'étais pas sûr de pouvoir convaincre Louis de venir jeter un coup d'œil pour voir ce qui s'y
passait. »

Ma bouche s'ouvrit toute grande de surprise. « Tu as
amené Louis ? Pendant que j'étais dehors à attendre ? »

Paul fit oui de la tête.

« Je lui ai raconté que je m'étais fait voler mon portefeuille dans le bar. Je me suis arrangé pour qu'il soit bien
choqué. » Il s'arrêta de nouveau. « Sa fille était en train
d'embrasser Dessanges », expliqua-t-il. « Ça a bien aidé les
choses. »

« Paul », déclarai-je, « tu peux bien saliver sur tous les
parquets de la maison chaque fois que tu en auras envie.
Je t'en donne la permission ! »

« J'aimerais mieux le faire sur toi », répliqua-t-il en
exagérant son regard polisson.

« Vieux don Juan, va ! »

V

Lorsque Luc arriva au snack-bar le lendemain, Louis
l'attendait déjà. Le gendarme était en uniforme. Son
expression, généralement aimable et indécise, avait fait
place à une indifférence quasi militaire. Il y avait quelque

chose dans l'herbe à côté du snack-bar qui ressemblait à un chariot de gosse.

« Regarde-moi ça ! » me dit Paul qui était à la fenêtre.

Je quittai la cuisinière où je faisais bouillir l'eau pour le café.

« Mais regarde donc ! » dit Paul.

La fenêtre était à peine entrouverte. L'odeur de brume et de fumée qui montait de la Loire et déferlait sur les champs atteignait mes narines, m'emplissant de nostalgie. Un feu d'herbe. Un parfum de feuilles mortes.

« Hé, là ! » D'où nous nous trouvions, nous entendions parfaitement bien la voix claire de Luc. Il avançait de la démarche insouciante de celui que se sait irrésistible. Louis Ramondin continuait à le regarder sans manifester d'émotion.

« Qu'est-ce que c'est le truc qu'il a avec lui ? » demandai-je à Paul à voix basse en indiquant la machine sur l'herbe. Paul sourit.

« Tu n'as qu'à regarder », me conseilla-t-il.

« Alors, comment va ? » Luc mit la main dans sa poche et en sortit ses clefs. « Pressé de prendre un petit déjeuner, hein ? Ça fait longtemps que vous attendez ? »

Louis continua à le dévisager sans mot dire.

« Écoutez-moi ça ! » Luc, d'un geste généreux, déclara : « Galettes, saucisses de campagne, œufs au bacon à l'anglaise. C'est le petit déjeuner Dessanges, avec, en plus, une grande cafetière de mon café noir le plus fort, le plus noirissime, parce que mon petit doigt me dit que vous avez passé une sale nuit. » Il se mit à rire. « Il s'agissait de quoi, hein ? C'était votre tour de patrouiller la kermesse de l'église ? Ou bien y a-t-il un salaud qui se livre à des voies de fait contre les petits moutons du coin ? À moins que cela ne soit le contraire ? »

Louis continuait à se taire, immobile, une main appuyée sur le guidon de l'espèce de chariot de gosse qui attendait sur l'herbe. Il ressemblait à un gendarme-jouet.

Luc haussa les épaules et ouvrit la porte du snack-bar.

« Je suis sûr que vous retrouverez la parole après avoir goûté à mon petit déjeuner Dessanges. »

Nous les observâmes quelques minutes pendant que Luc déroulait l'auvent et les fanions où s'affichaient ses menus du jour. Louis restait flegmatiquement planté près du snack-bar, ne semblant conscient de rien. De temps à autre, Luc faisait une petite remarque enjouée à l'adresse du gendarme qui attendait. Au bout d'un moment, j'entendis la musique de la radio.

« Qu'est-ce qu'il peut bien attendre ? » demandai-je avec impatience. « Qu'est-ce qu'il a à ne rien dire ? »

Paul sourit. « Donne-lui le temps », conseilla-t-il. « Ils n'ont jamais été bien rapides à la détente, les Ramondin, mais une fois partis… »

Louis attendit dix bonnes minutes. Luc, à ce moment-là, continuait à se montrer jovial mais il était perplexe, il avait presque abandonné tout effort pour établir une conversation. Il avait mis à chauffer la tuile à galettes et son chapeau de papier était cavalièrement incliné au-dessus de son front. Louis alors se déplaça enfin. Pas très loin. Il se dirigea simplement vers l'arrière du snack-bar avec son chariot et disparut hors de vue.

« De toute façon, ce truc-là, qu'est-ce que c'est ? » demandai-je.

« Un cric hydraulique », répondit Paul en souriant toujours. « Les garagistes s'en servent. Regarde bien ! »

Pendant que nous regardions, le snack-bar commença à s'incliner très lentement vers l'avant. Au début, cela était pratiquement imperceptible, puis, tout à coup, une soudaine embardée fit sortir Dessanges de sa cuisine plus vite que l'éclair. Il avait l'air à la fois furieux et affolé, pour la première fois pris par surprise dans toute cette sordide affaire. Cela me plaisait beaucoup, à moi.

« Sacré bon Dieu, qu'est-ce que vous faites ? » cria-t-il à Ramondin sans vraiment y croire. « Qu'est-ce que c'est que ça ? »

Aucune réponse. Le snack-bar s'inclina de nouveau un tout petit peu. Paul et moi dressions la tête pour observer ce qui se passait.

Luc jeta un rapide coup d'œil au snack-bar pour s'assurer qu'il n'y avait pas de dégât. L'auvent était tout de travers et la caravane gîtait terriblement, comme une cabane construite sur du sable. Je reconnus sur son visage cet air calculateur, l'air avisé et prudent de celui qui non seulement a tous les atouts dans sa manche mais qui croit aussi être maître du jeu.

« Vous m'avez bien eu pendant une minute », dit-il d'un ton impitoyablement guilleret. « Oui, vous m'avez bien fait marcher. On pourrait presque dire que ça m'en a renversé ! »

Aucune réponse de Louis ne parvint à nos oreilles mais le snack-bar nous parut s'incliner un peu plus encore. Paul suggéra que, de la fenêtre de la chambre, nous aurions une meilleure vue de l'arrière du snack-bar. Dans l'air froid de la matinée, leurs voix nous arrivaient affaiblies mais parfaitement audibles.

« Allez, mon vieux », dit Luc avec une légère inflexion de nervosité dans la voix. « La plaisanterie a assez duré. D'accord ? Remontez le snack-bar comme il était avant. Je vous prépare mon petit déjeuner maison et je vous l'offre même ! »

Louis apparut et le regarda. « Mais bien sûr, monsieur », dit-il d'un ton aimable. Le snack-bar pencha pourtant encore un peu plus en avant. Luc esquissa un geste rapide comme pour le redresser.

« Si j'étais à votre place, c'est moi qui sortirais vite », suggéra Louis d'un ton doucereux. « Cela ne me semble pas du tout stable. » Le snack-bar s'inclina encore de quelques centimètres.

« À quoi jouez-vous, bon Dieu ! » L'expression de colère était de nouveau dans la voix de Luc.

Louis sourit seulement et observa d'un ton aimable tout en manipulant encore une fois le cric hydraulique à ses pieds. « La nuit dernière a été drôlement éventée, des arbres entiers ont été abattus près de la rivière. »

Je vis Luc se raidir. La rage le rendait maladroit. Sa tête était agitée de mouvements saccadés comme celle d'un coq avant le combat. Je remarquai qu'il était plus grand que Louis mais bien plus mince. Louis, qui ressemblait à son grand-oncle Guilherm, était petit et trapu. Il avait passé la plupart de sa vie à se bagarrer. C'est comme cela qu'il en était arrivé à devenir policier. Luc avança d'un pas vers lui.

« Ne retouchez pas à ce cric », gronda-t-il d'une voix basse et menaçante.

Louis sourit. « Mais certainement, monsieur », dit-il. « Je suis à vos ordres. »

Nous fûmes témoins de la chose. Dans un ralenti inexorable, le snack-bar, dangereusement posé en équilibre sur son côté, bascula en arrière lorsque son support en fut ôté. Avec un fracas terrible, tout le contenu de la cuisine — les assiettes, les verres, les couverts et les casseroles — fut brutalement déplacé et précipité à l'autre bout de la caravane dans une explosion de vaisselle cassée. Entraîné par son propre élan et par le poids des meubles déplacés, le snack-bar continua à glisser vers l'arrière en décrivant une molle courbe. Un instant, il parut presque se redresser puis il s'écroula lentement, laborieusement, dans l'herbe du bas-côté de la route avec un vacarme qui ébranla la maison et fit trembler si fort les bolées sur le dressoir d'en bas que nous les entendîmes de notre poste de guet dans la chambre.

Pendant quelques secondes les deux hommes se dévisagèrent. Il y avait une expression d'inquiétude et de compassion dans le regard de Louis, d'incrédulité et de fureur croissante dans celui de Luc. Le snack-bar gisait sur son côté dans l'herbe. Les tintements et les bruits de vaisselle cassée s'éteignirent peu à peu à l'intérieur de son énorme ventre.

« Oh ! » laissa échapper Louis.

Luc se rua soudain vers Louis. Pendant un instant quelque chose de flou se passa entre eux, leurs bras et leurs poings étaient trop rapides pour que nous pussions les voir clairement. Puis Luc s'assit dans l'herbe, les mains sur la figure. Louis le releva avec un air de pitié sincère.

« Mon Dieu, comment cela a-t-il bien pu arriver ? On est tombé dans les pommes une seconde, n'est-ce pas ? C'est la réaction, croyez-moi, c'est bien naturel. Remettez-vous. »

Luc en bafouillait de rage. « Avez-vous la moindre… *idée*, bon Dieu, de ce que vous avez fait, imbécile ? » Nous n'entendions pas très distinctement ce qu'il disait parce que ses mains couvraient sa bouche. Paul me dit plus tard qu'il avait vu Louis envoyer le coude en plein dans le nez de Luc mais moi je n'avais rien vu de ça, c'était trop rapide. Dommage. Ça m'aurait fait plaisir !

« Mon homme de loi va exiger de vous jusqu'à votre dernier sou, nom de Dieu, jusqu'à la chemise que vous avez sur le dos. Cela va presque en valoir la peine. Merde ! Je saigne comme un porc. » C'est marrant, mais maintenant je reconnaissais dans sa voix le trait de famille plus prononcé qu'avant, quelque chose dans la façon dont il accentuait les syllabes, le cri de frustration du jeune citadin gâté à qui on n'a jamais rien refusé. Pendant un instant, j'aurais pu jurer qu'il avait la même voix que sa sœur.

Paul et moi redescendîmes alors — nous n'aurions pas voulu rester une minute de plus à l'intérieur. Nous sortîmes pour bien tout voir. Luc s'était maintenant relevé, il n'était pas bien joli avec le sang qui coulait de son nez et les yeux pleins de larmes. Je remarquai aussi qu'il y avait de la crotte de chien toute fraîche sur l'une de ses bottes de luxe venues tout droit de Paris. Je sortis mon mouchoir et le lui tendis. Luc me lança un regard plein de soupçon et le prit quand même. Il commença à s'en tapoter le nez. Je voyais bien qu'il n'avait toujours pas compris. Il était blême mais il y avait encore sur son visage cette sorte de détermination à se défendre, l'air de celui qui a la Loi. l'Éducation et le Piston de son côté.

« Vous avez bien été témoins, n'est-ce pas ? » cracha-t-il. « Vous avez été témoins de ce que ce con m'a fait ? » Il regarda le mouchoir taché de sang avec une sorte d'incrédulité. Il avait le nez joliment enflé et ses yeux étaient tout gonflés. « Vous l'avez bien vu me frapper, tous les deux, n'est-ce pas ? » demanda Luc d'un ton indistinct. « En plein jour. Je pourrai exiger jusqu'à son dernier sou… »

Paul haussa les épaules et dit d'une voix lente : « J'ai pas vu grand-chose. Nous, les vieux, notre vue n'est plus aussi bonne qu'autrefois et on n'entend plus aussi bien non plus. »

« Mais vous étiez là en train de regarder », insista Luc. « Vous *avez dû* voir. » Il surprit mon sourire et il fronça les yeux. « Ah, je comprends », jeta-t-il d'une voix mauvaise. « C'est donc de ça qu'il s'agit ? Vous pensiez que votre petit gendarme pourrait m'intimider, hein ? » Il regarda Louis droit dans les yeux.

« C'est vraiment la meilleure chose que vous ayez pu comploter entre vous ? » Il se pinça les narines pour arrêter l'hémorragie.

« Je ne crois pas qu'il soit nécessaire de porter atteinte à la réputation de qui que ce soit », interrompit Louis, d'un ton impassible.

« Ah, vraiment ? » répliqua sèchement Luc. « Eh bien, quand mon homme de loi verra… »

Louis l'interrompit de nouveau. « Il est parfaitement naturel que vous ayez été en colère avec ce vent qui a renversé votre bar comme ça. Je comprends très bien que vous n'étiez pas vraiment responsable de vos actions. »

Luc le dévisagea d'un air de surprise totale.

« La nuit dernière, il y a eu une de ces tempêtes », enchaîna Paul d'un ton conciliant. « La première des grandes rafales d'octobre. Je suis certain que vous pourrez vous faire rembourser par votre assurance. »

« Ça devait se passer », ajoutai-je. « Un haut véhicule comme ça au bord de la route. Je suis seulement étonnée que cela ne soit pas arrivé plus tôt. »

Luc eut un petit mouvement de la tête. « Je vois », dit-il d'une voix sourde. « Pas mal, Framboise. Pas mal du tout. Je vois bien que vous vous êtes donné beaucoup de mal pour ça. » Il y avait une sorte de cajolerie dans sa voix. « Mais, même sans le snack-bar, vous savez, il y en a des choses que je peux faire encore, des choses que *nous* pouvons faire encore. » Il esquissa un sourire mais fit la grimace et recommença à s'éponger le nez. « Vous feriez mieux vraiment de leur donner ce qu'ils veulent », continua-t-il de la même voix presque séductrice. « Qu'en dites-vous, Mamie ? »

Je n'étais pas sûre de ce que j'allais répondre. Je me sentis vieille, en le regardant. J'aurais pensé qu'il allait se déclarer battu, mais il avait moins l'air vaincu que jamais à ce moment-là. Son visage aux traits anguleux était encore plein d'espoir. J'avais fait de mon mieux — *nous* avions fait de notre mieux, Paul et moi — et, malgré cela, Luc semblait invincible. Comme des gosses qui essaient de barrer une rivière, nous avions connu un instant de triomphe — cette expression sur son visage, rien que cela en valait presque la peine — mais quelque braves qu'eussent été nos efforts, à la fin c'est toujours la rivière qui gagne. Louis avait passé son enfance au bord de la Loire lui aussi, me dis-je. Il devait bien savoir ça. Il n'avait réussi qu'à se mettre dans un sale pétrin. J'imaginai une horde d'hommes de loi, de conseillers juridiques, d'agents venus de la ville — nos noms imprimés dans les journaux, nos affaires secrètes révélées au public. Je me sentis épuisée. Éreintée.

Et puis j'aperçus le visage de Paul, ce sourire lent qui était le sien, ce sourire d'innocent pour qui n'y remarquait pas la lueur paresseuse qui faisait étinceler ses yeux de plaisir. Il enfonça soudain son béret sur son front dans un geste théâtral de décision où se mêlaient comédie et héroïsme. Le plus vieux chevalier du monde baissait sa visière avant sa dernière joute contre son adversaire. Je fus prise d'une terrible envie d'éclater de rire.

« Je crois qu'on peut... tout arranger », dit Paul. « Louis est peut-être allé un peu loin. Tous les Ramondin

sont un peu chatouilleux. C'est dans leur sang. » Il sourit
de l'air de quelqu'un qui s'excuse puis il se retourna pour
s'adresser à Louis. « Il y a cette histoire avec Guilherm.
Qui était-il exactement, le frère de votre grand-mère ? »
Dessanges prêtait l'oreille avec un air méprisant et irrité.

« De mon grand-père », rectifia Louis.

Paul acquiesça. « Ouais, ils montent comme une
soupe au lait, les Ramondin. Ils sont tous comme ça dans
la famille. » Il retombait dans son patois — c'était une des
choses que Maman lui reprochait le plus, ça et ses bégaie-
ments. Son accent du terroir était, à ce moment-là, plus
fort qu'il ne l'était autrefois, autant que je m'en souvienne. « Je me rappelle comment ils ont mené la foule à
l'attaque de la ferme cette nuit-là, je vois encore le vieux
Guilherm avec sa jambe de bois qui marchait devant, et
tout ça pour cette histoire à La Mauvaise Réputation. On
dirait que le café mérite toujours son nom, même après
tout ce temps-là. »

Luc haussa les épaules. « Écoutez ! Moi, j'adore aussi
écouter la sélection quotidienne des Histoires du Bon
Vieux Temps mais ce que j'aimerais encore mieux c'est
vraiment, surtout... »

« C'était un jeune homme qui avait été à l'origine de
toute l'affaire », continua Paul d'un ton inexorable. « Pas
tellement différent de vous, ma foi. Un type de la grande
ville, hein, de l'étranger, qui croyait pouvoir mener ces
pauvres péquenauds de la Loire par le bout du nez. »

Il me jeta un rapide coup d'œil comme s'il voulait
vérifier à mon visage le degré de mes émotions. « Cela
avait très mal fini pour lui, hein ? »

« Très mal », répondis-je. « Très, très mal. »

Luc nous observait tous les deux d'un œil attentif.
« Oh ! » dit-il.

Je fis un signe affirmatif de la tête. « Il aimait, lui aussi,
les jeunes filles », ajoutai-je d'une voix qui me parut
comme assourdie et lointaine. « Il les faisait marcher. Il les
utilisait pour obtenir des renseignements. De nos jours,
on appellerait cela de la corruption. »

« Bien sûr, à cette époque-là, la plupart des filles n'avaient plus de père », continua Paul. « À cause de la guerre. »

Je vis une lueur de compréhension éclairer les yeux de Luc. Il fit un petit geste de la tête comme pour indiquer qu'il reconnaissait le développement de la conversation. « Cela a quelque chose à voir avec hier soir, n'est-ce pas ? » dit-il.

Je fis semblant de ne pas avoir entendu la question. « Vous êtes marié, n'est-ce pas ? » lui demandai-je.

Il me fit un signe affirmatif.

« Dommage, si votre femme devait être mêlée à tout ça », poursuivis-je. « La corruption de jeunes mineures, c'est une sale histoire. Je ne vois pas comment on pourrait empêcher qu'elle y soit mêlée. »

« Vous ne pourrez jamais prouver cela », s'empressa de dire Luc. « La fille ne… »

« La fille est ma fille », dit simplement Louis. « Elle dirait — croyez-moi — ce qu'elle penserait devoir dire. »

Il refit le même signe de compréhension. Il était assez calme, je dois lui accorder cela.

« Bon », dit-il enfin. Il réussit même à faire un petit sourire. « D'accord, j'ai compris. » Malgré tout, il était détendu. S'il était encore pâle, c'était de colère plutôt que de peur. Il regarda droit dans ma direction avec un rictus d'ironie qui déforma sa bouche.

« J'espère que votre victoire valait bien le coup, Mamie », dit-il en accentuant ses mots. « Parce que, à partir de demain, vous allez avoir besoin de toutes les consolations que l'on pourrait vous offrir. Dès demain votre lamentable petit secret sera en première page de tous les journaux et magazines du pays. J'ai juste le temps de passer quelques coups de téléphone avant de partir. Après tout, c'était terriblement ennuyeux tout ça et si notre ami ici pense que sa petite garce de fille avait même commencé à y mettre un peu de piquant… » Il s'arrêta pour décocher un sourire haineux à Louis et resta la bouche ouverte de surprise lorsque le policier lui ferma soudain les menottes sur un poignet, puis sur l'autre.

« *Quoi ?* » s'écria-t-il d'un ton incrédule et proche de l'hilarité. « Qu'est-ce que vous êtes en train de foutre, nom de Dieu ? Vous ajoutez le kidnapping à votre liste de conneries ? Où vous croyez-vous ? Au Far West ? »

Louis lui décocha un regard flegmatique.

« Il est de mon devoir de vous avertir, monsieur », dit-il, « qu'une telle violence et des propos si injurieux ne représentent pas une conduite acceptable et qu'il est de mon devoir… »

« *Quoi ?* » La voix de Luc était devenue presque un cri. « *Quelle* violence ? C'est *vous* qui m'avez frappé. Vous ne pouvez pas… »

Louis le dévisagea d'un air poli et plein de reproche. « J'ai des raisons de croire, monsieur, que votre conduite extravagante est sans doute imputable à un abus d'alcool ou d'une autre substance capable de provoquer un état d'ébriété et que, pour assurer votre propre protection, il est de mon devoir de vous garder sous ma surveillance. »

« Vous m'arrêtez ? » demanda Luc qui ne pouvait en croire ses oreilles. « Vous m'inculpez ? »

« Seulement si vous m'y obligez, monsieur », fit remarquer Louis d'un ton grondeur. « Mais je suis bien sûr que ces deux personnes que nous avons ici seront prêtes à déclarer qu'elles ont observé votre conduite, ont entendu vos menaces et la violence de vos accusations et à témoigner de votre délit contre l'ordre public. » Il fit un signe de tête dans ma direction. « Je vais devoir vous demander de bien vouloir m'accompagner jusqu'au commissariat de police, monsieur. »

« Il n'y a pas de sacré bon Dieu de commissariat ici ! » hurla Luc.

« Louis se sert du sous-sol de sa maison pour les ivrognes et les faiseurs d'esclandre public », dit Paul d'une voix posée. « Bien sûr, cela fait quelque temps que l'on n'en a pas eu, pas depuis que Guguste Tinon a fait une bordée, il y a bien cinq ans de ça. »

« Mon cellier à légumes est entièrement à votre disposition, Louis, au cas où vous craindriez qu'il ne s'évanouisse si vous l'emmeniez au village », suggérai-je d'un ton affable. « Il y a une bonne serrure et là il ne pourrait se faire aucun mal. »

Louis parut réfléchir à ma suggestion. « Merci, *Veuve* Simon », finit-il par déclarer. « Je pense que c'est peut-être la meilleure solution. Au moins, en attendant que je découvre la procédure à suivre à partir de ce que nous savons. » Il jeta un regard critique dans la direction de Dessanges, dont la pâleur maintenant pouvait être attribuée à quelque chose de plus que la colère.

« Vous êtes complètement fous, tous les trois », murmura-t-il.

« Bien sûr, il va falloir que je vous fouille d'abord », déclara calmement Louis. « On ne pourrait pas vous permettre d'incendier la maison ou de faire quelque chose de ce genre. Veuillez, s'il vous plaît, vider vos poches. »

Luc secoua la tête. « Je ne peux pas y croire », dit-il.

« Je regrette, monsieur », insista Louis. « Mais je vous demande de vider vos poches. »

« Vous pouvez toujours courir », répondit Luc d'un ton amer. « Je ne sais pas ce que vous cherchez dans tout ça mais quand mon homme de loi entendra parler de... »

« Je peux le faire à sa place », suggéra Paul. « Il faut bien admettre qu'avec ses menottes, il ne peut pas atteindre ses poches tout seul. »

Malgré sa gaucherie apparente, Paul se déplaçait rapidement, de ses mains de braconnier il tapotait déjà les vêtements de Luc et en sortait leur contenu — un briquet, des journaux roulés, des clefs de voiture, un portefeuille et un paquet de cigarettes. Luc se débattait en vain et jurait. Il jeta un regard autour de lui comme s'il s'attendait à apercevoir quelqu'un à qui il eût pu demander de l'aide. La rue était déserte.

« Un portefeuille. » Louis énuméra ce qui sortait des poches de Luc. « Un briquet en argent, un portable. » Il commença à ouvrir le paquet de cigarettes et en fit tomber d'une secousse le contenu dans sa paume. Dans la main de Louis, je remarquai alors quelque chose que je ne reconnus pas. Un petit bloc de forme irrégulière, d'une substance quelconque brun foncé, qui ressemblait à un vieux caramel mou.

« Je me demande bien ce que cela peut être », remarqua Louis d'un ton narquois.

« Va te faire foutre ! » s'exclama Luc. « Ce n'est pas à moi, ça. Tu l'as planté dans ma poche, hein, vieux salaud ! » Cela s'adressait à Paul qui le regarda avec une surprise d'innocent. « Tu ne feras jamais avaler ça. »

« Peut-être bien que non », répondit Louis avec indifférence. « Mais on ne perdra rien à essayer, n'est-ce pas ? »

VI

Louis laissa Dessanges dans le cellier comme il l'avait promis. Il déclara qu'il lui était permis de l'y garder pendant vingt-quatre heures avant de devoir l'inculper. Après un regard curieux dans notre direction, il nous informa d'une voix dont il avait cultivé l'indifférence que nous disposions donc de ce temps-là pour conclure notre affaire. Un brave gars, ce Louis Ramondin, malgré sa lenteur à agir. Pourtant, pour moi, il ressemble un peu trop à son grand-oncle Guilherm et c'est cela sans doute qui m'a d'abord empêchée de reconnaître sa bonté réelle. Je ne pouvais qu'espérer qu'il n'aurait pas de raison de regretter son rôle dans un proche avenir.

Au début, Dessanges ragea et s'emporta dans le cellier. Il cria, exigea de voir son homme de loi et sa sœur Laure et qu'on lui redonnât son portable et ses cigarettes. Il se plaignit que son nez lui faisait mal, qu'il était cassé d'ailleurs, et que des éclats d'os étaient en train de remonter vers son cerveau en ce moment même. Il tambourina à la porte, supplia, proféra des menaces, lâcha des jurons.

Nous fîmes semblant de ne rien entendre. Les bruits finirent par cesser.

À midi et demi, je lui apportai du café et une assiette de charcuterie avec du pain. Il avait l'air boudeur mais il s'était calmé. Il avait de nouveau son regard calculateur.

« Vous ne réussissez qu'à remettre à plus tard le moment fatal, Mamie », me dit-il alors que je lui coupais des tranches de pain. « Vous n'avez plus que vingt-quatre heures car, vous le savez bien, à la minute où je vais donner ce coup de téléphone… »

« Vous êtes sûr que vous voulez vraiment manger ? » lui demandai-je sèchement. « Parce que cela ne vous fera pas grand mal de jeûner un peu. Comme ça, je n'aurai plus besoin de vous entendre ni de voir votre sale petite gueule. Compris ? »

Il me décocha un regard mauvais et n'ajouta rien de plus sur ce sujet.

« Bien ! » lui dis-je.

VII

Paul et moi fîmes semblant de travailler tout le reste de l'après-midi. C'était dimanche et le restaurant était fermé mais il y a toujours quelques travaux à faire dans le verger et le potager. Je sarclai, taillai, désherbai avec tant d'entrain que j'en avais les reins en compote et les aisselles en sueur. De la maison, Paul me surveillait, inconscient du fait que je le surveillais, moi aussi.

Ah ! ces vingt-quatre heures. Elles me tracassaient, me mettaient au supplice. J'étais sur des charbons ardents. J'avais bien compris la nécessité de faire quelque chose mais il m'était totalement impossible de voir ce que je pouvais bien accomplir en vingt-quatre heures. Nous avions déjoué les ruses d'un membre de la famille Dessanges — pour l'instant, du moins — mais il y en avait encore un autre, aussi libre et aussi venimeux que jamais. Et notre temps était limité. Plusieurs fois j'allai jusqu'à la cabine téléphonique devant la Poste, ayant inventé des excuses pour m'y rendre, allant jusqu'à composer le numéro mais raccrochant juste avant que l'on ne répondît car je n'avais aucune idée de ce que je devrais dire. Quel que fût l'endroit où ma pensée s'arrêtait, me semblait-il, je me retrouvais devant la même horrible vérité et devant la même série d'effrayantes possibilités. Génitrix, la gueule grande ouverte, toute hérissée d'hameçons, les yeux vitreux de rage muette, tirait et moi je luttais de tout mon corps contre cette force terrible, y mordant à pleine bouche comme un vairon au bout d'une ligne, comme si le brochet eût été une partie de moi-même dont j'essayais de me libérer, comme si je ne sais quel sombre lambeau de mon propre cœur se fût tordu là, se débattant au bout de la ligne comme un enjeu formidable et secret.

Je n'avais vraiment que deux options. J'avais beau m'en inventer une autre — que Laure Dessanges soit prête à me promettre de me laisser vivre en paix en échange de la liberté de son jeune frère — mais, au fond de moi, ma raison m'assurait que cela ne marcherait pas. En agissant comme nous l'avions fait, nous n'avions gagné qu'une seule chose — du temps — et je le sentais filer entre mes doigts de seconde en seconde alors même que je me creusais la tête pour trouver le moyen de le mettre à profit. Sinon, d'après les prédictions de Luc, le lendemain — « votre lamentable petit secret sera en première page de tous les journaux et magazines du pays » — cette menace deviendrait une vérité inexorable et je perdrais tout : la ferme, le restaurant, ma place dans le village… La seule option, je le savais, était de me servir de la vérité comme défense. Cela avait le mérite de me permettre de garder ma maison et mon commerce mais quelle conséquence cela pourrait-il avoir dans l'esprit de Pistache, de Noisette et de Paul ?

J'en grinçai des dents d'impuissance. Personne ne devrait jamais être ainsi mis au pied du mur, pensai-je en gémissant. Personne.

Je sarclai un rang d'échalotes avec une telle violence et dans un tel état d'aveuglement que j'en oubliai ce que je faisais et commençai à déchiqueter les plants qui commençaient à grossir et à les faire voler en l'air avec les mauvaises herbes. En essuyant la sueur de mon front qui coulait dans mes yeux, je me rendis compte qu'ils ruisselaient de larmes.

Choisir entre une vie normale et une vie de mensonges ne devrait être le sort de personne et pourtant, *elle* l'avait bien fait, Mirabelle Dartigen, cette femme sur la photo avec ses perles de pacotille et son sourire timide, cette femme aux pommettes saillantes et au chignon tiré en arrière. Elle avait tout sacrifié — la ferme, le verger, la petite niche qu'elle s'était créée, son chagrin, même la vérité —, elle avait tout abandonné avant de partir sans jeter un regard en arrière. Un seul élément manque à son album, à cet album si habilement composé et si minutieusement documenté, une seule chose. Elle n'aurait pas pu l'y mettre car elle ne pouvait pas le savoir elle-même. Un seul élément et notre histoire serait terminée. Un, seulement.

Sans mes filles et sans Paul, me persuadai-je, je raconterais bien tout, rien que pour contrarier Laure et la priver de son triomphe. Mais il y avait Paul aussi, si discret, si effacé, si humble dans son mutisme qu'il avait réussi à s'introduire dans la forteresse que j'avais élevée autour de moi sans même que je m'en aperçoive, ce Paul, toujours un peu ridicule avec son bégaiement et son vieux bleu de travail tout déguenillé, Paul avec ses mains de braconnier et son sourire si doux. Qui aurait cru que ce serait Paul après tout ce temps-là ? Qui aurait cru qu'après tant d'années je retrouverais le chemin qui me ramènerait à la maison ?

Plusieurs fois, je fus sur le point de téléphoner. Je retrouvai le numéro dans un de mes vieux magazines. Après tout, il y avait bien longtemps qu'elle était morte, Mirabelle Dartigen. Je n'avais nul besoin de la brandir au-dessus des remous étranges qui agitaient mon cœur comme Génitrix au bout de ma ligne. Je me persuadai qu'un autre mensonge n'y changerait rien, que révéler la vérité à ce moment-là ne me permettrait pas non plus de racheter ma faute. Mais, même dans la mort, Mirabelle Dartigen est une femme tenace. Même de nos jours, je la sens, je l'entends, comme les gémissements du vent dans les fils télégraphiques —, cette plainte aiguë et indistincte qui est tout ce dont je me souviens d'elle. Peu importe que je n'aie jamais su à quel point je l'aimais vraiment. Son amour à elle, cet amour malade et glacé, m'entraîne maintenant dans de sombres profondeurs.

Et pourtant, cela ne serait pas *honnête,* me répétait inlassablement dans ma conscience la voix de Paul. Cela ne serait pas honnête de vivre une vie de mensonge. J'aimerais tant ne pas avoir à faire de choix pourtant.

VIII

Lorsqu'il vint à ma recherche, le soleil était sur le point de se coucher. Je jardinais depuis si longtemps que la douleur lancinante dans toutes mes articulations réclamait le repos de façon impérative. J'avais la gorge sèche, douloureuse, comme pleine d'hameçons. J'avais la tête qui tournait. Pourtant, je fis un mouvement pour l'éviter, lui qui se tenait silencieusement derrière moi, sans dire un mot, n'ayant pas besoin de mots, lui qui ne faisait rien qu'attendre, attendre le moment propice.

« Qu'est-ce que tu veux ? » lui demandai-je enfin d'une voix revêche. « Cesse de me regarder, pour l'amour du ciel, et fais quelque chose d'utile ! »

Paul ne répondit rien. Je sentais son regard comme une brûlure sur ma nuque. Enfin, je fis volte-face et lançai ma houe de l'autre côté du potager en hurlant avec la voix de ma mère :

« Espèce d'imbécile ! Tu ne peux pas me laisser tranquille, vieux crétin ? » Je crois que je voulais le blesser, faire en sorte qu'il se détourne de moi plein de colère et de chagrin, ou même de répulsion, mais il ne détourna pas les yeux — c'est drôle, je m'étais toujours cru championne à ce jeu-là —, il attendit avec sa patience inexorable, sans bouger, sans parler, il attendit que j'aie terminé pour pouvoir placer un mot. Je me détournai pleine de rage, de peur aussi, à l'idée de ce qu'il allait dire, à l'idée de sa terrible patience.

« J'ai préparé quelque chose à manger pour notre invité », dit-il enfin. « Peut-être bien que tu en voudrais aussi. »

Je secouai la tête et répondis : « Je ne veux rien sauf que l'on me fiche la paix. »

J'entendis Paul soupirer derrière mon dos et dire : « Elle était bien pareille, Mirabelle Dartigen. Elle ne voulait jamais accepter l'aide de personne. Pas même la sienne ! » Il disait cela d'une voix calme et réfléchie. « Tu lui ressembles beaucoup, tu sais. Tu lui ressembles trop pour ton bien ou pour celui de n'importe qui d'autre. »

Je retins une réponse acerbe sans lui jeter un seul regard.

« Elle s'est mis tout le monde à dos avec son entêtement », continua Paul. « Elle n'a jamais su que les gens l'auraient aidée si elle leur avait dit. Mais elle ne l'a jamais fait, hein ? Elle ne l'a jamais dit à personne. »

« Je ne crois pas qu'elle l'aurait pu », dis-je d'une voix transie. « Il y a des choses qu'on ne peut pas dire. On ne… peut simplement pas. »

« Regarde-moi », dit Paul.

Son visage était tout rose dans le dernier flamboiement du coucher de soleil, tout rose et si jeune malgré les rides et la moustache jaunie de nicotine. Derrière lui, le ciel d'un rouge sang étirait les barbelés de ses nuages.

« Il arrive un moment où cela est nécessaire. *Quelqu'un* doit le faire », dit-il de l'air de celui qui est arrivé à une conclusion logique. « Je ne lis pas l'album de ta mère depuis tout ce temps-là pour des prunes, et malgré tout ce que tu peux en penser, je ne suis pas si stupide que ça. »

« Je m'excuse, je n'ai pas voulu dire cela », murmurai-je.

Paul secoua la tête comme pour indiquer que cela n'était pas important. « Je le sais bien. Je n'ai pas votre intelligence à Cassis et à toi, mais il me semble parfois que ce sont les plus intelligents qui s'égarent le plus vite. » Il sourit et se frappa la tempe de son doigt tendu. « Y a trop d'idées là-haut », ajouta-t-il d'une voix douce. « Bien trop ! »

Je le regardai attentivement.

« Tu vois, ce n'est pas la *vérité* qui te blesse », continua-t-il. « Si seulement elle avait compris cela, rien de tout ça ne serait jamais arrivé. Si seulement elle avait simplement demandé de l'aide au lieu de se débrouiller toute seule comme elle le faisait toujours. »

« Non ! » Ma voix semblait sourde et sans appel. « Tu ne comprends pas. Elle n'a jamais su la vérité. Ou si elle l'a sue, elle l'a cachée, elle ne se l'est jamais avouée. Elle a fait cela pour *nous,* pour *moi.* » J'étouffais maintenant, un goût familier et amer remontait des profondeurs de mon ventre et son âpreté me paralysait. « Ce n'était pas à elle de dire la vérité. C'était à *nous,* à *moi.* » J'eus du mal à avaler ma salive. « J'aurais pu le faire », prononçai-je avec effort. « J'étais la seule à connaître toute l'histoire, la seule qui en aurait eu le *courage.* »

Je m'interrompis pour le regarder de nouveau avec son sourire doux et malin, ses épaules tombantes comme l'échine d'une mule qui trop longtemps a porté de lourds fardeaux et l'a fait avec patience, en toute sérénité. Comme je l'enviais et comme je le désirais.

« Tu as le courage, tu l'as toujours eu », finit-il par déclarer.

Nous échangeâmes un regard en silence.

« Très bien », décidai-je. « Laisse-le partir. »

« Tu en es sûre ? Et la drogue que Louis a trouvée dans ses poches ? »

J'éclatai d'un rire qui résonna avec une étrange insouciance dans ma gorge desséchée. « Nous savons tous les deux qu'il n'y avait pas de drogue, C'était quelque chose de parfaitement inoffensif que tu as planté sur lui pendant que tu fouillais ses poches. » J'éclatai de rire de nouveau à la vue de son air surpris. « Des doigts de braconnier, Paul, des mains de braconnier ! Tu pensais vraiment que tu étais seul à avoir un esprit soupçonneux ? »

Paul eut un hochement de tête et demanda :

« Qu'est-ce que tu feras, alors, dès qu'il racontera à Laure et à Yannick ?... »

Je secouai la tête.

« Qu'il leur raconte ! » répondis-je. Je me sentais légère, plus légère que je ne m'étais jamais sentie, légère comme les graines de chardon que la brise emporte au-dessus de la rivière. Je sentais un rire gonfler ma poitrine, le rire fou de celle qui s'apprête à jeter aux flammes tout ce qu'elle possède. Je sortis de la poche de mon tablier le bout de papier où était écrit le numéro de téléphone.

Puis, en y repensant bien, j'allai chercher mon petit carnet d'adresses. Je trouvai la bonne page après un instant de recherche.

« Je crois savoir ce que je dois faire, maintenant », déclarai-je.

IX

« Clafoutis aux pommes et aux abricots secs. Battre les œufs et la farine avec le sucre et le beurre fondu jusqu'à ce que l'on ait obtenu une pâte épaisse et crémeuse. Y ajouter le lait petit à petit sans cesser de battre jusqu'à ce que l'on obtienne enfin une fine pâte à crêpes. Beurrer soigneusement le moule et verser les fruits dans la pâte. Ajouter de la cannelle et un rien de muscade. Mettre au four à température modérée. Quand le clafoutis commence à gonfler, saupoudrer de sucre brun et mettre quelques noisettes de beurre. Faire cuire jusqu'à ce que le dessus soit ferme au toucher et croustillant. »

La récolte avait été bien maigre. La sécheresse et les
pluies désastreuses qui l'avaient suivie en étaient responsables. Pourtant, nous attendions tous avec impatience la
kermesse de la fin d'octobre, même Reine, et même
Maman qui faisait des gâteaux — sa spécialité — laissait
des saladiers de fruits et de légumes au bord de la fenêtre
et préparait des couronnes de pain aux formes extrava-
gantes et délicatement ornées — une meule de foin, un
poisson, un panier de pommes — qu'elle allait vendre au
marché d'Angers. L'école primaire du village avait fermé
lorsque l'instituteur avait pris un poste à Paris mais l'école
du dimanche continuait à fonctionner pour le catéchisme.

Ce jour-là, tous les gosses qui y allaient défilaient
autour de la fontaine — décorée de fleurs, de fruits, de
gerbes de blé, de citrouilles et de gourdes creusées,
colorées et découpées en forme de lanternes dans un style
terriblement païen. Vêtus de leurs habits du dimanche et
portant des cierges, ils chantaient. La cérémonie se poursuivait dans l'église. À l'intérieur, l'autel était décoré de
tentures émeraude et or et l'on entendait les hymnes
jusqu'à l'autre bout de la place où nous écoutions fascinés, hypnotisés par l'attrait des choses qui nous étaient
défendues, qui parlaient du bon grain à amasser dans le
grenier et de l'ivraie à brûler dans le feu qui ne s'éteint
point. Nous attendîmes la fin de la cérémonie religieuse
et nous nous joignîmes aux célébrations avec les autres
pendant que le curé restait dans l'église pour entendre les
confessions et que les feux de la kermesse répandaient
leur fumée douce-amère au coin des champs dénudés.

C'était à ce moment-là que la foire commençait vraiment, cette foire d'automne avec les combats de lutte, les
courses et toutes sortes de concours — de danse, de tir à
la pomme, de mangeurs de crêpes, de course d'oies — et
les pains d'épice et le cidre dont on abreuvait vainqueurs
aussi bien que vaincus et les paniers de produits fermiers
vendus à la fontaine sous le regard souriant de la reine de

la kermesse, assise sur son trône jaune d'or et qui jetait sa pluie de pétales de fleurs sur les passants heureux.

Cette année-là, nous nous étions à peine rendu compte de son approche. Les autres années nous aurions attendu sa venue avec une impatience plus grande encore que Noël, car, à cette époque-là, les cadeaux étaient rares et décembre n'était pas un bon mois pour les festivités. Mais octobre, cet éphémère, qui a encore le goût sucré de la jeunesse, octobre, dans l'or cuivré de sa lumière et la pâleur diaprée de ses premiers gels, quand les feuilles se drapent de lumineuses couleurs, octobre, lui, vous raconte une tout autre histoire. C'est un enchantement, un dernier geste d'allégresse, un défi vaillant au froid qui vous assiège. Les autres années, nous aurions déjà, des semaines à l'avance, élevé des piles de bois et de feuilles mortes dans un coin bien abrité, nous aurions enfilé des pommes sauvages pour en faire des colliers, nous aurions préparé des sacs de noix et nos vêtements du dimanche auraient été repassés et nos chaussures cirées toutes prêtes pour le bal. On aurait peut-être décoré tout spécialement le Poste de Guet, on aurait suspendu des couronnes à la Pierre au Trésor, on aurait jeté des fleurs écarlates dans l'eau sombre de la Loire paresseuse, on aurait coupé en tranches des pommes et des poires pour les faire sécher au four, on aurait tressé des guirlandes de blé pour en faire de jolies nattes et des poupées porte-bonheur que l'on aurait accrochées partout dans la maison, on aurait préparé des attrapes pour les étourdis et nous en aurions eu l'eau à la bouche à l'idée des bonnes choses qui nous attendraient.

Cette année-là, il n'y avait rien de tout ça. L'amer poison qu'avait créé la nuit à La Mauvaise Réputation avait commencé à faire son effet et, avec lui, étaient arrivés les lettres anonymes, les rumeurs, les insultes sur les murs, les murmures derrière notre dos et les silences polis en notre présence. Les gens partaient du point de vue qu'il n'y a jamais de fumée sans feu. Les insultes — « Pute à Boche » — peintes en lettres écarlates sur le poulailler,

peintes de nouveau et repeintes encore malgré nos efforts
pour les faire disparaître, qui s'ajoutaient au refus de ma
mère de nier ou de reconnaître l'accusation, aux comptes
rendus de ses passages à la Rép, ridiculement grossis et
colportés de bouche en bouche, étaient suffisants pour
exciter les soupçons davantage. Oui, la kermesse d'octobre fut bien douloureuse pour la famille Dartigen cette
année-là.

Les autres préparaient leurs feux de joie et mettaient
leur blé en gerbes. Les enfants glanaient les épis oubliés
pour que pas un seul grain n'en fût perdu. Nous ramas-
sions les dernières pommes — celles qui n'avaient pas été
entièrement dévorées par les guêpes — et nous les remi-
sions dans la cave dans les cageots, bien séparées les unes
des autres pour éviter que la pourriture ne les gagne.
Nous conservions nos légumes dans le cellier, dans les
bacs, sous une légère couche de terre meuble et sèche.
Ma mère prépara même de ses pains, bien qu'il y eût peu
de clients à lui acheter ses produits aux Laveuses, et elle
les vendit à Angers sans sourciller. Je me rappelle comment nous avions emporté un jour un chargement de
pains et de gâteaux dans une charrette au marché, comment le soleil jouait sur les croûtes en forme de glands, de
hérissons, de petits visages grimaçants qui brillaient au
soleil comme du chêne poli. Certains enfants du village
refusaient de nous adresser la parole. Un jour, en allant
au collège, quelqu'un, caché derrière un bosquet de
tamaris au bord de la rivière, lança des mottes de terre à
Reinette et à Cassis. Comme le grand jour approchait, les
filles commençaient à s'observer, à brosser leurs cheveux
avec un soin particulier, à se frotter le visage avec une pâte
à base d'avoine. Le jour de la kermesse, l'une d'elles serait
choisie pour être reine et elle porterait sur son front la
couronne d'avoine et tiendrait à la main le pichet de vin.
Rien de cela ne m'intéressait. Avec mes cheveux courts et
raides et mon visage ingrat, je n'avais aucune chance
d'être reine de la kermesse. D'ailleurs, en l'absence de
Tomas, rien n'avait plus d'importance. Je me demandais si

je le reverrais jamais. J'allais m'asseoir au bord de la Loire avec mes nasses et ma canne à pêche et je contemplais la rivière. Je ne pouvais m'empêcher de croire que si j'attrapais le brochet, d'une manière ou d'une autre Tomas me reviendrait.

X

Le matin de la kermesse, il faisait froid. Le ciel clair avait les reflets rougeâtres d'un feu qui meurt comme on en voit souvent au mois d'octobre. La veille au soir Maman avait travaillé tard — par une sorte d'entêtement plutôt que par un esprit de tradition — pour confectionner du pain d'épice, des crêpes de blé noir et des confitures de mûres qu'elle déposa dans des paniers en nous demandant de les porter à la kermesse. Je n'avais aucunement l'intention d'y aller. Au lieu de cela, j'allai traire la chèvre et me débarrassai de mes petites corvées du dimanche. Après quoi, je me dirigeai vers la rivière. Je venais d'y poser un piège particulièrement ingénieux — des cageots et des bidons attachés les uns aux autres par un grillage et appâtés avec des déchets de poissons — juste au bord de l'eau et j'avais hâte de l'essayer. Le vent m'apportait une odeur de foin coupé qui venait du premier des feux de joie de l'automne. Dans ce poignant parfum, vieux comme le monde, il y avait comme le souvenir de jours meilleurs. Mes pas se faisaient pesants alors que je traversais les champs de maïs pour rejoindre la Loire. Je me sentais vieille aussi, comme si de nombreuses années pesaient sur mes épaules.

Aux Pierres Levées, Paul m'attendait. Il ne parut pas surpris de me voir. Sans bouger de l'endroit où il pêchait, il me jeta un bref regard avant de se remettre à surveiller son bouchon qui filait sur l'eau.

« Tu ne vas pas à la k… kermesse ? » demanda-t-il.

De la tête, je fis signe que non. Je me rendis compte que je ne l'avais pas vu une seule fois depuis que Maman l'avait chassé de la maison. Je me sentis soudain coupable d'avoir si complètement oublié mon vieux copain. C'est peut-être pour ça que je m'assis près de lui. En tout cas, ce n'était certainement pas par besoin d'une présence, mon désir de solitude était accablant.

« M… moi non plus. » Ce matin-là, il avait l'air morose, presque maussade, il fronçait les yeux dans un effort de concentration tellement adulte qu'il me laissa mal à l'aise. « Tous ces c… cons qui ne pensent qu'à s… se saouler la gu… gueule et à s… se trémousser. J'peux m'en passer ! »

« Moi aussi. » À mes pieds, les tourbillons fauves de la rivière s'élargissaient en ondes régulières comme sur l'écran d'un hypnotiseur. « Je vais aller jeter un coup d'œil à toutes mes nasses et puis je pense que je vais essayer la grande sablière. Cassis me dit qu'il y a du brochet là quelquefois. »

Paul me décocha un regard cynique : « T… tu ne l'attraperas jamais ! » me dit-il dogmatiquement.

« Et pourquoi pas ? »

Il haussa les épaules en disant : « Tu ne l'attraperas pas, tout simplement. »

Nous continuâmes à pêcher côte à côte pendant un certain temps. Le soleil commençait lentement à nous réchauffer le dos et les feuilles tombaient une à une, blondes et rousses et brunes dans l'onde soyeuse qui les emportait. Les cloches de l'église, lointaines et douces, nous arrivèrent à travers les champs, marquant la fin de la messe. Dans dix minutes, la kermesse commencerait pour de bon.

« Les autres y vont ? » demanda Paul en sortant de sa joue gauche où il le chauffait un ver de vase qu'il accrocha d'une main experte à l'hameçon.

Avec un haussement d'épaules, je répondis : « Je m'en fous. »

Un silence suivit. Puis, un gargouillement sonore s'éleva de l'estomac de Paul.

« T'as faim ? »

« Non ! »

C'est alors que je l'entendis, sur la route d'Angers, aussi clairement que dans un souvenir, d'abord à peine audible, puis de plus en plus distinct, comme le bourdonnement d'une guêpe endormie, plus fort encore, comme les battements du sang dans les tempes après une course éperdue à travers champs. C'était le bruit d'une moto, une seule moto.

Je fus prise d'une panique soudaine. Paul ne *devait* pas le rencontrer. Si c'était Tomas, je *devais* le voir seule et mon cœur me disait, mon pauvre cœur malade de joie me criait avec une absolue certitude qui me remplissait de délice, que c'était bien Tomas.

Tomas.

« Nous pourrions peut-être aller y faire un tour juste pour voir », suggérai-je d'un ton de fausse indifférence.

Paul répondit par un bruit qui ne l'engageait à rien.

« Il y aura du pain d'épice », ajoutai-je timidement. « Et des pommes de terre cuites dans la cendre, et du maïs rôti, des pâtés en croûte et des saucisses au feu de joie. »

J'entendis son estomac gargouiller un peu plus fort.

« Nous pourrions y aller et en chiper », suggérai-je.

Pas de réponse.

« Cassis et Reine y seront. »

Du moins, j'espérais qu'ils y seraient. Je comptais sur leur présence pour me permettre de m'échapper rapidement et de revenir voir Tomas. L'idée même de sa proximité, l'intolérable bouffée de chaleur heureuse qui m'envahissait à la pensée de le revoir me mettaient sur des charbons ardents.

« Elle s... sera là aussi ? » demanda-t-il d'une voix sourde, pleine d'une haine qui, en toute autre circonstance, m'aurait étonnée. Je n'aurais jamais cru que Paul fût capable de rancune. « Je veux dire t... t... ta mère. »

L'effort amena une grimace sur son visage. « T... t... ta mère. »

Je secouai la tête.

« Je ne le pense pas », l'interrompis-je plus brutalement que je n'en avais l'intention. « Bon Dieu, Paul, cela me rend folle de t'entendre parler comme ça. »

Paul haussa les épaules d'un air blasé. J'entendais la pétarade de la moto très clairement maintenant, à un kilomètre ou deux sur la route. Je serrai les poings si fort que je m'enfonçai les ongles dans les paumes.

« Je veux dire », ajoutai-je d'un ton plus doux. « Je veux dire que cela n'a pas d'importance vraiment mais elle, elle ne comprend pas, c'est tout ! »

« Y s... sera-t-elle ? » répéta Paul avec insistance.

Je fis non de la tête et mentis. « Non, elle a dit qu'elle nettoierait l'appentis de la chèvre ce matin. »

Paul acquiesça d'un signe de tête. « D'accord, alors », dit-il d'une voix douce.

XI

Tomas attendrait peut-être une heure au Poste de Guet. Il faisait chaud. Il cacherait sa moto parmi les buissons et fumerait une cigarette. S'il n'y avait personne dans le coin, il se baignerait peut-être. Si personne n'était arrivé après ça, il nous laisserait un message avec un paquet de magazines ou de bonbons soigneusement enveloppés de papier journal au sommet du Poste de Guet, dans la fourche de l'arbre, sous la plate-forme. Je le savais, il avait fait cela plusieurs fois déjà. Il m'était facile pendant ce temps-là d'atteindre le village avec Paul, puis de revenir quand personne ne remarquerait mon absence. Je ne dirais ni à Reinette ni à Cassis qu'il était là. Une joie gourmande m'envahissait à cette pensée et je me complaisais à imaginer son visage éclairé par un sourire de bienvenue. Ce sourire m'appartiendrait, il s'adresserait à moi seule.

J'entraînai Paul à toute vitesse vers le village en pensant à cela. Ma main brûlante serrait fermement la sienne toute fraîche et mes cheveux collants de sueur tombaient sur mes yeux.

Autour de la fontaine, la place était déjà à moitié pleine. Des gens sortaient de l'église, les uns derrière les autres — des enfants portant des cierges, des jeunes filles au front décoré de couronnes de feuilles aux couleurs d'automne, quelques jeunes gens, encore tout purs, à la sortie du confessionnal, dont Guilherm Ramondin, qui lorgnaient les filles avant de retomber dans le péché, pré-cipités par leurs pensées grivoises — ou par plus encore s'ils pouvaient l'obtenir ! Oui, la kermesse d'automne était une saison à ça après tout. Il y avait si peu d'autres choses à désirer. Je vis Cassis et Reinette debout, un peu à l'écart du gros de la foule. Reine portait une robe de fla-nelle rouge et un collier de baies d'automne. Cassis dévorait un gâteau au sucre glacé. Personne ne semblait leur parler. J'étais consciente de leur isolement au sein de la foule. Le rire de Reinette s'élevait haut, fragile, comme l'appel d'un oiseau de mer. À quelque distance, ma mère observait la scène. Elle portait à la main un panier de pâtisseries et de fruits. Parmi la foule de la kermesse, elle paraissait très terne. Sa robe noire et son fichu jetaient une note discordante au milieu des fleurs et des pavois bariolés. Je sentis soudain Paul se raidir à mes côtés.

Près de la fontaine, un groupe entonna un chant populaire. Raphaël était là, je crois, et Colette Gaudin et Philippe Hourias, l'oncle de Paul, qui avait noué autour de son cou un foulard d'un jaune incongru. Il y avait aussi Agnès Petit qui avait mis sa robe blanche des dimanches et ses petits souliers vernis. Elle portait une couronne de baies dans les cheveux. Sa voix monta un moment au-dessus des autres — une voix peut-être non entraînée mais claire et harmonieuse. Un frisson secoua ma nuque et y fit se dresser mes cheveux comme si le fantôme qu'elle allait bientôt devenir était passé au-dessus de ma tombe un peu trop tôt. Je me souviens encore de ce qu'elle chantait.

> *À la claire fontaine, m'en allant promener*
> *J'ai trouvé l'eau si belle que je m'y suis baignée*
> *Il y a longtemps que je t'aime*
> *Jamais je ne t'oublierai.*

Tomas, si c'était bien lui que j'avais entendu, serait déjà au Poste de Guet maintenant mais Paul, à mes côtés, ne donnait aucun signe de vouloir se mêler à la foule. Il observait la silhouette de ma mère à l'extrême opposé de la fontaine sur la place et se mordait nerveusement les lèvres.

« Je croyais qu'tu m'avais dit qu'… qu'elle ne serait pas ici », dit-il.

« Je n'savais pas », répondis-je.

Et nous restâmes là un moment à regarder ceux qui sortaient de l'église et se dirigeaient vers les rafraîchissements. Des pichets de cidre et de vin étaient alignés tout autour du bord de la fontaine et bien des femmes avaient, comme ma mère, apporté des pains, des brioches et des fruits pour les distribuer sur le parvis de l'église. Pourtant, je pris conscience du fait que ma mère gardait ses distances et que peu de gens passaient assez près d'elle pour prendre les bonnes choses qu'elle avait mis tant de soin à préparer. Son visage demeurait impassible cependant, presque indifférent. Ses mains seules la trahissaient, ses mains blanches, nerveuses, si désespérément agrippées à l'anse de son panier, ses lèvres aussi, blêmes dans la pâleur du visage à force d'être mordues.

Je m'inquiétais. Paul n'indiquait aucun désir de me quitter. Une femme — je crois que c'était Francine Crespin, la sœur de Raphaël — offrit un panier de pommes à Paul mais, en m'apercevant, son sourire se figea. Peu de gens ignoraient ce qui avait été écrit sur le mur du poulailler.

Le prêtre sortit de l'église. Le père Froment dont les yeux faibles et doux brillaient de joie aujourd'hui dans la certitude que ses paroissiens étaient unis, comme un trophée, brandissait son crucifix doré au bout d'une perche. Derrière lui, deux enfants de chœur portaient la statue de la Vierge sous son dais jaune et or. Elle aussi était ornée de baies et de feuilles d'automne. Les gosses du catéchisme avec leurs cierges se tournèrent vers la petite procession et commencèrent à chanter l'hymne à la moisson. Les filles retouchèrent leur coiffure et étudièrent leur sourire. Reinette aussi se tourna. Le trône jaune d'or de la reine de la kermesse sortit de l'église, porté par deux jeunes gens. Il était seulement couvert de paille et le dossier et les bras n'étaient faits que de gerbes de blé et le coussin n'était que de feuilles mais, pendant un moment, avec le rayon de soleil qui l'éclaboussait, on aurait vraiment dit un trône d'or.

Une douzaine de jeunes filles peut-être, de l'âge requis, attendaient près de la fontaine. Je me souviens de toutes — Jeannette Crespin avec sa robe de communion trop étroite, Francine Hourias aux cheveux roux et aux taches de rousseur qu'aucune pommade au son n'aurait jamais pu faire disparaître, Michèle Petit avec ses tresses serrées et ses lunettes. Pas une d'entre elles n'était capable de rivaliser avec Reinette et elles le savaient. Je le voyais à la façon dont elles la regardaient avec un air d'envie et de méfiance, elle était un peu à l'écart des autres, avec sa robe rouge, ses longs cheveux dénoués où les baies se mêlaient aux boucles. Avec un peu de plaisir aussi car personne, personne n'élirait Reine Dartigen reine de la kermesse, cette fois-ci. Non, pas cette année, pas avec ces rumeurs qui nous entouraient, nous enveloppaient de leur tourbillon comme un vol de feuilles mortes au vent d'automne.

Le prêtre parlait. J'écoutai malgré mon impatience. Tomas serait en train d'attendre. Il fallait m'échapper rapidement si je ne voulais pas le rater. Près de moi, Paul regardait la fontaine d'un œil fixe, de cet air intense qui le faisait paraître un peu stupide.

« Cette année, mes enfants, bien des épreuves ont été placées sur notre chemin. » La voix du curé était calme, apaisante, monotone, comme un bêlement de troupeaux lointains. « Mais une fois encore, votre foi, votre détermination nous a permis d'en triompher. » Parmi la foule grandissait une impatience semblable à la mienne. Ils avaient déjà dû subir un long sermon et maintenant le moment était venu de couronner la reine de la kermesse, de danser et de se réjouir. J'aperçus un jeune enfant prendre une part de gâteau dans le panier de sa mère et l'engouffrer à grosses bouchées rapides et gourmandes derrière sa main, sans être remarqué.

« Maintenant, le moment est arrivé pour nous de célébrer… » Il était maintenant sur la bonne voie. J'entendis un débordement de sentimentalité passer dans la foule, un murmure d'approbation, un frisson d'impatience. Le père Froment le ressentit aussi.

« Mes enfants », bêla-t-il. « Je ne vous demande que de montrer de la modération en toutes choses. Souvenez-vous de celui qui est l'objet de nos festivités, celui sans qui il ne pourrait y avoir ni kermesse, ni moissons. »

« Allez plus vite, Père ! » lança une grosse voix joviale dans le groupe qui était sur le côté de l'église. Le père Froment eut l'air à la fois vexé et résigné.

« Tout arrive à qui sait attendre, mon fils », gronda-t-il. « Comme je le disais, voici le moment de commencer les festivités en l'honneur de Notre-Seigneur en élisant la reine de la kermesse — une jeune fille entre treize et dix-sept ans —, qui présidera à nos célébrations et portera la couronne d'avoine. »

Une douzaine de voix l'interrompirent pour crier des noms dont certains étaient tout à fait inacceptables. Raphaël hurla : « Agnès Petit ! » et Agnès, qui avait bien trente-cinq ans, rougit tellement elle était gênée et pendant un instant devint presque jolie.

« Murielle Dupré ! »

« Colette Gaudin ! » Les femmes embrassaient leurs maris et poussaient de petits cris aigus d'indignation et de bonheur devant leurs compliments.

« Michèle Petit ! » C'était la mère de Michèle qui exprimait ainsi sa persévérante loyauté.

« Georgette Lemaître ! » Henri lançait le nom de sa grand-mère qui avait peut-être quatre-vingt-dix ans ou plus et s'esclaffait bruyamment la première de la plaisanterie.

Plusieurs jeunes gens nommèrent Jeannette Crespin, et elle se cacha le visage derrière les mains en rougissant terriblement. Alors, Paul qui jusqu'alors était resté sans mot dire à mes côtés, fit soudain un pas en avant.

« Reine-Claude Dartigen ! » lança-t-il d'une voix très forte, sans bégayer. C'était une voix assurée, presque adulte, une voix d'homme, très différente de la sienne, traînante, hésitante et terriblement lente. « Reine-Claude Dartigen », répéta-t-il. Les gens se retournèrent pour le regarder d'un air curieux et murmurèrent. « Reine-Claude Dartigen ! » lança-t-il de nouveau et il traversa la place vers Reinette stupéfaite, un collier de pommes sauvages à la main.

« C'est pour toi ! » dit-il d'une voix douce sans la moindre trace de bégaiement et il lui passa le collier autour du cou. Les petites pommes rouges et jaunes brillaient comme des joyaux sous la lumière coralline d'octobre.

On entendit une fois encore « Reine-Claude Dartigen ! » Paul prit la main de Reine et la guida vers les quelques marches qui la conduisaient vers le trône. Un sourire gêné aux lèvres, le père Froment se taisait mais il permit à Paul de couronner Reinette de la guirlande d'avoine.

« Très bien », dit le prêtre d'une voix douce. « Très bien ! » Puis, d'une voix plus forte, il déclara : « Je proclame Reine-Claude Dartigen, reine de notre kermesse pour cette année. »

Peut-être d'impatience à l'idée de tout ce cidre et tout ce vin qui ne demandaient qu'à être bus, ou de surprise en entendant pour la première fois le pauvre petit Paul Hourias parler sans bégayer, à moins que ce ne fût à la vue de Reinette si belle sur son piédestal, les lèvres rouges comme des cerises, avec le soleil qui mettait un halo dans ses cheveux, la plupart des gens applaudirent. Quelques-uns même l'acclamèrent et crièrent son nom — tous les hommes, remarquai-je, même Raphaël et Julien Lanicen qui avaient été à La Mauvaise Réputation ce terrible soir-là. Mais certaines femmes n'applaudirent pas. Il n'y en eut que quelques-unes à ne pas le faire mais c'était suffisant. La mère de Michèle en était une et de stupides commères comme Marthe Gaudin et Isabelle Ramondin. Elles étaient encore peu nombreuses et bien que d'autres parussent mal à l'aise, elles mêlèrent leurs voix à celles des hommes. Certaines applaudirent même lorsque Reine lança des fleurs et des fruits aux enfants du catéchisme. J'aperçus brièvement le visage de ma mère alors que je m'apprêtais à me faufiler pour m'enfuir. Je fus frappée par le brusque changement de son visage, cette soudaine douceur, cette chaleur — les joues roses, les yeux aussi brillants que sur cette photo de mariage oubliée —, le foulard tombant presque de ses cheveux dans son mouvement pour courir vers Reinette et être à ses côtés. Je crois avoir été la seule à le remarquer. Tous les autres regardaient ma sœur. Même Paul la contemplait d'où il était, à côté de la fontaine, il avait de nouveau cet air stupide comme s'il l'avait toujours eu. Quelque chose alors se tordit dans ma poitrine. Mes yeux se mouillèrent si brutalement que, pendant une fraction de seconde, je crus qu'un insecte — une guêpe peut-être — s'était posé sur ma paupière.

Je lâchai le gâteau que j'étais en train de manger et, sans être remarquée, je m'enfuis. Tomas m'attendait. Soudain, il était très important de me persuader que Tomas m'attendait et Tomas m'aimait, lui. Tomas, lui seul, Tomas, et pour toujours. Un instant, je me retournai pour

imprégner ma mémoire de cette scène. Ma sœur, la reine
de la kermesse, la plus jolie reine jamais couronnée, la
gerbe dans une main et dans l'autre un fruit rond et
brillant — une pomme peut-être ou une grenade — que
le père Froment avait placé dans sa paume. Leurs yeux se
rencontrèrent. Il posa sur elle un regard doux et gauche
mais le sourire se figea sur le visage rayonnant de ma
mère. Elle eut un mouvement brutal de recul et sa voix
arriva jusqu'à moi si faible parmi le brouhaha joyeux de la
foule. « Qu'est-ce que c'est ? Pour l'amour de Dieu,
qu'est-ce que c'est que ça ? Qui te l'a donnée ? »

Je me mis à courir pendant qu'on ne faisait plus attention à moi. Je riais presque, les yeux encore brûlants de la
piqûre de cette guêpe invisible. Je courais à toute vitesse
vers la rivière, la tête pleine de pensées vagues. De temps
en temps, je devais m'arrêter pour calmer les légères
crampes qui me traversaient l'estomac, des spasmes étranges comme un éclat de rire qui emplissaient mes yeux de
larmes. Cette orange ! Préservée avec amour et précaution pour cette occasion, cachée tout ce temps-là dans son
papier de soie pour la reine de la kermesse et posée
comme un globe dans sa main juste au moment où
Maman… juste au moment où Maman… Le rire qui
m'agitait coulait en moi comme un acide. La douleur
qu'il provoquait était délicieusement raffinée. Elle me
roulait au sol, me tiraillait. J'étais comme un poisson
déchiré par l'hameçon qu'il a avalé. L'expression sur le
visage de ma mère, chaque fois que j'y repensais, me faisait me tordre de rire, cette fierté transformée en peur —
non, en terreur — à la vue d'une seule petite orange.
Entre les spasmes, je courais aussi vite que je le pouvais,
calculant qu'il me faudrait dix minutes pour arriver au
Poste de Guet, ajoutant à cela le temps que nous avions
passé à la fontaine — vingt minutes, au moins —, le souffle coupé à la pensée que Tomas pourrait être déjà parti.

Cette fois-ci, je lui demanderai. Oui, je lui demanderai
de m'emmener avec lui, quel que soit l'endroit où il irait,
en Allemagne, ou dans les bois, dans une fuite qui ne fini-

rait jamais, quel que soit son désir, pourvu que lui et
moi... lui et moi. Tout en courant, j'invoquais Génitrix.
Les ronces déchiraient mes jambes nues sans que j'y prê-
tasse la moindre attention. S'il te plaît, Tomas, s'il te plaît.
Toi seul et pour toujours. Dans ma course désespérée à
travers les champs, je ne rencontrai personne. Tout le
monde était à la kermesse. En arrivant aux Pierres Levées,
je criai son nom à tous les échos. Ma voix résonnait
comme l'appel strident d'un vanneau au-dessus du linceul
de soie de la rivière.

Était-il possible qu'il fût déjà parti ?

« Tomas ! Tomas ! » Ma voix s'était déjà enrouée de
rire et de peur. « Tomas ! Tomas ! »

Il arriva si rapidement que je le vis à peine. Il sortit
sans bruit d'un buisson. D'une main, il saisit mon poignet
et posa l'autre sur ma bouche en guise de bâillon. Un instant, j'eus du mal à le reconnaître — son visage était
sombre —, je me débattis furieusement et essayai de lui
mordre la main tout en poussant de petits cris d'oiseau
effarouché étouffés par sa paume.

« Chut, *Backfisch* ! Qu'est-ce que tu essaies de faire ? »
Je reconnus sa voix et cessai de me débattre.

« Tomas ! Oh, Tomas ! » Je ne pouvais m'empêcher de
répéter son nom. L'odeur familière de tabac et de transpi-
ration qui se dégageait de ses vêtements emplissait mes
narines. Je me cramponnai à sa redingote. J'y enfouis
mon visage, ce que je n'aurais jamais osé faire deux mois
auparavant. Dans la secrète intimité de ma cachette, je
dévorai de baisers désespérés la doublure du manteau.
« Oh, je savais bien que tu reviendrais, je savais bien. »

Il me regarda sans rien dire. « Es-tu seule ? » Ses yeux
paraissaient plus petits, plus prudents. Je fis signe que oui.

« Tant mieux. Je veux que tu m'écoutes très
attentivement. » Il parlait très lentement, en détachant
chaque mot, d'un ton autoritaire. Il n'y avait pas de cigarette au coin de ses lèvres, pas d'étincelles dans ses yeux. Il
semblait avoir maigri pendant les dernières semaines, son
visage était plus anguleux, sa bouche moins généreuse.

« Je veux que tu m'écoutes avec beaucoup d'attention. »

Je fis signe que j'obéirais. Tout ce que tu veux, Tomas. Mes yeux brûlaient de passion. Toi seul, Tomas. Toi seul. J'aurais voulu lui parler de ma mère et de Reine et de l'orange mais je devinai que ce n'était pas le moment. J'écoutai.

« Des hommes vont peut-être venir au village », expliqua-t-il. « En uniforme noir. Tu sais ce que cela veut dire, n'est-ce pas ? »

Je fis oui de la tête. « C'est la police allemande », murmurai-je. « Les SS. »

« C'est ça. » Il parlait d'un ton précis, en économisant ses mots, un ton bien différent de la voix traînante et désinvolte qu'il avait d'habitude. « Ils poseront peut-être des questions. »

Je le regardai sans comprendre.

« Des questions à propos de moi », dit Tomas.

« Pourquoi ? »

« Ne t'inquiète pas de pourquoi. » Sa main encerclait toujours mon poignet, il me faisait presque mal. « Ils vont peut-être vouloir savoir des choses. Des choses à propos de ce que nous avons fait. »

« Tu veux dire les magazines et tout ça ? »

« C'est ça. À propos du vieillard dans le café, Gustave, celui qui s'est noyé. » Son visage semblait sombre et ses traits tirés. Je tournai la tête pour le regarder et mon visage était très proche du sien. Je sentais l'odeur de cigarette dans son haleine et sur son col.

« Écoute, *Backfisch*. C'est important. Tu ne dois rien leur dire. Tu ne m'as jamais vu. Tu n'étais pas à La Mauvaise Réputation le soir du bal. Tu ne sais même pas mon nom. D'accord ? »

J'acquiesçai.

« N'oublie pas », insista Tomas. « Tu ne sais rien. Tu ne m'as jamais parlé. Dis ça aux autres aussi. »

J'acquiesçai de nouveau et il parut se détendre un peu.

« Il y a autre chose aussi. » Sa voix avait perdu son intonation dure, elle était devenue presque caressante. Elle me remplit d'une molle douceur comme du caramel chaud. Je le regardai avec un air d'anticipation.

« Je ne peux plus revenir ici », dit-il d'une voix douce. « Pas avant un moment en tout cas. Cela devient trop dangereux. Déjà, la dernière fois, j'ai réussi de justesse ! »

Je restai un moment silencieuse puis, d'un ton timide, je suggérai : « Nous pourrions peut-être nous retrouver au cinéma à la place, comme nous le faisions avant, ou dans les bois. »

Tomas secoua la tête d'impatience. « N'as-tu pas écouté ce que je te disais ? » demanda-t-il d'un ton sec. « Nous ne pourrons pas nous retrouver du tout. Nulle part. »

Un courant glacé passa sur ma peau et m'aiguillonna comme des flocons de neige. Un nuage noir me submergea.

« Pendant combien de temps ? » murmurai-je enfin.

« Pendant longtemps. » Je sentais son impatience. « Peut-être pour toujours. »

Je tressaillis et commençai à trembler. L'impression de piqûres froides avait fait place à une impression de chaleur cuisante, comme si l'on m'avait roulée dans les orties. Il prit mon visage entre ses mains.

« Écoute, Framboise », dit-il lentement. « Je suis désolé. Je sais que tu… » et il s'arrêta net. « Je sais que c'est dur. » Il eut un sourire forcé, un sourire cruel et lugubre aussi, la grimace d'un fauve qui voudrait avoir l'air apprivoisé.

« Je t'ai apporté des trucs », dit-il enfin. « Des magazines et du café. » Il se força encore à sourire d'un air faussement jovial. « Du chewing-gum, du chocolat, des livres. »

Je le regardai en silence. Mon cœur pesait dans ma poitrine comme un bloc d'argile glacé.

« Tu n'as qu'à les camoufler, n'est-ce pas ? » Il avait les yeux brillants, les yeux d'un enfant qui vous confie un merveilleux secret. « Et ne parle de nous à personne, à personne du tout. »

Il retourna vers le buisson dont il était sorti et en ramena un paquet attaché par une ficelle.

« Ouvre-le », m'encouragea-t-il.

Je le regardai d'un œil fixe et morne.

« Allez, vas-y ! » Sa voix s'étranglait dans son désir de jovialité. « C'est à toi. »

« Je n'en veux pas. »

« Ah, *Backfisch,* allez, viens. » Il tendit la main pour m'attirer dans ses bras mais je le repoussai.

« *J'ai dit que je n'en voulais pas.* » C'était la voix de ma mère encore une fois, criarde et aiguë. Je le haïssais de l'avoir fait monter en moi, cette voix. « *Je n'en veux pas, je n'en veux pas.* »

Il sourit d'un air impuissant. « Allez, viens », répéta-t-il. « Ne sois pas comme ça. Je voulais seulement… »

« Nous pourrions nous enfuir », dis-je brusquement. « Je connais des tas d'endroits dans les bois. Nous pourrions nous enfuir et personne ne saurait jamais où nous chercher. Nous pourrions nous nourrir de lapins et tout ça, de champignons, de fruits. » J'avais le visage brûlant, la gorge desséchée, douloureuse. « Nous serions bien à l'abri ! » insistai-je. « Personne ne saurait. » À l'expression de son visage, je savais que tout cela n'était qu'une perte de temps.

« Je ne peux pas », dit-il d'un ton ferme.

Je sentis les larmes sourdre de mes yeux.

« Tu ne peux pas r… rester un petit peu encore ? » Maintenant, ma voix était celle de Paul, humble et stupide. Je ne pouvais m'en empêcher. Une partie de moi aurait voulu le laisser partir sans un mot, dans un silence orgueilleux et glacé mais les mots se bousculaient et sortaient de mes lèvres sans que je les aie voulus.

« S'il te plaît ? Tu pourrais fumer une cigarette, venir te baigner ou bien nous pourrions aller à l… la pêche. »

Tomas secoua la tête.

Je sentis dans mon cœur quelque chose s'écrouler dans un ralenti fatidique. Mais, au loin, j'entendis soudain un bruit inhabituel, un choc de métal contre métal.

« Quelques minutes seulement ? S'il te plaît ? » Oh, comme je haïssais le ton suppliant de ma voix à ce moment-là. Ce ton stupide et blessé. « Je te montrerai mes nouveaux pièges. Je te montrerai mon casier à brochet. »

Son silence m'accablait, un silence de tombe. Je sentais le temps qui nous restait s'écouler inexorablement. J'entendis de nouveau le bruit lointain, ce choc de métal contre métal, le vacarme que fait une boîte de conserve vide attachée à la queue d'un chien, et soudain j'en reconnus l'origine. Une sorte de joie désespérée déferla sur moi.

« *S'il te plaît. C'est important !* » Ma voix était haute et puérile. Cet espoir de salut me rendait encore plus proche des larmes. Leur chaleur débordait de mes paupières et me serrait la gorge. « Je raconterai tout si tu ne restes pas. Tout. Tout. Tout. »

Avec impatience, il accepta.

« Cinq minutes. Pas une seconde de plus. D'accord ? »

Mes larmes se tarirent. « D'accord ! »

XII

Cinq minutes. Je savais exactement ce que je devais faire. C'était notre ultime chance — mon ultime chance. Mon cœur battait au rythme sauvage d'un tambour qui se déchaîne. Tomas m'avait accordé cinq minutes. Transportée de joie, je le pris par la main pour l'entraîner vers la grande sablière où j'avais posé ma dernière nasse. La prière que j'avais répétée en venant du village en courant s'était transformée en une clameur impérieuse et assourdissante. Toi seul ! Toi seul ! Oh, Tomas ! Oh ! S'il te plaît, s'il te plaît, s'il te plaît. Le rythme frénétique de mon cœur semblait trouver un écho dans mes tympans.

« Où va-t-on ? » Sa voix était calme, amusée, presque indifférente.

« Je veux te montrer quelque chose », répondis-je hors d'haleine en tirant sa main plus fort. « Quelque chose d'important. Viens ! »

J'entendais s'entrechoquer les boîtes de fer-blanc que j'avais attachées au bidon à huile. Secouée par un frisson d'anticipation, je me dis que quelque chose s'était pris dans la nasse, quelque chose d'énorme. À la surface de l'eau, les boîtes dansaient furieusement, faisant résonner le bidon. Au-dessous, les deux cageots, assemblés par un bout de grillage, étaient secoués et ballottés avec violence.

Ce devait être ça. Cela *devait* l'être.

De l'endroit où je l'avais cachée au bas de la rive, je retirai la longue perche dont je me servais pour faire remonter mes lourdes nasses à la surface. Mes mains tremblaient si fort qu'à la première tentative je faillis lâcher la perche dans l'eau. À l'aide du crochet que j'avais fixé au bout de la perche, je détachai les cageots du flotteur et repoussai l'énorme bidon. Les cageots étaient agités de terribles secousses et soubresauts.

« C'est trop lourd ! » hurlai-je.

Tomas me regardait d'un air de stupéfaction totale.

« Mais enfin, qu'est-ce que c'est ? » me demanda-t-il.

« Oh, s'il te plaît. S'il te plaît ! » Je tirais désespérément sur les cageots pour les hisser jusqu'au sommet du talus abrupt de la rive. L'eau jaillissait des cageots. Quelque chose d'énorme et de violent se débattait à l'intérieur.

J'entendis le petit rire de Tomas à côté de moi.

« Eh bien, *Backfisch* », dit-il avec étonnement. « Je crois que tu l'as eu enfin ce gros brochet. *Lieber Gott !* Il doit être gigantesque ! »

Je l'écoutai à peine. La gorge me brûlait comme si chaque respiration la passait au papier de verre. Je sentais mes talons nus glisser sur la boue. Centimètre par centimètre, la chose que je tenais m'entraînait inévitablement vers la rivière.

« Je ne vais pas le laisser m'échapper ! » lançai-je d'un ton âpre. « Non, non et non ! » Je fis un pas pour remonter la pente en tirant après moi les cageots alourdis par l'eau, puis un autre. Sous mes pieds, la boue jaune et glissante menaçait de me précipiter à plat ventre par terre. La perche, dont je me servais comme levier, s'enfonçait cruellement dans la chair de mon épaule. J'avais, au fond de moi, la certitude qu'*il* me regardait, que si je réussissais à sortir Génitrix, si seulement… mon souhait… mon souhait serait…

Encore un pas, puis un autre. Mes orteils s'enfoncèrent dans l'argile et je remontai encore plus haut. Un pas de plus. Je sentais mon fardeau s'alléger au fur et à mesure que se vidaient les cageots. La chose à l'intérieur se précipitait avec fureur contre les parois des cageots qui l'emprisonnaient. Encore un pas.

Puis, plus rien.

Je tirai mais les cageots ne bougeaient plus. Avec un hurlement de frustration, je m'élançai le plus loin possible vers le haut du talus. Rien ne bougea. Les cageots étaient bel et bien coincés. Une racine peut-être dépassait de la berge nue comme un vieux chicot, une branche flottante était peut-être logée dans le grillage. « C'est coincé ! » m'exclamai-je désespérée. « La sacrée nasse s'est accrochée quelque part ! »

Tomas me lança un regard amusé.

« Ce n'est rien d'autre qu'un vieux brochet ! » dit-il avec une nuance d'impatience.

« S'il te plaît, Tomas », dis-je dans un souffle. « Si je la laisse retomber, il filera. Essaie de la dégager, toi, s'il te plaît. »

Tomas haussa les épaules et ôta sa veste et sa chemise qu'il étala soigneusement sur un buisson.

« Je ne veux pas tacher de boue mon uniforme », expliqua-t-il d'une voix douce.

Mes bras tremblaient sous l'effort pendant que je maintenais la perche pour permettre à Tomas de chercher la cause de l'ennui.

« C'est un nœud de racines enchevêtrées », cria-t-il. « Une partie du cageot semble sortie du grillage et s'est coincée dans les racines. Elle est bien coincée. »

« Peux-tu l'atteindre ? » demandai-je.

Il eut un haussement d'épaules. « Je vais essayer. » Il ôta son pantalon et le pendit à côté du reste de son uniforme, puis il déposa ses bottes sur la berge. Je le vis frissonner en entrant dans l'eau qui était profonde à cet endroit-là. Je l'entendis murmurer un juron de façon comique.

« Je dois être complètement dingue », dit Tomas. « Je crève de froid là-dedans ! » L'eau brunâtre et luisante atteignait ses épaules. La Loire se divisait à cet endroit-là et le courant, je m'en souviens, était assez violent pour dessiner autour de son corps de petits festons d'écume blanche.

« Peux-tu l'atteindre ? » lui criai-je. L'effort me brûlait les bras et mes tempes battaient follement. Je sentais toujours le brochet — encore à moitié dans l'eau — donner de violents coups de queue contre les parois des cageots.

« C'est en dessous », l'entendis-je expliquer. « Juste au-dessous de la surface, je crois. » Il plongea un moment en faisant jaillir l'eau et remonta comme une loutre toute ruisselante. « Mais un peu plus profond ! » Je tirai de toutes mes forces. Mes tempes éclataient. J'aurais pu crier de douleur et de frustration. Cinq, dix secondes… J'étais au bord de l'évanouissement. Des fleurs rouges et noires venaient éclater contre mes paupières. Et toujours ma prière : « *S'il te plaît, oh, s'il te plaît, Tomas ! Je te jure ! S'il te plaît, Tomas. Toi seul et pour toujours !* »

Alors, sans que je m'y attendisse, les cageots se dégagèrent. J'escaladai le talus malgré mes glissades. Je lâchai presque la perche dans mon élan. La nasse libérée suivit par bonds derrière moi. Les yeux voilés de larmes et un goût de métal dans la gorge, je la traînai jusqu'à un endroit sûr de la berge en m'enfonçant des éclats de bois sous les ongles et dans le creux des mains déjà couvertes d'ampoules. J'arrachai le grillage qui m'écorcha les mains, certaine que le brochet s'était échappé. Quelque chose fouettait les parois des cageots — Flac-flac-flac ! C'était le claquement féroce d'un gant de toilette contre un évier émaillé : « Regarde-moi ta figure, Boise, tu devrais avoir honte ! Approche un peu, c'est moi qui vais faire cela. » Je me souvins soudain de ma mère et de la façon dont elle nous étrillait quand nous refusions de nous laver. Elle nous frottait jusqu'au sang.

Flac-flac-flac. Le bruit s'affaiblissait maintenant, il était moins fréquent, mais je savais qu'un poisson peut vivre hors de l'eau des minutes entières, peut avoir des soubresauts pendant une bonne demi-heure après avoir été sorti de l'eau. À travers les lattes de bois, dans l'obscurité des cageots, j'apercevais une forme énorme, sombre, à la peau huileuse et, de temps à autre, un œil luisant comme une bille et qui roulait en me regardant dans un rayon de soleil. Je crus mourir de joie.

« Génitrix », murmurai-je, la voix enrouée. « Génitrix, je voudrais… je voudrais qu'il reste ici. Fais que Tomas ne parte pas. » Je murmurai cela très rapidement pour que Tomas n'entendît pas ce que je disais et, comme je ne le voyais pas remonter tout de suite sur la berge, je recommençai, au cas où le vieux brochet ne m'eût pas entendue la première fois. « Fais que Tomas ne parte pas, qu'il reste ici pour toujours ! »

Le brochet donnait des coups de queue et se débattait. Je distinguais la forme de sa gueule maintenant, une sinistre mâchoire tombante toute hérissée d'hameçons, tout ce qui restait des tentatives pour le capturer. J'étais remplie d'effroi devant sa taille, de fierté devant ma victoire, d'un soulagement fou aussi qui me submergeait maintenant. C'était fini. Le cauchemar, qui avait commencé avec l'histoire de Jeannette et du serpent d'eau, les oranges et la descente de Maman dans un abîme de démence, tout prenait fin ici, au bord de la rivière, avec cette fille aux pieds nus, à la jupe couverte de boue, aux cheveux courts, plâtrés d'argile et dont le visage resplendissait, avec ces cageots, ce poisson, avec cet homme, si jeune sans son uniforme qu'il ressemblait à un adolescent et dont les cheveux ruisselaient d'eau. Je jetai autour de moi un regard d'impatience.

« Tomas ! Viens. Regarde-moi ça ! »

Aucune réponse, seul le chuintement de la rivière qui clapotait dans les creux boueux de la rive. Je me levai pour aller jeter un coup d'œil.

« Tomas ! »

Mais, de Tomas, il n'y avait aucune trace. Là où il avait disparu, l'eau avait la couleur et l'aspect d'un café au lait, une surface sans rides que crevaient seulement quelques bulles.

« Tomas ! »

J'aurais peut-être dû être prise de panique à ce moment-là. Si j'avais réagi immédiatement, je l'aurais peut-être repêché à temps, j'aurais peut-être évité l'inévitable. C'est ce que je me répète, maintenant. Mais j'étais encore ivre de ma victoire, mes jambes tremblaient encore de l'effort que j'avais fait et de fatigue, je me souvenais des centaines de fois où Cassis et lui avaient joué à ce jeu-là : plongeant au plus profond de l'eau pour nous laisser croire qu'ils s'étaient noyés, se cachant dans des creux sous la sablière puis réapparaissant à la surface, les yeux rougis pour éclater de rire pendant que Reinette poussait des hurlements de terreur. Dans les cageots, Génitrix agitait violemment la queue d'un air despotique. Je m'approchai de deux pas encore.

« Tomas ? »

Toujours rien. Clouée sur place, je vécus un instant d'infini. Je murmurai : « Tomas ? »

L'onde soyeuse de la Loire chuintait toujours à mes pieds. Dans les cageots, les coups de queue de Génitrix s'étaient épuisés. Les longues racines jaunes plongeaient le long de la rive leurs doigts de sorcière. Et soudain, la vérité m'atterra.

Mon vœu avait été exaucé.

Lorsque deux heures plus tard Cassis et Reine me découvrirent, j'étais étendue au bord de la rivière, les yeux secs, une main crispée sur les bottes de Tomas et l'autre sur des cageots cassés où reposait le cadavre d'un gros poisson qui avait déjà commencé à sentir.

XIII

Nous étions très jeunes encore. Nous ne savions que faire. Nous avions peur. Cassis plus que nous sans doute car, étant plus âgé, il comprenait mieux ce qui se passerait si quelqu'un établissait jamais un lien entre nous et la mort de Tomas. Ce fut lui qui plongea et dégagea Tomas de dessous le surplomb de la rivière en libérant sa cheville coincée dans une racine. Ce fut lui aussi qui ôta le reste de ses vêtements et en fit un paquet qu'il attacha avec sa ceinture. Il pleurait. Pourtant, ce jour-là, il avait montré une dureté que nous ne lui avions jamais connue. Ce jour-là, pensai-je plus tard, il avait utilisé le courage de toute une vie. Peut-être était-ce la raison pour laquelle, par la suite, il se réfugia dans le monde sans souvenirs de l'alcool. Reine était totalement incapable de faire quoi que ce soit. Elle passa tout son temps, assise sur la berge, à pleurer. Son visage était couperosé. Elle était presque laide. Ce n'est que lorsque Cassis la secoua et lui fit promettre — *promettre* — de ne rien dire qu'elle réagit, hochant la tête, sans paraître vraiment comprendre, au milieu de larmes et de sanglots. « *Tomas. Oh, Tomas !* » C'est pour cela, sans doute, que, malgré tout, je ne parvins jamais à détester vraiment Cassis. Ce jour-là, il m'accorda son soutien, après tout. Personne d'autre ne fit jamais plus pour moi. Jusqu'à maintenant, je veux dire.

« Il faut que vous compreniez bien ceci. » Sa voix d'adolescent, altérée par la peur, ressemblait encore de façon curieuse à celle de Tomas. « S'ils apprennent nos histoires, ils penseront que c'est nous qui l'avons tué et ils nous fusilleront. » Reine le regardait, les yeux agrandis de peur. Moi, je contemplais la rivière, en proie à une sorte d'indifférence étrange, comme si cela ne me regardait pas. Personne ne me fusillerait, *moi* ! J'avais attrapé Géni-trix, moi ! Cassis, d'un coup sec sur le bras, rappela mon attention. Il avait l'air malade mais résolu.

« Boise, tu m'écoutes ? »

Je fis oui de la tête.

« Il faut que l'on s'arrange pour que quelqu'un d'autre paraisse responsable », dit Cassis. « La Résistance ou quelqu'un d'autre. S'ils pensent qu'il s'est simplement noyé… » Il s'arrêta et jeta un coup d'œil à la rivière. « S'ils apprennent qu'il avait l'habitude de venir *se baigner* avec nous, ils pourraient poser des questions aux autres, à Hauer et au reste, et… » Cassis avala convulsivement sa salive. Il n'avait pas besoin d'en dire plus. Nous échangeâ-mes un regard.

« Il faut que cela ait l'air… », il me jeta un coup d'œil presque suppliant, « tu sais, d'une exécution. »

Je fis signe de la tête que j'avais compris. « Je m'en charge », dis-je.

Il nous fallut un certain temps pour comprendre comment se servir d'un revolver. Il y avait un cran de sécurité que nous enlevâmes. Le revolver était lourd et sentait la graisse. La question ensuite fut de décider où tirer. Moi, j'étais pour le cœur, Cassis pour la tête. Un seul coup suffi-rait, dit-il, juste là, à la tempe, de façon que cela ait l'air d'un règlement de comptes de la Résistance. Pour que cela ait l'air plus authentique, nous lui attachâmes les mains avec de la ficelle. Nous étouffâmes avec sa veste le bruit de la détonation. Pourtant son bruit sourd, avec cet écho particulier qui semblait ne jamais vouloir s'arrêter, pour nous emplit le monde entier.

Mon chagrin s'était retiré en profondeur, bien trop profond pour que j'en ressentisse autre chose qu'une sorte d'engourdissement permanent de mes émotions. Mon âme était comme la rivière, lisse et luisante à la sur-face, glacée en profondeur. Nous traînâmes le corps de Tomas jusqu'à la berge et nous le poussâmes dans l'eau. Sans ses vêtements et sans plaque d'identité, nous savions qu'il serait impossible de l'identifier. Dès demain, pensions-nous, le courant l'aurait entraîné jusqu'à Angers.

« Mais que faire de ses vêtements ? » Un cerne bleuâtre apparaissait autour des lèvres de Cassis mais sa voix était toujours ferme. « On ne peut pas risquer de les jeter à la rivière. Quelqu'un pourrait les retrouver et deviner. »

« On pourrait les brûler », suggérai-je.

Cassis secoua la tête. « Ça ferait trop de fumée », dit-il brusquement. « D'ailleurs, le revolver, le ceinturon ou la plaque d'identité ne brûleraient pas. » Je haussai les épaules d'un air indifférent. Dans mon esprit, je revoyais sans cesse l'image de Tomas tombant doucement dans la rivière, comme un enfant épuisé se laisse doucement tomber dans son lit. J'eus alors une idée.

« Le trou du Morlock », suggérai-je.

Cassis approuva d'un signe de tête.

« D'accord », dit-il.

XIV

Le puits n'a pas changé depuis cette époque-là mais on l'a bouché avec une plaque de ciment pour que des enfants n'y tombent pas. Et puis, bien sûr, il y a l'eau courante maintenant. Quand ma mère vivait, le puits était notre seule source d'eau potable à part le trop-plein des gouttières dont nous nous servions essentiellement pour l'arrosage. C'était une grande tour cylindrique de cinq pieds de haut faite de briques, avec une pompe pour tirer l'eau. Il était fermé par un couvercle de bois, maintenu par un cadenas pour éviter les accidents et la contamination. Parfois, quand il avait fait très sec, l'eau du puits était jaunâtre et saumâtre mais, la plupart du temps, elle était excellente. Après avoir lu *La Machine à remonter le temps*, Cassis et moi étions passés par une phase pendant laquelle nous jouions à Morlock et Eloi autour du puits dont la sévère et lugubre solidité me rappelait les trous sombres dans lesquels les créatures avaient disparu. Le trou du Morlock.

Nous attendîmes presque la tombée de la nuit avant de rentrer à la maison. Nous emportâmes le paquet des vêtements de Tomas et nous le dissimulâmes dans un gros buisson de lavande au fond du jardin. Nous ramenâmes aussi le rouleau de magazines — Cassis lui-même avait perdu tout désir de l'ouvrir, après ce qui s'était passé. L'un de nous devrait trouver une excuse pour sortir, dit Cassis — ce qu'il voulait dire vraiment c'est que moi, je devrais en trouver une —, sortir reprendre le paquet de vêtements et le jeter dans le puits. La clef du cadenas pendait derrière la porte avec toutes les autres clefs de la maison — avec une étiquette disant « Puits », telle était la passion de ma Mère pour l'ordre ! Il était simple de l'y prendre et de la remettre sans qu'elle s'en aperçût. Et après ça, ajouta Cassis avec cette dureté à laquelle nous n'étions pas habituées dans le ton de sa voix, le reste était notre responsabilité. Nous n'avions jamais rencontré, jamais entendu parler d'un Tomas Leibniz. Nous n'avions jamais adressé la parole aux soldats allemands. Hauer et les autres se tairaient s'il était dans leur intérêt de le faire. La meilleure chose à faire pour nous était d'avoir l'air stupide et de ne rien dire du tout.

XV

Ce fut plus facile que nous ne l'avions imaginé. Maman était en proie à une de ses crises. Elle était bien trop occupée par ses propres souffrances pour remarquer notre pâleur et nos yeux cernés. Elle entraîna immédiatement Reine dans la salle de bains disant qu'elle pouvait encore sentir l'orange sur sa peau. Elle lui frotta les mains avec du camphre et la pierre ponce jusqu'à ce que Reinette se mette à hurler et à l'implorer de cesser. Vingt minutes après, elles réapparurent. Reine avait les cheveux enveloppés dans une serviette de toilette et dégageait une forte odeur de camphre. Ma mère, morose, avait les lèvres pincées de colère rentrée. Il n'y eut pas de souper pour nous, ce soir-là.

« Préparez-le vous-mêmes si vous en voulez », nous conseilla-t-elle. « Vous n'avez pas honte de passer votre temps à courir les bois comme des romanichels, ou de vous donner en spectacle sur la place comme ça. » Elle en gémissait presque, portant une main à sa tempe de la façon dont elle le faisait autrefois. Il y eut un silence pendant lequel son regard se fixa sur nous comme si nous étions des étrangers pour elle, puis elle se réfugia dans son fauteuil à bascule au coin de la cheminée et se mit à tordre fébrilement son tricot tout en se balançant et en contemplant les flammes d'un air de colère.

« Ces oranges », murmura-t-elle à voix basse. « Pourquoi voudriez-vous rapporter des oranges à la maison ? Me haïssez-vous à ce point-là ? » Nous n'étions pas sûrs à qui elle disait cela et personne n'osa lui répondre. Je ne suis pas certaine de ce que nous aurions dit de toute façon.

À dix heures, elle se retira dans sa chambre. Il était déjà tard pour nous mais Maman, qui semblait souvent perdre toute notion du temps pendant ses crises, ne dit rien. Nous nous attardâmes dans la cuisine pendant quelque temps, en l'écoutant se préparer à se coucher. Cassis alla à la cave chercher quelque chose à manger et revint avec une tranche de rillettes enveloppée dans du papier et une moitié de pain. Nous n'avions guère d'appétit et pourtant nous mangeâmes. Je pense que c'était sans doute pour éviter d'avoir à parler.

Cet acte, l'acte terrible dont nous étions tous les trois complices et qui demeurait suspendu au-dessus de nous comme un épouvantable fruit, nous l'avions commis. Ce corps, cette peau blanche de Nordique qui, à travers le feuillage, prenait des teintes bleuâtres dans les taches de lumière, ce visage détourné lorsqu'il avait mollement roulé dans l'eau comme un enfant endormi, nous l'avions contemplé. D'un coup de pied, nous avions couvert de feuilles cette énorme plaie béante à l'arrière de sa tête — étrange que le trou fait par une balle soit si petit et si net au point d'entrée ! Nous l'avions vu lentement disparaître dans l'eau, avec une gerbe d'éclaboussures. Mon chagrin s'effaçait pour faire place à une rage amère. Tu m'as trompée, pensais-je. Tu m'as trompée, trompée.

Cassis rompit le premier le silence. « Tu devrais le faire, tu sais, le faire maintenant. »

Je le regardai avec haine.

« Tu devrais », insista-t-il. « Avant qu'il ne soit trop tard. »

Reine nous regardait tous deux avec ses grands yeux suppliants de génisse.

« D'accord », dis-je d'une voix blanche. « J'y vais. »

Quand ce fut fini, je retournai encore une fois à la rivière. Je ne sais pas exactement ce que j'espérais y trouver... peut-être le fantôme de Tomas Leibniz, appuyé au Poste de Guet et fumant une cigarette. Mais l'endroit était étrangement banal, sans même ce silence inquiétant auquel on pourrait s'attendre après quelque chose d'aussi terrible. Des grenouilles coassaient. Le courant susurrait doucement au creux de la rive. Dans la lumière grise et froide de la lune, le brochet mort me fixait de son œil rond comme une bille, la gueule baveuse et déchiquetée. Je ne pouvais chasser de mon esprit l'idée qu'il n'était pas mort, qu'il pouvait entendre chaque parole prononcée, qu'il écoutait.

« Je te hais », lançai-je à Génitrix.

Il me fixait toujours de son œil glacé plein de mépris. Sa mâchoire cruelle était hérissée d'hameçons perdus, abandonnés, et dont certains, avec le temps, étaient incrustés dans la chair. Ils ressemblaient à des crocs étranges.

« Je t'aurais laissé partir », lui dis-je. « Tu savais bien ça. » Je m'allongeai dans l'herbe à côté du brochet, si près que nos têtes se touchaient presque. La puanteur du pois-

son se mêlait à l'humidité fétide qui montait de la terre.
« Tu m'as trompée », répétai-je.

Dans la faible lumière, le regard rusé du vieux brochet
semblait presque triomphant.

Je ne sais pas trop combien de temps je restai là ce
soir-là. Je crois m'être endormie un moment car, à mon
réveil, la lune était loin en aval. Les reflets de son crois-
sant pâle glissaient sur l'onde laiteuse et tranquille. Le
froid était vif. Je m'assis et frottai mes mains et mes pieds
tout engourdis puis je me relevai et saisis le cadavre du
brochet. Il était lourd et tout gluant de la vase de la
rivière. Des restes de vieux hameçons lui faisaient les
débris d'une carapace. Je le portai en silence jusqu'aux
Pierres Levées où, pendant tout l'été, j'avais cloué des
cadavres de serpents d'eau. Là, je le pendis par la
mâchoire inférieure à l'un des crochets. Sa chair était
dure et caoutchouteuse. Un instant, je ne fus pas certaine
que la peau se laisserait percer mais j'y réussis pourtant,
Génitrix, la gueule ouverte, pendait enfin au-dessus de
l'eau où les peaux de serpent qui lui faisaient une sorte de
jupe frissonnaient sous la brise.

« Au moins, je t'ai eu », murmurai-je.

Au moins, je t'ai eu.

XVI

Le premier coup de téléphone fut presque un échec.

La femme travaillait tard — il était déjà cinq heures
dix —, elle avait oublié d'allumer son répondeur automa-
tique. À sa voix, je devinai qu'elle était jeune et qu'elle
s'ennuyait. Mon cœur se serra en l'entendant. Je lui passai
rapidement mon message mais mes lèvres me paraissaient
étrangement engourdies. J'aurais aimé une femme plus
âgée, quelqu'un qui se souvînt de la guerre, qui pût avoir
entendu le nom de ma mère. Un instant, je crus qu'elle
allait raccrocher et me dire que cette vieille histoire-là

était du passé maintenant, que personne ne s'y intéressait plus de nos jours.

Je l'entendais presque déjà me dire cela. J'allongeai la main pour terminer la conversation.

« Madame ? madame ? Ne quittez pas. Êtes-vous toujours à l'appareil ? » demanda-t-elle d'un ton plein d'excitation.

Je répondis avec effort : « Oui. »

« Vous avez bien dit : Mirabelle Dartigen ? »

« Oui, je suis Framboise, sa fille. »

« Ne quittez pas, je vous en prie. Ne quittez pas. »

Derrière cette façade de savoir-faire professionnel, elle était tout oreilles maintenant et toute trace d'ennui avait disparu de sa voix. « S'il vous plaît, ne quittez pas surtout. »

XVII

Je m'étais attendue à un article, une manchette dans un journal au plus, avec une ou deux photos peut-être. Au lieu de cela on me parlait de droits d'adaptation cinématographique, de droits de publication à l'étranger, d'un roman. Mais je ne pourrais jamais écrire un livre, protestai-je, glacée d'horreur. Je sais lire, ça c'est sûr, mais écrire, c'est autre chose. Et à mon âge aussi ? Cela n'a pas d'importance, me rassurait-on. Ce sera écrit par un être invisible, un fantôme quoi.

Un fantôme… J'en eus un frisson.

Au début, je croyais que je me vengeais de Laure et de Yannick, pour les priver de leur petit moment de gloire, mais ce n'était plus pour cela maintenant. Comme le disait Tomas, il y a plus d'une manière de se défendre. D'ailleurs, je les plains plutôt maintenant. J'ai reçu plusieurs lettres de plus en plus pressantes de Yannick. En ce moment, il est à Paris. Laure demande le divorce. Elle ne m'a pas écrit. Pourtant, bien malgré moi, ils me font pitié tous les deux. Après tout, ils n'ont pas d'enfants. Ils n'ont aucune idée de la différence que cela fait entre eux et moi.

Mon second coup de téléphone fut à Pistache. Elle répondit presque immédiatement, comme si elle avait deviné mon appel. Elle avait l'air calme et distante. J'entendais, en bruit de fond, les aboiements du chien et les cris de Prune et de Ricot qui jouaient.

« Bien sûr, je vais venir », dit-elle avec gentillesse. « Jean-Marc peut très bien s'occuper des gosses pendant quelques jours. » Pistache, ma douce Pistache, si patiente, si peu exigeante. Comment pourrait-elle savoir ce que c'est que d'avoir cette chose dure comme de l'acier à l'intérieur de sa poitrine ? Elle ne l'a jamais eue. Elle peut m'aimer, elle peut même me pardonner, mais elle ne pourra jamais vraiment comprendre. Peut-être cela vaut-il mieux pour elle.

Le dernier coup de téléphone fut intercontinental. Je laissai un message, écorchant cette langue impossible à prononcer, cet accent étrange. Ma voix était celle d'une vieille femme troublée. Je dus répéter plusieurs fois le message avant de me faire entendre au-dessus des bruits d'assiettes, des conversations et de la musique d'un juke-box en arrière-plan. J'espérais que cela serait suffisant.

XVIII

Tout le monde est au courant de la suite des événements. Moins de vingt-quatre heures après ce qui s'était passé aux Laveuses, le corps de Tomas fut découvert et pas du tout près d'Angers. Au lieu d'être entraîné au loin par le courant, il avait été rejeté sur un banc de sable à cinq cents mètres du village et découvert par le même groupe d'Allemands qui avait trouvé sa moto camouflée dans les buissons au-dessous de la route près des Pierres Levées. Paul nous raconta que des bruits couraient au village qu'un groupe de la Résistance avait tué un garde allemand qui les avait surpris dehors après le couvre-feu, qu'un tireur communiste l'avait descendu pour lui prendre ses papiers, qu'il avait été exécuté par ses propres compatriotes quand ils s'étaient rendu compte qu'il avait vendu au marché noir des fournitures de l'armée. Soudain, le village grouillait d'Allemands en uniforme gris et noir. Ils allaient de maison en maison faire des perquisitions.

Leur visite chez nous n'était que de pure forme. Après tout, il n'y avait pas d'homme ici, simplement une femme malade avec un groupe de gosses. C'est moi qui leur ouvris la porte quand ils vinrent et je les fis entrer. Ils semblaient plus intéressés par ce que nous savions de Raphaël Crespin que par toute autre chose. Paul nous raconta plus tard que, ce jour-là, dans la matinée, peut-être même pendant la nuit, Raphaël avait disparu, volatilisé, en emportant son argent et ses papiers. Cependant les Allemands avaient découvert dans le sous-sol de La Mauvaise Réputation assez d'armes et de munitions pour faire sauter plusieurs villages de la taille des Laveuses.

Ils vinrent deux fois chez nous et fouillèrent la maison du grenier à la cave. Puis, ils semblèrent abandonner tout intérêt pour la ferme. Avec un peu de surprise, je remarquai en passant que l'officier SS qui accompagnait le détachement était le type au visage rubicond et à l'air jovial qui avait apprécié nos fraises plus tôt cet été-là. Il avait toujours le visage rubicond et l'air jovial malgré l'objet de sa présence chez nous. Il ébouriffa mes cheveux négligemment en passant près de moi et s'assura que tout fût laissé bien en ordre après le départ des soldats.

Une annonce en français et en allemand fut placardée à la porte de l'église encourageant quiconque qui aurait des connaissances de l'affaire à donner des informations. Ma mère était enfermée dans sa chambre, elle souffrait d'une de ses migraines, dormait dans la journée et parlait toute seule la nuit.

Nous, nous avions du mal à dormir et nous faisions des cauchemars.

Quand finalement la chose arriva, ce fut dans une atmosphère de quasi-banalité après l'attente. Cela fut terminé avant même que nous n'en ayons entendu parler. Cela se passa à six heures, ce matin-là, contre le mur de l'église de Sainte-Bénédicte, près de la fontaine où, seulement deux jours plus tôt, Reinette avait été assise avec sa couronne d'avoine et avait jeté des fleurs à la foule.

Paul vint nous apprendre la nouvelle. Il était pâle, son visage était marbré, une énorme veine barrait son front. Il nous raconta la chose dans un bégaiement qui n'en finissait pas. Nous l'écoutions dans un silence épouvanté, incapables de réagir, nous demandant sans doute comment les choses avaient pu en arriver à ça, comment la minuscule graine que nous avions semée avait réussi à produire cette fleur monstrueuse et ensanglantée. Leurs noms résonnaient à mes oreilles comme des cailloux que l'on jette dans une eau profonde. Dix noms que, de ma vie entière, je ne pourrai oublier : Martin Dupré, Jean-Marie Dupré, Colette Gaudin, Philippe Hourias, Henri Lemaître, Julien Lanicen, Arthur Le Coz, Agnès Petit, François Ramondin, Auguste Truriand. Dix noms, comme le refrain dans ma mémoire d'une chanson qui continuera à me trotter dans la tête sans que je ne puisse jamais m'en débarrasser, dix noms qui me surprennent à mon réveil, accompagnent mes rêves de leur martèlement inexorable, et font contrepoint aux rythmes et aux mouvements de ma vie avec une implacable précision. Dix noms, pour les dix personnes qui avaient été présentes cette nuit-là à La Mauvaise Réputation.

Plus tard, nous crûmes comprendre que la disparition de Raphaël avait été le facteur décisif. La cache d'armes dans le sous-sol suggérait que le propriétaire avait des liens avec les groupes de résistants. Personne ne le savait vraiment. Peut-être le café tout entier était-il une façade, une simple couverture pour leurs activités. Peut-être la mort de Tomas avait-elle été un acte de vengeance après ce qui était arrivé au vieux Gustave quelques semaines auparavant. Peu importe ce que cela avait vraiment été, le village payait bien cher pour ce petit geste de rébellion. Comme des guêpes à la fin de l'été, les Allemands sentaient leur fin approcher et réagissaient avec la sauvagerie que donne l'instinct de préservation.

Martin Dupré, Jean-Marie Dupré, Colette Gaudin, Philippe Hourias, Henri Lemaître, Julien Lanicen, Arthur Le Coz, Agnès Petit, François Ramondin, Auguste Truriand. Je me demandais s'ils étaient tombés en silence, comme des silhouettes dans un rêve, ou s'ils avaient pleuré, plaidé, s'ils s'étaient entre-déchirés dans leurs efforts pour s'enfuir. Je me demandais si, après, on avait vérifié qu'ils étaient bien morts, si l'un bougeait peut-être encore et regardait ses bourreaux en face, si on l'avait finalement achevé d'un coup de crosse, si l'un des soldats n'avait pas retroussé une jupe souillée de sang pour exposer une jolie cuisse fine. Paul me dit que ce fut terminé en une seconde. On n'avait permis à personne d'être témoin de l'exécution et des soldats avec des fusils avaient pris position devant les volets clos. Je les imagine encore, derrière leurs volets, ces yeux rivés aux fissures et aux trous faits dans les nœuds de bois, ces bouches ouvertes à demi, stupides dans l'horreur, puis ces chuchotements, ces murmures, ces voix étouffées prononçant des mots dans l'espoir de pouvoir comprendre ce qui se passait.

« Ils arrivent ! » Les deux Dupré. Et Colette, Colette Gaudin. Philippe Hourias, Henri Lemaître — lui, qui ne ferait pas de mal à une mouche. Le vieux Julien Lanicen qui n'est guère sobre plus de dix minutes par jour. Arthur Le Coz. Et Agnès, Agnès Petit. Et François Ramondin. Et Auguste Truriand.

De l'église où la première messe est en train de commencer s'élève un bruit de voix. Un hymne à la moisson. À l'extérieur, devant le portail fermé, deux soldats montent la garde avec l'air maussade de gens qui s'ennuient. Le père Froment prononce les mots d'une voix bêlante, les paroissiens marmonnent leurs réponses. Il n'y a que quelques douzaines de personnes aujourd'hui. Leurs visages sont durs et accusateurs car la rumeur court que le prêtre a promis coopération aux Allemands. L'harmonium désaccordé se déchaîne à pleine puissance et pourtant ne réussit pas à dominer l'éclat étouffé des balles qui crépitent contre les vieilles pierres du mur ouest de l'église. Il restera enfoncé dans le cœur de chaque fidèle comme un vieil hameçon noyé dans la chair par le temps, nul ne pourra jamais le retirer. Au fond de l'église, une voix entonne *La Marseillaise* mais, dans le silence, soudain les mots semblent trop sonores comme les paroles d'un ivrogne, et le chanteur s'arrête, gêné.

Je vois tout cela plus clairement dans mes rêves que dans des souvenirs. Je contemple leur visage. J'entends leurs voix. Je découvre le passage brutal de la vie à la mort, cette seconde atroce. Et pourtant mon chagrin s'est retiré trop profond en moi pour que je le sente et lorsque je m'éveille, le visage ruisselant de larmes, c'est avec une étrange impression de surprise, presque d'indifférence. Tomas n'est plus là. Rien d'autre n'a plus d'importance.

Nous étions traumatisés, je suppose. Nous n'en parlions pas entre nous. Nous nous dispersions. Reinette restait allongée pendant des heures, sur son lit, dans sa chambre, elle regardait ses photos de films. Cassis se perdait dans ses livres, il me paraissait adulte et vieux maintenant, comme si quelque chose en lui s'était affaissé. Moi, je disparaissais dans les bois ou à la rivière. Nous ne faisions que peu attention aux activités de notre mère à cette époque-là et pourtant ses crises continuaient comme auparavant et duraient plus longtemps que les pires dont elle avait souffert pendant l'été. Mais nous avions depuis oublié la peur que nous avions d'elle. Même Reinette en oubliait de tressaillir devant ses colères. Nous avions commis un crime, après tout. Après cela, de quoi aurions-nous eu peur ?

Ma haine n'avait pas encore d'objet. Ma colère, elle, en avait — Génitrix était cloué à la pierre et ne pouvait donc pas être coupable de la mort de Tomas. Pourtant, je le sentais remuer, observer, comme l'œil d'une caméra miniaturisée qui tourne dans l'obscurité et filme tout en

détail. Quand, après une autre nuit blanche, ma mère
sortit enfin de sa chambre, elle était blafarde, usée,
désespérée. À sa vue, ma haine prit corps et se concentra
jusqu'à permettre cette étincelle exquise qu'amène la
compréhension soudaine.

C'est toi, oui, c'est toi.

Elle me dévisagea comme si elle m'avait entendue.
« Boise ? » Sa voix tremblait, fragile, vulnérable.

Je me détournai d'elle, la haine m'avait fêlé le cœur.

XIX

Ensuite, ce fut l'eau. L'eau du puits qui d'habitude était
claire et pure, cette semaine-là, devint brunâtre comme si
l'on y avait mis de la tourbe. Elle avait un goût bizarre, un
goût amer de brûlé, comme si des feuilles mortes y avaient
été jetées. Pendant un jour ou deux, nous n'y fîmes guère
attention mais le goût semblait empirer. Même ma mère
dont la crise touchait heureusement à sa fin s'en aperçut.

« Quelque chose est peut-être tombé dans l'eau », sug-
géra-t-elle.

Affectant une indifférence stoïque, nous attendîmes
qu'elle découvrît ce que nous avions fait.

◎◎

« Elle ne peut rien prouver », s'exclama Cassis d'un air
désespéré. « Elle ne peut rien *savoir.* » Reine gémit et dit
d'un ton larmoyant : « Elle trouvera, c'est sûr ! Elle trouvera tout et, alors, elle saura. » Cassis se mordit le poing,
dans un accès de violence sauvage, pour s'empêcher de
hurler.

« Pourquoi ne nous as-tu pas dit qu'il y avait du café
dans ce paquet ? » demanda-t-il avec un petit gémissement
« Ne peux-tu penser à rien ? »

J'eus un haussement d'épaules. De nous trois, j'étais la seule à garder mon sang-froid.

∞

Nous ne fûmes jamais découverts. Quand Maman revint du puits, elle portait à la main un seau plein de feuilles mortes. Elle annonça que l'eau était de nouveau claire.

« Il s'agit vraisemblablement de sédiments apportés par la crue », dit-elle d'un ton presque enjoué. « Et quand le niveau de la rivière baissera, l'eau retrouvera sa pureté. Vous verrez ! »

Elle remit le cadenas au couvercle du puits et commença à porter la clef à sa ceinture. Nous n'eûmes plus l'occasion de vérifier l'état du puits.

« Le paquet a dû couler au fond », déclara, enfin Cassis. « Il était lourd, n'est-ce pas ? Elle ne pourra même pas le voir à moins que le puits ne soit à sec. » Nous savions tous qu'il y avait peu de chance que cela n'arrive. Avant l'été le contenu du paquet serait réduit en un amas de boue au fond du puits.

« Nous sommes sauvés », dit Cassis avec un soupir de soulagement.

XX

« *Recette pour liqueur de crème de framboise.*

» *Je les ai reconnus au premier coup d'œil. Au début, j'ai cru que cela n'était qu'un monceau de feuilles et je l'ai retiré avec une perche pour nettoyer l'eau. Nettoyer les framboises et essuyer les barbes. Faire tremper dans de l'eau chaude pendant une demi-heure. Et puis, j'ai vu que c'était un paquet de vêtements attachés par une ceinture. Je n'ai pas eu besoin d'en faire les poches pour savoir immédiatement. Égoutter les fruits et en mettre assez pour couvrir le fond d'un grand bocal. Couvrir d'une couche de sucre de la même ébaisseur que la couche de fruits. Continuer jusqu'à ce que les couches de fruits et les couches de sucre atteignent la moitié du bocal. Au début, j'étais incapable de penser. J'ai dit aux enfants que j'avais curé le puits. Je n'arrivais pas à penser. Couvrir les fruits et le sucre de cognac en prenant soin de ne pas déranger les couches de fruits et de sucre puis remplir le bocal. Laisser reposer pendant dix-huit mois environ. »*

L'écriture est régulière et toute petite avec les étranges caractères qu'elle utilise quand elle veut que ce qu'elle écrit demeure secret. Je peux presque entendre sa voix, la légère nasalisation de ses voyelles, la terrible évidence de sa conclusion.

« C'est moi qui ai dû faire cela. J'ai si souvent rêvé d'actes violents. Cette fois-ci, j'ai dû en commettre un pour de bon. Ses vêtements dans le puits, ses plaques d'identité dans sa poche. Il a dû revenir et je l'ai fait. J'ai tiré, je l'ai déshabillé et j'ai jeté le corps dans la rivière. Je peux presque m'en souvenir mais pas très clairement, comme dans un rêve. De nos jours, tant de choses me paraissent des rêves. Pourrais pas dire que je regrette. Après ce qu'il m'a fait à moi, ce qu'il a fait, ce qu'il leur a permis de faire à Reine, à moi, aux enfants, à moi. »

À cet endroit-là, les mots deviennent illisibles. La terreur semble s'être emparée de la plume et l'avoir entraînée dans un griffonnage désespéré d'arabesques en travers de la page mais elle se reprend presque aussitôt.

« Je dois penser aux enfants. Je ne crois pas qu'ils soient en sécurité maintenant. Il se servait d'eux tout le temps et moi, tout le temps, je croyais que c'était à moi qu'il s'intéressait alors que c'était aux enfants. Me faisant des gentillesses pour pouvoir les utiliser davantage. Ces lettres. Ces mots de mépris, c'est ce qu'il a fallu pour m'ouvrir les yeux. Que faisaient-ils à la Rép ? Qu'avait-il mijoté d'autre pour eux après cela ? Peut-être ce qui est arrivé à Reine est-il une bonne

chose. Au moins, cela aura gâché ses machinations. Les cho-
ses ont fini par tourner mal pour lui. Quelqu'un est mort.
Cela ne faisait pas partie de ses plans. Les autres Allemands
n'étaient jamais vraiment dans le coup. Il se servait d'eux
aussi pour endosser la responsabilité si cela devait en arriver
à être su. Et maintenant, ce sont mes enfants. »

Le griffonnage furieux recommence.

« Si seulement je pouvais me souvenir. Que m'a-t-il offert
cette fois pour acheter mon silence ? D'autres pilules ? Pen-
sait-il vraiment que je pourrais dormir en sachant quel avait
été leur prix ? Peut-être a-t-il souri et caressé mon visage de ce
geste qu'il faisait si bien, comme si rien n'avait changé entre
nous ? Peut-être était-ce cela qui avait provoqué ma
réaction ? »

L'écriture est lisible mais irrégulière, domptée par un
énorme effort de sa volonté.

« Il y a toujours un prix à tout. Mais, pas mes enfants.
Que ce soit quelqu'un d'autre. N'importe qui. Tout le village
s'il le faut. C'est ce que je pense quand je vois leur visage
dans mes rêves. Je pense que je l'ai fait pour mes enfants. Je
pourrais les envoyer chez Juliette pendant quelque temps. Je
pourrais fermer l'affaire ici, puis les reprendre après la guerre.
Ils seraient à l'abri là-bas. À l'abri de ce que je pourrais leur
faire. Les éloigner tous les trois, ma douce Reine, Cassis,
Boise. Surtout ma petite Boise. Que puis-je faire d'autre ?
Quand cela prendra-t-il fin ? »

Elle s'interrompit à cet endroit-là. Suit une recette
écrite soigneusement à l'encre rouge pour un ragoût de
lapin qui sépare ceci du dernier paragraphe qui est écrit
d'une couleur différente, d'une écriture différente
comme si elle y avait réfléchi longuement.

« *Tout est arrangé. Je les enverrai chez Juliette. Ils y seront en lieu sûr. J'inventerai une histoire pour satisfaire les mauvaises langues. Je ne peux pas, tout d'un coup, abandonner la ferme, les arbres ont besoin de mes soins pour passer l'hiver. Belle Yolande est une fois encore attaquée par des champignons. Il va falloir que je m'occupe de ça. D'ailleurs, ils seront plus en sûreté sans moi. Je sais ça, maintenant.* »

Je peux bien imaginer ce qu'elle a dû éprouver : peur, remords, désespoir, terreur à l'idée qu'elle devenait folle, que ses crises avaient finalement ouvert une porte cauchemardesque entre le monde de ses phantasmes et la réalité et que cela représentait un danger pour tout ce qu'elle aimait. Sa ténacité lui permit de tenir le coup à tout, cette obstination qui est aussi la mienne, cet instinct de préservation pour tout ce qui lui appartenait, même si cela devait la tuer.

Non, je ne me rendis jamais compte de ce qu'elle endurait. J'avais mes cauchemars à moi. Et pourtant j'avais commencé à entendre les rumeurs qui venaient du village, ces rumeurs qui grandissaient et devenaient de plus en plus menaçantes et que, comme toujours, Maman ne démentait pas, ne remarquait même pas. Les graffitis sur le poulailler avaient ouvert les vannes à un petit filet de malveillances et de soupçons qui, après les exécutions contre le mur de l'église, s'était maintenant transformé en un flot rapide et public. Les gens vivent leur chagrin de façons différentes, les uns dans le silence, d'autres dans la colère, d'autres encore dans la méchanceté. Malgré ce que les historiens locaux peuvent en dire, il est bien rare que le chagrin fasse ressortir ce qu'il y a de meilleur dans une communauté, le village des Laveuses ne faisait pas exception à la règle. Chrétien et Murielle Dupré, d'abord muets de douleur à la mort de leurs deux fils, se retournèrent l'un contre l'autre, elle, acariâtre et cruelle, et lui, grincheux comme un ours mal léché. Ils se dévisagèrent agressivement par-dessus les bancs d'église. Elle, dont l'œil révélait une nouvelle meurtrissure, avait tout près d'elle quelqu'un sur lequel assouvir sa haine. Le vieux Gaudin se retira dans sa carapace et se mit à hiberner. Isabelle Ramondin, qui dans ses meilleurs jours avait toujours été une méchante commère, devint toute douce et mielleuse. Elle regardait les gens de ses grands yeux aile de corbeau et la chair molle de son menton tremblait quand elle larmoyait. Je la soupçonne d'avoir été à l'origine de tout. À moins que cela ne fût Claude Petit qui n'avait jamais eu une seule bonne parole pour sa sœur lorsqu'elle vivait mais qui jouait maintenant au frère éploré, ou peut-être Martin Truriand qui allait hériter de l'affaire de son père maintenant que son frère était mort — quel que soit l'endroit, la mort semble toujours faire sortir les rats de leurs trous et, aux Laveuses, les rats étaient l'envie et l'hypocrisie, la fausse piété et la cupidité. Pendant trois jours, les gens semblèrent se regarder les uns les autres avec méfiance. Ils se retrouvaient en groupes de deux ou de trois et chuchotaient, puis se taisaient soudain à votre approche. Un moment, ils fondaient en larmes pour rien et, la seconde d'après, ils envoyaient leur poing dans la figure de leurs amis. Et petit à petit, même moi, je pris conscience du fait que les messes basses, les regards de travers, les murmures chargés d'insultes étaient plus fréquents en notre présence, quand nous allions chercher le lait à la ferme des Hourias ou une boîte de clous chez le quincaillier. C'était chaque fois les mêmes regards, les mêmes murmures. Une fois, quelqu'un jeta une pierre à ma mère de derrière une étable, une autre fois, ce fut des mottes de terre lancées à notre porte après le couvre-feu. Les femmes nous tournaient le dos sans nous saluer. D'autres graffitis apparurent, cette fois, sur nos murs.

« PUTAIN DE NAZI », disait l'un, et un autre, sur le côté de la cabane à chèvres, disait : « NOS FRÈRES ET SŒURS SONT MORTS À CAUSE DE TOI. »

Ma mère traitait tout cela avec une indifférence pleine de mépris. Quand la ferme des Hourias cessa de le lui fournir, elle acheta son lait à Crécy. Elle posta son courrier à Angers. Personne ne lui adressait directement la parole mais, lorsque Francine Crespin lui cracha au visage, un dimanche matin, au sortir de la messe, Maman lui envoya en retour en pleine figure un crachat qui l'atteignit avec une vitesse et une précision remarquables.

Quant à nous, on nous ignorait. De temps en temps, Paul nous parlait encore mais seulement lorsqu'il n'y avait pas de témoins. Les adultes ne semblaient pas s'apercevoir de notre présence mais parfois quelqu'un, cette folle de Denise Lelac, nous glissait une pomme ou un bout de gâteau dans la poche en chuchotant d'une vieille voix éraillée : « Prends ça. Prends ça, pour l'amour de Dieu. Quel dommage que vous, les gosses, deviez être mêlés à une histoire comme ça », et elle s'enfuyait rapidement, balayant l'âcre poussière jaune de sa longue jupe noire et serrant son panier à provisions de ses doigts noueux.

Mais, dès le lundi, on racontait partout que Mirabelle Dartigen avait été une fille à Boches et que c'était la raison pour laquelle sa famille avait été épargnée. Dès le mardi, on se souvenait qu'un jour notre père avait exprimé une certaine sympathie pour les Allemands. Le mercredi soir — La Mauvaise Réputation était fermée depuis longtemps à ce moment-là et les gens étaient devenus rancuniers et violents à force de boire en solitaire — un groupe d'ivrognes vint crier des insultes devant nos volets fermés et y lancer des pierres. Nous étions dans notre chambre, toute lumière éteinte, nous écoutions en tremblant ces voix que l'on reconnaissait à moitié jusqu'à ce que Maman sortît pour les faire cesser. Ce soir-là, ils s'éloignèrent sans plus rien dire. Le lendemain soir, ce fut en protestant bruyamment. Et le vendredi arriva.

Nous les entendîmes venir juste après le repas du soir. Il avait fait gris, humide et lourd toute la journée comme si l'on avait jeté une vieille couverture en travers du ciel. Les gens avaient chaud. Ils étaient prêts à se quereller. La tombée de la nuit n'avait pas amélioré les choses. Une brume blanchâtre couvrait les champs. Au milieu, notre ferme émergeait comme une île. La brume faisait entrer son humidité sous les portes et autour des fenêtres. Nous avions soupé en silence, comme cela en était devenu l'habitude, et sans grand appétit. Pourtant, Maman avait fait un effort pour nous servir ce que nous aimions le mieux : du pain tout frais parsemé de graines de pavots, du beurre de Crécy, des rillettes, des tranches d'andouille du cochon de l'année précédente, des morceaux de boudin tout chaud cuit dans sa graisse, des galettes de blé noir dorées dans la poêle, légèrement croustillantes et parfumées comme des feuilles d'automne tombées sur nos assiettes. Maman, faisant un effort pour être enjouée, nous avait versé du cidre doux dans des bolées de terre cuite mais ne s'en était pas servi elle-même. Pendant tout le repas, je m'en souviens bien, elle avait gardé le sourire, un sourire douloureux, elle avait même parfois laissé échapper un éclat de rire forcé alors qu'aucun de nous n'avait dit quelque chose de drôle.

« J'ai pensé à quelque chose », nous dit-elle d'une voix à la fois métallique et ravie. « J'ai pensé que nous avions besoin de changer un peu d'air. » Nous la regardâmes sans enthousiasme. Dans la pièce régnait une forte odeur de graisse et de cidre.

« J'ai pensé que nous devrions rendre visite à Tante Juliette à Pierre-Buffière », continua-t-elle. « Vous aime-riez ça, là-bas. C'est à la montagne, dans le Limousin. Il y a des chèvres et des marmottes et… »

« On a déjà des chèvres ici », commentai-je d'une voix terne.

Maman poussa un de ces petits éclats de rire nerveux et sans joie. « J'aurais dû m'en douter que cela ne t'aurait pas plu ! » dit-elle.

Nos regards se croisèrent. « Tu veux que nous pre-nions la fuite », déclarai-je.

Pendant un instant, elle fit semblant de n'avoir pas entendu.

« Je sais que cela paraît bien loin », continua-t-elle avec une gaieté forcée. « Mais cela n'est pas vraiment si loin que ça et Tante Juliette sera si heureuse de nous voir tous. »

« Tu veux que nous nous enfuyions à cause de ce que les gens racontent », interrompis-je. « Que tu es une pute à nazi. »

Maman se mit à rougir. « Tu ne devrais pas écouter les médisances », lança-t-elle d'une voix sévère. « Cela n'amène jamais rien de bon. »

« Oh, alors, ce n'est pas vrai ? » demandai-je dans la seule intention de la gêner davantage. Je savais très bien que cela n'était pas vrai. Je ne pouvais imaginer que cela le fût. J'avais déjà vu des putains, moi. Elles étaient roses et bien en chair, jolies et douces, elles avaient de grands yeux vides et la bouche peinte comme les actrices de cinéma de Reinette. Les putains, ça riait, ça poussait des cris perçants, ça portait des talons hauts et des sacs à main de cuir. Mais Maman, elle, était vieille, laide et maussade et, même lorsqu'elle riait, son rire était quelque chose de désagréable.

« Bien sûr que non. » Ses yeux évitèrent les miens.

J'insistai : « Alors, pourquoi fuyons-nous ? »

Il y eut un silence. C'est alors que, soudain, nous l'entendîmes, ce cruel murmure de voix qui chuchotaient au portail, et au-dessus d'elles ce bruit de métal que l'on cogne et de coups de pied. Nous l'entendîmes avant que la première pierre n'atteignît les volets, ce bourdonnement des Laveuses en proie à ses petites mesquineries, à sa colère vengeresse, quand les êtres humains ne sont plus des hommes — plus des Gaudin ou des Le Coz, plus des Truriand, ni des Dupré ou des Ramondin — mais une armée.

Par la fenêtre, nous les aperçûmes assemblés, devant notre portail. Ils étaient vingt ou trente, plus peut-être, des hommes pour la plupart, mais des femmes aussi. Certains étaient munis de lampes ou de torches comme pour une tardive procession pour célébrer les moissons, d'autres avaient rempli leurs poches de cailloux. Comme nous les observions et que la lumière de notre cuisine éclairait toute la cour quelqu'un se tourna vers la fenêtre et lança une nouvelle pierre qui fit se fendre le vieil encadrement de bois et projeta des éclats de verre dans toute la pièce. C'était Guilherm Ramondin, l'homme à la jambe de bois. Je voyais son visage à la lumière rougeâtre et vacillante des torches. Je ressentais la violence de sa haine à travers les carreaux.

« *Garce !* » On reconnaissait à peine sa voix tellement elle semblait épaissie par quelque chose de plus puissant que l'alcool. « Allez, sors un peu, sale garce, avant qu'on n'entre chez toi pour te zigouiller ! » Une sorte de rugissement accompagnait ses paroles ponctuées de coups de pied, d'encouragements et d'une volée de graviers et de mottes de terre qui s'écrasèrent contre les volets à demi refermés.

Maman entrouvrit la fenêtre cassée et cria : « Rentre chez toi, Guilherm, pauvre imbécile, avant que tu ne t'écroules ivre-mort et qu'on doive te ramener chez toi ! » Des rires et des moqueries fusèrent de la foule. Guilherm agita furieusement la canne sur laquelle il s'était appuyé.

« T'es bien brave, toi, pour une pute à Boches ! » hurla-t-il. Sa voix semblait rauque et avinée, pourtant ses paroles étaient à peine déformées par l'alcool. « Qui donc a dénoncé Raphaël, hein ? Qui a vendu la mèche à propos de la Rép ? C'est bien toi, Mirabelle ? C'est toi qui as dit aux SS qu'on avait tué ton amant ? »

Maman cracha par la fenêtre dans leur direction. « Bien brave, hein ? » Sa voix monta haute et perçante. « C'est bien à toi de parler de bravoure, Guilherm Ramondin ! Il en faut du courage pour venir quand on est saoul brailler à la porte d'une honnête femme et effrayer ses gosses ! Il en faut du courage, hein, pour réussir à se faire renvoyer au village la première semaine de la guerre pendant que mon mari, lui, se faisait tuer au front. »

À ces mots, Guilherm rugit de fureur. Derrière lui, la foule enrouée en fit autant. Une autre volée de cailloux et de mottes crépita contre la fenêtre et des mottes de terre s'écrasèrent partout sur le plancher de la cuisine.

« Sale garce ! » Ils étaient entrés maintenant en soulevant le portail et le poussant sans mal sur ses gonds rouillés. Notre vieux chien poussa un aboiement, puis un deuxième, puis se tut après un bref glapissement. « Tu crois vraiment que l'on ne sait rien ? Tu crois vraiment que Raphaël ne nous a rien raconté ? » Sa voix triomphante s'élevait, haineuse, au-dessus des autres. Dans l'obscurité roussâtre, sous la fenêtre, je voyais se refléter les lueurs du feu dans ses yeux comme dans une mosaïque d'éclats de verre. « On sait bien que tu faisais des affaires avec eux, Mirabelle ! On sait bien que Leibniz était ton amant ! » Maman lança une cruche d'eau par la fenêtre sur ceux qui étaient les plus proches. « Ça va peut-être te rafraîchir ! » hurla-t-elle furieuse. « Tu crois vraiment que les gens n'ont que ça dans la tête ? Tu crois que nous sommes tous des bêtes, comme toi ? »

Déjà, Guilherm avait passé le portail et tambourinait à la porte, sans paraître ébranlé par ses répliques. « Allez, vas-tu enfin sortir, garce ! On sait ce que tu as fait ! » Sous la force de ses coups, je voyais la porte trembler sous le verrou. Alors, Maman, le visage empourpré de colère, se tourna vers nous.

« Allez chercher vos affaires. Prenez l'argent qui est dans le coffre sous l'évier et n'oubliez pas nos papiers. »

« Mais pourquoi ? »

« Je vous dis d'aller les chercher ! »

Nous partîmes en courant.

D'abord, je crus que le craquement — un bruit affreux qui ébranla le plancher — était le bruit de la porte qui s'abattait mais, à notre retour dans la cuisine, nous vîmes que Maman avait poussé le dressoir contre la porte pour en barricader l'entrée et qu'elle avait en même temps fait tomber beaucoup de ses précieuses assiettes. Elle avait aussi tiré la table vers la porte de façon à ce que personne ne pût entrer si le dressoir finissait par céder. Elle tenait le fusil de mon père à la main.

« Cassis, vérifie la porte de derrière, je ne crois pas qu'ils aient encore pensé à ça mais on ne sait jamais.

Reine, reste avec moi. Boise… » Elle me jeta un instant un
regard étrange de ses yeux noirs, brillants et indéchiffra-
bles mais ne put terminer sa phrase car, au même
moment, on entendit un terrible fracas contre la porte.
Une partie du haut éclata et sortit du cadre, laissant voir
un pan de ciel. Des visages, rougis par la colère et la chaleur du feu, apparurent dans l'ouverture. Les gens étaient
hissés sur les épaules de leurs camarades. L'un d'eux, au
sourire sardonique, était Guilherm Ramondin.

« Tu ne peux pas te cacher dans ton petit trou »,
haleta-t-il. « On vient te chercher, sale garce, on va te faire
payer pour ce que… tu as… à mon… »

Et même à ce moment-là, alors que la maison s'écroulait autour d'elle, ma mère réussit à rire avec amertume.

« Ton père ? » dit-elle, d'une voix haute et méprisante.
« Ton père, le martyr ? François ? Le héros ? Tu me fais
rigoler ! » Elle braqua le fusil vers lui de façon à ce qu'il le
voie bien. « Ton père était un vieil ivrogne. On se foutait
de lui. Il pissait plus souvent dans ses sabots qu'à côté
quand il avait un coup dans le nez. Ton père… »

« Mon père faisait de la Résistance ! » hurla Guilherm
au comble de la fureur. « Pourquoi est-ce qu'il serait allé
chez Raphaël sans ça ? Et pourquoi les Allemands
l'auraient-ils emmené ? »

Ma mère éclata de rire de nouveau. « Oh ! De la
Résistance, vraiment ? » dit-elle. « Et le vieux Le Coz ? Il
en faisait partie aussi, hein ? Et la pauvre Agnès ? Et
Colette ? » Alors, pour la première fois ce soir-là, Guilherm fut troublé — Maman fit un pas vers la porte fracassée, le fusil toujours braqué dans sa direction.

« Eh bien, moi, je vais te le dire, tout franc,
Ramondin », dit-elle. « Ton père n'était pas plus résistant
que je ne suis Jeanne d'Arc. C'était un vieil imbécile, c'est
tout. Il était fort en gueule mais ça s'arrêtait là. Des
couilles au cul, lui ? Ça, il n'en avait pas. Il s'est tout simplement trouvé au mauvais endroit au mauvais moment,
comme vous l'êtes ce soir, vous, les autres. Maintenant, il
est temps de rentrer tous chez vous. » Et elle tira un coup

en l'air, un seul coup de feu. Elle hurla : « Foutez-moi le camp ! Tous ! »

Mais Guilherm s'entêtait. Il tressaillit lorsque des échardes de bois arrachées par le coup de feu lui égratignèrent la joue, mais il ne tomba pas à terre.

« Enfin, quelqu'un a bien tué ce Boche », dit-il d'une voix plus raisonnable. « Quelqu'un l'a bien exécuté ? Et qui ce serait, sinon la Résistance ? Et puis, quelqu'un les a bien dénoncés aux SS ? Quelqu'un de ce village. Et qui d'autre que toi, Mirabelle ? Qui d'autre, hein ? »

Ma mère commença à rire. À la lumière des flammes, son visage empourpré de rage était presque beau. Autour d'elle s'étalaient les décombres de sa cuisine saccagée. Son rire était terrible.

« Alors, tu veux vraiment savoir, Guilherm ? » Il y avait dans sa voix quelque chose de nouveau, presque de la joie. « Tu ne vas pas rentrer chez toi avant de savoir ? » Elle tira un coup de fusil vers le plafond et des écailles de plâtre tombèrent comme des plumes rouges à la lueur du feu. « Alors, tu veux vraiment savoir, sacré nom de Dieu ? »

Je le vis broncher davantage devant cette grossièreté que devant le coup de feu. À cette époque-là, s'il était tout à fait acceptable pour un homme de jurer, pour une femme, une femme honnête en tout cas, la chose était pratiquement impensable. Je sentis qu'elle s'était ainsi condamnée elle-même, mais ma mère ne semblait pas avoir fini ce qu'elle avait l'intention de dire.

« Je vais dire la vérité, alors, Ramondin ? » dit-elle. Sa voix se brisa. Rire ? Hystérie, je suppose, mais, à ce moment-là, je suis sûre qu'elle s'amusait follement. « Je vais tout simplement te dire comment cela s'est réellement passé, d'accord ? » Elle eut un mouvement de tête amusé. « Je n'ai pas eu besoin de dénoncer qui que ce soit aux Allemands, Ramondin. Et sais-tu pourquoi ? Parce que Tomas Leibniz, c'est moi qui l'ai tué ! Je l'ai tué, oui. Tu ne me crois pas ? *Je l'ai tué !* » Je l'entendis appuyer sur la gâchette mais les deux canons maintenant étaient vides.

Son ombre gigantesque courait sur le plancher rouge et sombre de la cuisine. Sa voix devint un cri aigu : « Tu te sens mieux maintenant, Ramondin ? Oui, je l'ai tué ! J'étais sa putain, c'est sûr. Je ne regrette rien. Je l'ai tué. Je le tuerais de nouveau si c'était à refaire. Je le tuerais encore et encore, des milliers de fois. Et qu'est-ce que tu dis de ça ? Hein, qu'est-ce que tu en dis, parle, sacré bon Dieu ? »

Elle hurlait encore lorsque la première torche atterrit sur le plancher de la cuisine où elle s'éteignit. Mais Reinette commença à pleurer dès qu'elle vit les flammes car, à la seconde, les rideaux s'enflammèrent et, à la troisième, ce furent les débris du dressoir qui prirent feu. Le visage de Guilherm avait maintenant disparu du haut de la porte mais je l'entendais dehors lancer des ordres. Une autre torche, une gerbe de paille très semblable à celles qui formaient le trône de la reine de la kermesse, fut confectionnée et lancée par-dessus le haut du dressoir. Elle atterrit au centre de la cuisine où elle se consuma lentement. Hors d'elle, Maman continuait à crier : « Je l'ai tué, oui, bande de lâches ! Je l'ai tué et j'en suis contente. Je suis prête à tuer n'importe lequel d'entre vous qui essaierait de nous emmerder, moi et mes enfants, prête à vous tuer tous ! » Cassis essaya de lui saisir la main. D'un geste, elle le repoussa et l'envoya s'aplatir contre le mur.

« La porte de derrière », lui criai-je. « On doit s'échapper par la porte de derrière. »

« Et s'ils étaient là à nous attendre ? » « Pas de " si " ! » hurlai-je avec impatience. À l'extérieur, la rumeur grondait, les sifflets s'élevaient comme une foule à la foire qui soudain serait devenue féroce. Je saisis ma mère par un bras, Cassis prit l'autre. Tous les deux, nous l'attirâmes vers l'arrière de la maison, toujours hurlant et éclatant de rire. Bien sûr, ils nous y attendaient. Leurs visages étaient cramoisis à la lumière des flammes. Guilherm nous barrait le passage, flanqué de Le Coz, le boucher, et de Jean-Marc Hourias qui avait l'air gêné et dont le sourire retroussait les lèvres. Trop ivres peut-être, ou trop prudents encore, ils se préparaient à commettre un crime comme des enfants qui s'aiguillonnent avant de se défier pour faire quelque chose de dangereux. Le poulailler flambait déjà, la cabane de la chèvre aussi. La puanteur des plumes brûlées se mêlait au froid humide du brouillard.

« Ne compte pas t'échapper », dit Guilherm d'un ton aigre. La maison derrière nous frémit. Dans un chuchotement, les flammes la dévorèrent.

Avec la crosse du vieux fusil et d'un mouvement si rapide qu'on put à peine le voir, Maman lui asséna un coup dans la poitrine. Il s'écroula. Pendant un instant, il y eut un espace vide là où il s'était tenu. J'y bondis en me frayant des coudes un passage et je me faufilai parmi une forêt de jambes, de bâtons et de fouines. Quelqu'un m'attrapa par les cheveux mais je lui glissai entre les mains comme une anguille. En jouant des pieds et des mains, je m'enfonçai dans la foule échauffée. Tout à coup je me sentis clouée au sol, étouffée par le mouvement des gens qui s'élançaient. À peine consciente des coups qui pleuvaient sur moi, j'atteignis enfin un espace où je pus faire surface et respirer. Dans l'obscurité, je traversai le champ à toute vitesse et m'abritai derrière un rideau de framboisiers. Quelque part, loin derrière moi, je crus entendre la voix de ma mère. Au-delà de toute peur, elle hurlait comme une bête furieuse défendant ses petits.

L'odeur nauséabonde de la fumée devenait de plus en plus forte. Sur le devant de la maison quelque chose s'écroula avec un horrible craquement et, à travers le champ, une molle vague de chaleur arriva jusqu'à moi. Quelqu'un, je crois que c'était Reine, poussa un petit cri perçant.

La foule, cette chose informe à laquelle la haine seule avait donné vie, s'étendait jusqu'aux framboisiers et même au-delà. Derrière elle, j'aperçus le pignon le plus lointain de la maison s'affaisser dans une gerbe d'étincelles. Une colonne d'air surchauffé monta tout rouge dans la nuit comme un grand geyser de feu et projeta vers le

ciel couleur ardoise une vague écumante de fumée et de
pétards comme un bouquet de feu d'artifice.

Une silhouette se détacha de la masse confuse de la
foule et traversa le champ en courant. Je reconnus Cassis.
Il s'élança vers le maïs mais je devinai qu'il allait au Poste
de Guet. Une ou deux personnes se mirent à sa poursuite
mais la plupart des gens étaient hypnotisés par l'incendie
qui dévorait la ferme. D'ailleurs, ma mère était vraiment
celle qu'ils voulaient. J'entendais sa voix au-dessus de la
foule et des flammes. Elle nous appelait.

« Cassis ! Reine-Claude ! Boise ! »

Je me relevai derrière le rideau de framboisiers, prête
à m'enfuir en courant si quelqu'un venait dans ma direction. En me dressant sur la pointe des pieds, je pouvais
brièvement l'apercevoir. Elle avait quelque chose d'une
créature échappée d'une histoire de pêcheurs, un monstre des profondeurs pris au piège qui se débattait encore
férocement. Le feu, le sang et la fumée avaient peint son
visage en rouge et noir. Je voyais d'autres visages aussi.
Celui de Francine Crespin, la Madone aux yeux d'agnelle,
était déformé par un cri de haine, celui du vieux Guilherm Ramondin ressemblait à un masque d'outre-tombe.
Maintenant, la peur se mêlait à leur haine, cette peur
superstitieuse à laquelle seuls la destruction et le crime
peuvent apporter remède.

Ils avaient attendu longtemps pour cela. Le moment
pour eux de tuer était arrivé. Je vis Reinette se détacher
furtivement d'un côté de la foule et se perdre dans le
champ de maïs. Personne ne fit un geste pour l'arrêter.
Aveuglés par le besoin de sang, la plupart auraient été
bien incapables de reconnaître qui elle était, de toute
façon.

Ma mère s'écroula. Cette main levée au-dessus des
visages grimaçants, je l'ai peut-être imaginée. C'était
comme une page d'un des livres de Cassis, *La Peste des
ombres* ou *La Vallée des cannibales*. À part les tam-tams de la
jungle, rien n'y manquait ! La chose la plus affreuse était
que je connaissais bien ces visages, aperçus rapidement

dans l'obscurité qui heureusement me protégeait. Celui-ci, c'était celui du père de Paul. Celui-là, celui de Jeannette Crespin qui avait presque été reine de la kermesse. Elle avait seize ans à peine et son visage était déjà barbouillé de sang. Le père Froment lui-même, ce mouton, était là aussi. Pour essayer de ramener l'ordre ou pour activement se joindre à la meute ? Nul n'aurait pu le dire. Sous les coups de poing et de bâton qui pleuvaient sur sa tête et son dos, ma mère se courbait, comme un poing fermé, comme une mère protégeant de ses bras un bébé. Elle hurlait encore son défi mais ses cris étaient maintenant assourdis par le poids de cette chair humaine qui haïssait.

Alors, le coup de feu retentit.

Malgré le vacarme, tous l'entendirent. La détonation d'une arme à gros calibre, un fusil de chasse à deux coups peut-être ou l'un de ces vieux pistolets que l'on peut encore trouver dans les greniers ou sous les planchers, dans tous les villages de France. C'était un coup de feu insensé. Pourtant Guilherm Ramondin en sentit la chaleur sur sa joue et, de terreur, il en mouilla son pantalon. Les têtes se retournèrent rapidement pour en découvrir l'origine. Personne ne put le dire. Sous leurs mains que le bruit avait soudain pétrifiées, ma mère commença à ramper. Son sang coulait d'une douzaine de blessures, ses cheveux rejetés en arrière montraient en plusieurs endroits la peau du crâne dénudée, un bâton pointu enfoncé dans le dos de sa main l'avait traversée. Ses doigts inertes étaient écartés.

Seul le rugissement du feu se faisait entendre, le feu de la Bible, le feu de l'Apocalypse. Les gens attendaient, se souvenant peut-être du claquement des balles du peloton d'exécution devant Sainte-Bénédicte et tremblant de peur à l'idée de l'acte qu'ils s'apprêtaient à commettre. Alors, une voix s'éleva — du champ de maïs peut-être, ou de la maison en flammes, peut-être du ciel lui-même —, une voix tonnante, une voix qu'il était impossible de ne pas entendre, à laquelle on ne pouvait désobéir, une voix de chef.

« Laissez-les ! »

Ma mère continuait à ramper. Mal à l'aise, la foule s'écarta pour la laisser passer comme le blé sous le souffle du vent.

« Laissez-les ! Rentrez chez vous ! »

La voix avait une intonation familière, dirent plus tard les gens. Ils y reconnaissaient une certaine inflexion sans être toutefois capables de dire à qui elle appartenait. Un cri hystérique tout à coup monta. « C'est Philippe Hourias ! » Mais Philippe était mort. Un frisson secoua la foule. Ma mère atteignit la prairie et se redressa en titubant d'un air de défi. Quelqu'un fit un geste pour l'en empêcher puis se ravisa. Le père Froment, de sa voix chevrotante, prononça quelque chose de neutre et de bien intentionné. Les cris de colère faiblirent et s'arrêtèrent. Né de la superstition, un silence tomba. Avec prudence mais pleine de défi, sans détourner les yeux de toute cette foule qui me regardait, je me dirigeai vers ma mère. La chaleur de l'incendie me brûlait le visage et mes yeux étaient remplis de la danse des flammes. Je mis ma main dans sa main valide.

Devant nous s'étendait la vaste obscurité protectrice du champ de maïs des Hourias. Nous y plongeâmes en silence. Personne ne nous suivit.

XXI

J'allai chez Tante Juliette avec Reinette et Cassis. Maman y resta une semaine, puis elle nous quitta. Elle se sentait coupable peut-être ou elle avait peur mais, officiellement, pour raison de santé. Nous ne la revîmes plus qu'une ou deux fois après cela. Nous apprîmes qu'elle avait changé de nom et repris son nom de jeune fille, puis qu'elle était retournée vivre en Bretagne. Nous ne reçûmes que peu de détails. J'entendis dire qu'elle gagnait assez bien sa vie à travailler dans une boulangerie où elle confectionnait ses anciennes spécialités. Sa grande passion avait toujours été la cuisine. Nous vécûmes chez Tante Juliette que nous quittâmes dès qu'il nous fut possible de le faire sans la chagriner. Reine alla tenter sa chance dans le monde du cinéma, son rêve depuis si longtemps. Cassis s'enfuit à Paris. Moi, je me réfugiai dans le confort d'un mariage sans surprise. Nous apprîmes que la ferme des Laveuses n'avait été que partiellement détruite par l'incendie, que la plupart des dépendances étaient à peu près intactes et que, du bâtiment principal, seul le devant étai. complètement en ruines. Nous aurions pu y retourner mais la nouvelle du meurtre qui avait eu lieu aux Laveuses s'était répandue. L'aveu public de ma mère, devant trois douzaines de témoins, de sa culpabilité, ses propres mots — « J'étais sa putain. C'est moi qui l'ai tué. Je ne regrette rien » — tout autant que les sentiments qu'elle avait exprimés à l'égard des autres villageois avaient suffi à la condamner. On bâtit un monument à la mémoire des dix martyrs du Grand Massacre. Plus tard, lorsque ces choses-là ne furent plus que des curiosités pour les visiteurs qui ont du temps à perdre, lorsque le chagrin et la terreur se furent un peu calmés, il devint évident que l'hostilité envers Mirabelle Dartigen et ses enfants avait peu de chances de diminuer. Il me fallut regarder la vérité en face. Je ne retournerais jamais aux Laveuses, jamais plus. Et pendant des années, je ne me rendis même pas compte à quel point j'avais besoin de le faire.

XXII

Le café est encore en train de bouillir sur la cuisinière. L'odeur qui s'en dégage, cette odeur de feuilles noircies et à demi calcinées avec un soupçon de fumée dans la vapeur, me remplit d'une nostalgie puissante. Je le bois

avec beaucoup de sucre comme pour un traitement de
choc. Je crois que je commence enfin à comprendre comment ma mère a dû se sentir, cette impression de liberté
échevelée qu'elle a dû éprouver en lâchant tout.

Ils sont tous partis : la fille avec son petit magnéto-
phone et ses piles de bandes, le photographe, même Pistache est retournée chez elle, à ma demande. Je sens encore
son dernier baiser, ses bras autour de moi et ses lèvres sur
ma joue, ma fille, la bonne, celle que j'ai si longtemps
négligée pour la mauvaise. Les gens changent, pourtant.
J'ai enfin la conviction de pouvoir vous parler maintenant
à toutes deux, toi, ma farouche Noisette et toi, ma douce
Pistache. Maintenant, je suis capable de vous serrer dans
mes bras sans avoir l'impression de m'enliser dans la vase.
Génitrix est bien mort, enfin. La malédiction qu'il portait
n'existe plus. Aucun danger ne nous menacera plus si
j'ose aimer, si j'ose vous aimer.

Tard, hier soir, Noisette a répondu à mon appel. Sa
voix était tendue, prudente, comme la mienne. Je l'imaginais, appuyée à la mosaïque du bar, dans la position
exacte où je me trouve maintenant, un air soupçonneux
sur son visage étroit. Il n'y a pas beaucoup de chaleur
dans les mots qu'elle prononce, qui doivent m'atteindre à
travers des kilomètres de froideur et d'années perdues.
Lorsqu'elle parle de son enfant pourtant, alors, je crois
parfois entendre un je-ne-sais-quoi, ce quelque chose qui
ressemble à un début de douceur et cela me rend heureuse. Je lui raconterai tout quand le moment viendra, je
crois, tout doucement, en l'attirant vers moi. Je peux me
permettre d'être patiente ; après tout, j'en ai l'habitude.
D'une certaine façon, elle a besoin, plus que n'importe
qui, de connaître cette histoire — certainement plus que
le public que de vieux scandales mettent en appétit —,
plus que Pistache même. Pistache n'est pas du genre à
garder rancune, elle. Elle accepte les gens tels qu'ils sont,
avec candeur et compréhension. Mais Noisette a besoin
de connaître cette histoire et sa fille, Pêche, aussi, pour
empêcher le fantôme de Génitrix de relever un jour la

tête. Noisette a ses démons, elle aussi. Je ne peux qu'espérer ne pas en être un.

◈

Maintenant qu'ils sont tous partis, la maison semble curieusement déserte et vide. Un courant d'air balaie quelques feuilles mortes sur le carrelage de la cuisine. Je n'ai pourtant pas l'impression d'être tout à fait seule. Il ne reste plus de fantômes dans cette vieille maison. J'y habite depuis si longtemps. Je n'ai jamais senti la moindre « présence » et pourtant, aujourd'hui, c'est comme si... comme si quelqu'un se cachait dans l'ombre, quelqu'un de calme, d'effacé et qui attendait là presque humblement.

Ma voix résonne plus sèchement que je n'en avais l'intention. « Qui est là ? *Qui est là ?* » Le son en est renvoyé avec un bruit métallique par les murs nus et le plancher carrelé. Alors, il fait un pas vers la lumière. En le voyant, j'ai soudain envie d'éclater de rire et de fondre en larmes.

« Ça sent le bon café », dit-il de sa voix douce.

« Mon Dieu, Paul. Comment peux-tu marcher aussi silencieusement ? »

Il me fait un large sourire.

« J'ai cru que... Je pensais que... »

« Tu penses trop », dit-il simplement en s'approchant de la cuisinière. Dans la lumière faible de la lampe, son visage est tout doré et sa moustache tombante lui donne un air malheureux démenti par l'éclat vif de son regard. J'essaie de deviner ce qu'il a entendu de mon histoire. Assis dans la pénombre comme il l'était, j'avais complètement oublié sa présence.

« Tu parles beaucoup, aussi », dit-il, sans aucune envie d'être critique, en se versant une tasse de café. « J'pensais que ça allait t'prendre toute la semaine à t'entendre parler. » Il me lance un sourire rapide et espiègle.

« J'avais besoin qu'ils comprennent », expliqué-je, un peu gênée. « Et Pistache... »

« Les gens comprennent bien plus de choses qu'on ne le croit. » Il fait un pas vers moi et pose la main contre mon visage. Elle sent le café et le vieux tabac. « Pourquoi t'es-tu cachée si longtemps ? À quoi cela allait-il servir ? »

« Il y avait… des choses que je ne pouvais tout simplement pas dire », murmuré-je d'une voix hésitante. « Ni à toi ni à personne. Des choses qui auraient pu, à mon avis, faire s'écrouler le monde autour de moi. Tu ne sais pas toi, tu ne peux pas, tu n'as jamais rien fait de… »

Son doux rire éclate, un rire sans aucune ombre. « Oh, Framboise, c'est ça que tu penses vraiment ? Tu crois que je ne sais pas ce que c'est que de garder un secret ? » Il prend ma main toute sale dans les siennes. « Tu crois que je suis trop bête pour avoir un secret ? »

« Non, ce n'est pas ce que je pensais », affirmé-je. Mais c'était bien cela. Mon Dieu, c'était précisément cela !

« Tu penses que c'est à toi de porter le poids du monde », continue Paul. « Eh bien, ouvre bien tes esgourdes ! » Il retombe dans son patois et je discerne maintenant l'écho de son bégaiement d'enfant dans la façon dont il prononce certains mots, les deux choses le font paraître très jeune. « Ces lettres anonymes. Tu te souviens des lettres, Boise. Celles qui étaient pleines de fautes d'orthographe ? Et les inscriptions sur les murs ? »

Je fais oui de la tête.

« Tu te souviens comme elle a ca… caché ces lettres quand tu es entrée dans le vestibule ? Tu te souviens comment tu pouvais deviner si elle en avait reçu une autre à son air, à la façon dont elle marchait de long en large en tapant des pieds, à son regard effrayé et f… furieux parce qu'elle avait peur et qu'elle était furieuse. Te souviens-tu de comment, à cette époque-là, tu la détestais ? Tu la détestais tellement que tu aurais pu la tuer ? »

Je hoche la tête.

« Eh bien, c'était moi », dit simplement Paul. « C'est moi qui les ai écrites, moi tout seul. Je parie que tu ne savais même pas que je savais lire, hein ? Faut bien avouer que malgré tous les efforts que j'avais faits pour les écrire, ça n'était pas du beau travail. Et tout ça pour lui redonner la monnaie de sa pièce ! Parce qu'elle m'avait traité de crétin, ce jour-là, devant toi et Cassis et Reine-C… C… C… » Son visage se déforme sous l'effort et s'empourpre de frustration. « Devant Reine-Claude », finit-il par dire d'un ton calme.

« Je comprends. »

« Bien sûr. C'était simple comme bonjour. C'est comme les devinettes, simples quand on en a la réponse. » Je me souviens de son visage lorsque Reinette était dans le coin, de la façon dont il rougissait, dont il bégayait puis se taisait alors qu'en ma présence à moi, il parlait presque de façon normale. Je me souviens de cette expression de pure haine, de haine profonde dans son regard, ce jour-là. « Tu ne peux pas parler correctement, crétin ! » Je me souviens du cri sinistre de chagrin et de rage qu'il avait laissé dans son sillage dans sa fuite à travers les champs. Je me souviens de la façon dont il parcourait les magazines illustrés de Cassis avec une intense concentration — Paul qui, d'après tout le monde, était bien incapable de déchiffrer un mot. Je me souviens de son regard, qui me jugeait, au moment où j'avais distribué les parts d'orange, de l'impression bizarre que j'avais eue au bord de la rivière que quelqu'un parfois m'espionnait — même la dernière fois, le dernier jour avec Tomas… Même celui-là. Mon Dieu, même celui-là.

« Je n'ai jamais eu l'intention que les choses aillent aussi loin. Je voulais lui faire payer ce qu'elle avait dit mais je n'ai jamais voulu le reste. Les choses avaient dépassé la mesure, comme cela arrive. C'est comme un poisson trop lourd pour la ligne et qui part avec. J'ai essayé de réparer les dégâts à la fin pourtant. J'ai vraiment essayé. »

Je le regarde bouche bée.

« Mon Dieu, Paul ! » Je suis trop stupéfaite pour me fâcher, à supposer qu'il y ait encore en moi assez de place pour la colère. « C'était toi, n'est-ce pas ? Toi, cette nuit-là, à la ferme, avec le fusil de chasse ? Toi, qui te cachais dans le champ ? »

Paul fait oui d'un signe de tête. Je ne peux pas m'empêcher de le regarder, je le vois peut-être pour la première fois.

« Tu savais ? Et tout ce temps-là, tu savais tout ? »

Il hausse les épaules. « Vous me pensiez tous un peu simple », explique-t-il sans amertume. « Vous avez tous cru que cela pouvait se passer sous mon nez sans que je ne m'en aperçoive. » Il me regarde avec son sourire paresseux et triste. « Et maintenant j'imagine qu'il n'y a plus rien à dire à présent. Toi et moi. Je suppose que c'est fini ? »

☙❧

J'essayais d'y voir clair mais j'avais du mal à accepter les faits. Pendant tant d'années j'avais cru que c'était l'œuvre de Guilherm Ramondin, ce Guilherm qui avait mené la populace le soir de l'incendie, ou de Raphaël peut-être, ou de l'un des membres des Familles et aujourd'hui, j'apprenais que tout ce temps-là c'était Paul, Paul si doux et si lent, Paul qui n'avait pas treize ans à l'époque et limpide comme un ciel d'été. C'était lui qui avait tout commencé et c'était lui qui y avait mis fin aussi. Éternelle et parfaite symétrie. Lorsque je retrouvai enfin la parole, ce fut pour dire quelque chose de complètement inattendu, quelque chose qui nous étonna tous les deux.

« Tu l'aimais donc tellement ? » Ma sœur Reinette, avec ses pommettes hautes et ses magnifiques cheveux bouclés qui brillaient au soleil. Ma sœur, la reine de la kermesse, aux lèvres rouges, avec sa couronne de fruits écarlates, une gerbe de blé à la main et un panier de pommes au bras. Je m'en souviendrai toujours ainsi, vous savez, c'est l'image claire, parfaite que je garde d'elle. J'éprouvai au fond de mon cœur un petit pincement de jalousie tout à fait inattendu.

« De la même façon que toi, tu l'aimais sans doute », répondit calmement Paul. « De la façon dont tu aimais Leibniz. »

Que nous étions bêtes lorsque nous étions enfants. De jeunes idiots avec la vie entière devant nous et nous causions pourtant tant de chagrin aux autres. Toute ma vie, j'avais rêvé de Tomas, pendant ma vie de femme en Bretagne, ma vie de veuve aussi, toujours rêvant d'un homme comme Tomas, d'un homme au rire insouciant, aux yeux couleur de la rivière et qui me regardait en comprenant, le Tomas de ma prière — toi, Tomas, toi seul et pour toujours —, la malédiction de Génitrix devenue chair.

« Ça m'a pris un certain temps, tu sais », ajouta Paul. « Mais cela m'a passé. J'ai cessé de forcer les choses. C'est comme de nager contre le courant, ça épuise. Après un certain temps, qui que l'on soit, il faut abandonner et permettre à la rivière de vous ramener. »

« Vous ramener. » Ma voix me paraissait étrange. Posées sur les miennes, ses mains avaient quelque chose de rugueux et de chaud comme le pelage d'un vieux chien. Nous formions un étrange couple dans le jour qui baissait, comme Hansel et Gretel qui auraient vieilli chez la sorcière et dont les cheveux seraient devenus gris et qui refermeraient enfin derrière eux la porte de pain d'épice.

Il faut abandonner et permettre à la rivière de vous ramener. Cela semblait si facile.

« Nous, on a attendu si longtemps, Boise. »

Je détournai mon visage de son regard. « Trop longtemps, peut-être ! »

« Je ne le crois pas ! »

Je pris une profonde respiration. Le moment était arrivé, le moment d'expliquer que tout était fini entre nous, que le mensonge qui nous séparait depuis si longtemps était trop vieux pour qu'on puisse l'oublier, trop énorme pour qu'on puisse le contourner, que nous, nous étions trop décrépits, que c'était ridicule, bon Dieu, que c'était impossible et que d'ailleurs, d'ailleurs…

C'est alors qu'il m'embrassa. Il m'embrassa sur les lèvres. Ce n'était pas le baiser d'un vieillard mais quelque chose de totalement différent. J'étais ébranlée, pleine d'indignation mais d'un étrange espoir aussi. Lentement, les yeux brillants, il sortit quelque chose de sa poche, quelque chose de rouge et or qui resplendit à la lueur de la lampe… un collier de pommes sauvages.

D'un geste tendre il passa le collier par-dessus ma tête et déposa contre mes seins les fruits ronds et lisses où jouait la lumière. Je le regardai faire.

« La reine de la kermesse », murmura-t-il. « Framboise Dartigen. Toi seule. »

L'odeur aigrelette et délicieuse des petits fruits s'élevait à la chaleur de ma poitrine.

« Je suis trop vieille », dis-je d'une voix qui tremblait. « Il est trop tard pour moi ! »

Il m'embrassa de nouveau, d'abord sur la tempe puis au coin des lèvres. Il tira encore quelque chose de sa poche, un ruban jaune de paille tressée qu'il plaça sur ma tête en guise de couronne.

« Il n'est jamais trop tard pour se laisser ramener », chuchota-t-il et il m'attira vers lui d'un geste d'autorité. « Tu n'as qu'à tout simplement cesser de te débattre. »

Se débattre, c'est comme nager contre le courant, ça épuise inutilement. Comme dans un oreiller, j'enfouis mon visage au creux de son épaule. Des pommes sauvages autour de mon cou montait une odeur puissante, la promesse des printemps à venir, celle des octobres de notre enfance.

Nous célébrâmes notre retour à la sécurité de la rive. Du café noir bien sucré et des croissants avec de la confiture de tomates vertes faite selon la recette de Maman.

TABLE

TABLE

CET OUVRAGE
A ÉTÉ REPRODUIT
ET ACHEVÉ D'IMPRIMER
SUR ROTO-PAGE
PAR L'IMPRIMERIE FLOCH
À MAYENNE EN JUILLET 2002
POUR LE COMPTE DE QUAI VOLTAIRE
7, RUE CORNEILLE, 75006 PARIS